GRUNDLAGEN DER GERMANISTIK

Herausgegeben von Werner Besch und Hartmut Steinecke

32

Epochenbuch Realismus

Romane und Erzählungen

von

Martin Swales

ERICH SCHMIDT VERLAG

Die Deutsche Bibliothek – CIP-Einheitsaufnahme

Swales, Martin:
Epochenbuch Realismus : Romane und Erzählungen / Martin
Swales. – Berlin : Erich Schmidt, 1997
(Grundlagen der Germanistik ; 32)
ISBN 3-503-03754-3
NE: GT

PT345
. S93x

ISBN 3 503 03754 3

© Erich Schmidt Verlag GmbH & Co., Berlin 1997
Druck: Rademann GmbH, Lüdinghausen
Printed in Germany · Alle Rechte vorbehalten

Dieses Buch ist auf säurefreiem Papier gedruckt
und entspricht den Frankfurter Forderungen
zur Verwendung alterungsbeständiger Papiere für die Buchherstellung.

Inhaltsverzeichnis

Inhaltsverzeichnis

Als sich Philosophie und Erzählkunst
voneinander trennten, geschah in meinen
Augen etwas zutiefst Bedauerliches.
Früher – von den Tagen des Mythos an –
hatten sie eine Einheit gebildet.
Dann gingen sie wie ein zankendes
Ehepaar auseinander. Somit wurde der
Roman zu etwas Schlaffem, und die
Philosophie wurde bloß abstrakt und
trocken. Die beiden sollten wieder
zusammenkommen – und zwar im
Roman.*   D. H. Lawrence

Vorbemerkung

Diese Studie des deutschsprachigen erzählerischen Realismus geht auf eine
jahrelange Beschäftigung mit den betreffenden theoretischen Problemen
und Texten zurück, die ich immer wieder in Seminaren, Vorlesungen und
Gastvorträgen behandelt habe. Ich bin mir deutlich bewußt, daß eine
Unzahl von Kollegen, Studierenden und wohlwollenden Bekannten (und
manchmal Unbekannten) dazu beigetragen haben, meinen Ausführungen
ein größeres Maß an begrifflicher und interpretatorischer Schärfe zu verleihen, als sie im Rohzustand hatten. Für diesen geradezu unerschöpflichen
Vorrat an Geduld, Interesse, Kritik und Begeisterung bin ich zutiefst dankbar. Alle, die mir geholfen haben, beim Namen zu nennen, würde zu einer
langen Liste führen, auf die ich verzichten will. Einige ausdrückliche Dank-
sagungen sind aber schlechterdings unvermeidlich. Christiane Morgan hat
mir bei der Reinschrift unermeßlich geholfen, und hat obendrein immer
wieder die Güte gehabt, zu behaupten, daß sie die Arbeit interessant und
anregend finde. Ich weiß, wieviel ich ihr verdanke. Danken möchte ich auch
meiner Familie – meiner Frau Erika und unseren beiden Kindern
Christopher und Catherine. Mein „Realismusfimmel" hat sie durch Jahre

* Das Motto ist folgender Ausgabe entnommen: D.H. Lawrence: *Selected
literary criticism*, hg. v. Anthony Beal, London 1955, S. 117 (deutsche Übersetzung von Martin Swales).

7

ihres Lebens begleitet; und sie haben äußerst selten gegen meine Obsession protestiert. Carina Lehnen und Hartmut Steinecke haben mein Manuskript kritisch gelesen und kommentiert. Ihrer Großzügigkeit, ihrem wissenschaftlichen Scharfsinn und, *last but not least*, ihrer Geduld verdanke ich sehr viel. Zwei Kapitel dieser Studie – über Keller und Fontane – sind überarbeitete Versionen von Aufsätzen, die bereits erschienen sind. Für die Erlaubnis zum Wiederabdruck möchte ich den jeweiligen Herausgebern und Verlagen ganz herzlich danken.

In mancherlei Hinsicht strebt dieses Buch eine Quadratur des Kreises an. Einerseits versuche ich, theoretische Fragen aufzuwerfen, die die Referentialität des literarischen Kunstwerks überhaupt und die Begriffsbestimmung des deutschen und europäischen Realismus im neunzehnten Jahrhundert betreffen. Andererseits biete ich mehr oder minder detaillierte Interpretationen bestimmter Texte, in der Hoffnung, daß meine Leser(innen) die Argumentation dieses Buches an ihrer eigenen Erfahrung mit Texten werden kontrollieren können. Einerseits hoffe ich, daß zumindest einige Aspekte dieses Buches bei meinen universitären Berufskolleg(inn)en Anklang finden werden. Andererseits war ich bemüht, eine nützliche und verständliche Einführung für Studierende und für das Laienpublikum zu schreiben, denn ich glaube nach wie vor an „Literatur für Leser“. Gerade weil mir das Lesen außerhalb der akademischen Zunft wichtig ist, habe ich Fragen der literarischen Qualität immer im Auge behalten – denn es schiene mir abwegig, eine Vielzahl von Texten zu referieren, die kaum gelesen werden, und die nicht verdienen, gelesen zu werden. Andererseits habe ich in bestimmten Fällen Texte minderer Qualität interpretiert – aber nur dort, wo es darum ging, Aspekte herauszuarbeiten, die im Kontext der deutschen Erzähltradition einen unverkennbar symptomatischen Aussagewert hatten.

Die deutsche Prosa hat viel zu lange eine Aschenputtelrolle in der Gesellschaft des europäischen Romans gespielt. Wenn sich diese Studie als gute Fee entpuppen kann, die es ihr möglich macht, an dem – heutzutage leicht postmodern angehauchten – Ball teilzunehmen, so werden sie – sowohl die Fee als auch die Studie – reichlich belohnt sein.

Einleitung

Eine Studie wie diese, die vor allem kurz und straff (und womöglich relativ bündig) sein soll, kommt dadurch zustande, daß man sehr viel ausspart, um sich auf das zu konzentrieren, was man für wesentlich hält. Eine solche radikale Beschränkung läßt sich nur dann verteidigen, wenn man die Kriterien explizit macht, nach denen die Schwerpunktsetzung erfolgt ist, und sie begründet.

Erstens einmal muß ich hervorheben, daß sich diese Studie auf die erzählende Literatur konzentriert. Damit will ich keineswegs leugnen, daß Tendenzen in Richtung eines sozialkritischen Realismus sowohl im Drama als auch in der Lyrik zu registrieren sind, Tendenzen die sich sowohl thematisch (etwa in der Akzentuierung der Rolle der gesellschaftlichen Konditionierung) als auch stilistisch (z.B. in der Bevorzugung von umgangssprachlichen Registern, Dialekt usw.) niederschlagen. Aber ich habe sowohl das Drama als auch die Lyrik bewußt ausgeklammert, weil sich die eigentliche theoretische Diskussion und Legitimation des Realismus im neunzehnten Jahrhundert hauptsächlich auf dem Gebiet der Prosa abspielt. Im deutschsprachigen Kontext, wie wir sehen werden, handelt es sich primär um eine Gegenüberstellung von poetischen und prosaischen Prinzipien, deren interpretatorischer und ideologischer Stellenwert von der Suche nach einem adäquaten zeitgerechten Prosaschrifttum schlechterdings nicht zu trennen ist. Ich habe mich entschlossen, diesen historisch-theoretischen Rahmen anzuerkennen. Der Titel dieser Studie weist auf „Romane und Erzählungen" des Realismus hin, obwohl der Roman den eigentlichen Schwerpunkt abgibt. Für viele Schriftsteller und Literaten des neunzehnten Jahrhunderts und für viele Literaturwissenschaftler des zwanzigsten Jahrhunderts ist es der Roman in seiner stofflichen Fülle, in seinem „demokratischen" Verliebtsein in Welthaltigkeit, der das paradigmatische Gefäß des realistischen Kunstwillens konstituiert. Ich habe beschlossen, diesen Konsens zu respektieren. Jedoch mit Ausnahmen. Denn die deutschsprachige Erzählkunst des neunzehnten Jahrhunderts bringt bekanntlich eine ganze Reihe von kurzen Prosatexten hervor – sehr oft werden sie „Novellen" genannt –, die von hoher künstlerischer Qualität sind. Mir scheint, daß die Novelle nicht von vornherein realistische Ziele anvisiert, denn immer wieder gestaltet und erörtert sie Erfahrungen, die, um an Schlüsselbegriffe der traditionellen Novellentheorie zu erinnern, „einmalig" oder „unerhört" sind. Aber aus dieser erzählerischen Konstellation können sich durchaus Texte herauskristallisieren, die mit einer „realistischen" Behandlung des „Unerhörten" (etwa bei Sealsfield, Storm oder Keller) operieren. In diesen Fällen habe ich es für richtig gehalten, die betreffenden Texte unter realistischem Vorzeichen zu behandeln. Die tragende Gattung des Realismus aber – sowohl in den deutschsprachigen Ländern als auch im übrigen Europa – ist und bleibt der Roman.

Nur noch eine letzte Bemerkung zur Spannweite dieser Studie, und zwar zu deren historisch-zeitlicher Ausdehnung. Aus Gründen, die möglicherweise damit zu tun haben, daß erst mit Fontane, gegen Ende des neunzehnten Jahrhunderts, die Einmündung deutscher Prosa in die realistische Hauptströmung der europäischen Erzählkunst gelingt, haben sehr viele Kritiker und Theoretiker dazu geneigt, das Zeitalter des Realismus in Deutschland auf die Zeitspanne 1848 bis etwa 1898 zu begrenzen. Auf den ersten Blick mag das seine historischen Gründe haben, denn der nationalliberale Kampf um die Einheit der deutschen Nation, der in den Revolutionsjahren um 1848 sowohl einen gewaltigen Fortschritt als auch eine beträchtliche Niederlage verzeichnen mußte, wurde dann in der zweiten Jahrhunderthälfte zur treibenden Kraft im politischen Denken Deutschlands. Die unterschwellige Begründung dieser Periodisierung geht daraus hervor, daß sie mit einer normativen Auffassung europäischer Geschichte operiert, die besagt, daß der einheitliche Nationalstaat das notwendige Ziel der sozialpolitischen und auch der literaturhistorischen Entwicklung ist. Deutschland vermochte erst dann Werke eines erkennbaren europäischen Realismus hervorbringen, heißt es, als es die angebrachte regierungspolitische Existenzform angenommen hatte. Obwohl mir an dieser Argumentation einiges einleuchtet, finde ich, daß mehrere verkappt-teleologische Aspekte dieser Argumentation schon längst der Revision bedürftig sind. Aus diesem Grunde versuche ich, Aspekte des „deutschen Sonderweges" zu hinterfragen; und das bringt mit sich, daß ich die ersten Beispiele des Realismus in Deutschland früher (etwa mit der jungdeutschen Generation um 1830) ansetze als das normalerweise geschieht. Mein Überblick hört mit Thomas Manns *Buddenbrooks* auf, denn für mich ist dieser Romantext keineswegs eine Absage an den erzählerischen Realismus, wie sehr oft behauptet wird, sondern eine unübertroffene Summierung der thematischen und stilistischen Tendenzen des deutschsprachigen Realismus.

I. Theorie des Realismus

(Wirklichkeitsnähe als ästhetische Konstante)

Eines der lustigsten Gedichte in der europäischen Literatur stammt von Christian Morgenstern. Es heißt „Das ästhetische Wiesel" und lautet wie folgt:

Ein Wiesel
saß auf einem Kiesel
inmitten Bachgeriesel.

Wißt ihr
weshalb?

Das Mondkalb
verriet es mir
im Stillen:

Das raffinier-
te Tier
tats um des Reimes willen.[1]

Die Pointe des Gedichtes besteht darin, daß wir normalerweise in einem jeden literarischen Kunstwerk zwei separate Aussagebereiche erkennen – aber in diesem Gedicht werden sie souverän miteinander vermengt. Die beiden Bereiche, um die es sich handelt, sind einerseits der ästhetische, der in der linguistischen Seinsweise des literarischen Kunstwerks beheimatet ist, und andererseits der referentielle Bezug, der dadurch entsteht, daß der Text auf eine Welt außerliterarischer Erfahrung hinweist. Morgensterns Wiesel – und Wiesel sind übrigens verhältnismäßig unliterarische Tiere – benimmt sich auf eine Art und Weise, die das Zustandekommen eines klangvollendeten Gedichtes gewährleistet, denn es sitzt auf einem Kiesel, nicht weil es etwa müde oder verliebt ist, sondern weil es sich der eigenen Existenz innerhalb des textuellen Universums eines sich reimenden Gedichtes bewußt ist und sich dementsprechend verhalten will. Im Endeffekt mag das alles zugestandenermaßen ziemlich unplausibel sein; aber wir regen uns ob dieser Unwahrscheinlichkeit gar nicht auf, denn das Gedicht heißt ja schließlich

---

[1] Christian Morgenstern: *Werke und Briefe*, hg. v. Maurice Cureau, Bd. III *Humoristische Lyrik*, Stuttgart 1990, S. 69.

„Das ästhetische Wiesel" und nicht „Das realistische Wiesel". Und der Humor geht daraus hervor, daß eine Fiktion kreiert wird, in der kreatürliche und mineralogische Entitäten (Wiesel und Kiesel) so tun, als ob sie nur im Kontext ihres sprachlichen und ästhetischen Nachvollzugs existierten.

Morgensterns Gedicht erinnert uns durch seine humoristische Persiflage an einen entscheidenden Aspekt unseres Umgangs mit ästhetischen Fiktionen: wir erwarten von ihnen eine zweifache Stimmigkeit – sie sollten in sich, als formale Aussagen stimmig, d.h. kohärent sein, und sie sollten auch in Bezug auf die außerästhetische Welt stimmen. Und gerade diese letzte Erwartung hängt mit der Geschichte der abendländischen Realismustheorie aufs engste zusammen. Wie Stephan Kohl in seinem hervorragenden Buch *Realismus: Theorie und Geschichte* zeigt[2], ist das Verlangen nach Wahrscheinlichkeit, nach Wirklichkeitsnähe, ein immer wiederkehrendes Moment in der ästhetischen Diskussion literarischer Konventionen und Gattungen. Ein jedes Kunstwerk – und sei es noch so panoramahaft und welthaltig konzipiert – muß notgedrungen selektiv sein; es kann nie die Gesamtheit der wahrnehmbaren Welt registrieren. Daher ist das Moment der Selektion immer entscheidend; Künstler haben gewisse Aspekte der menschlichen Erfahrung hervorgehoben und zum zentralen Anliegen ihrer Kreativität gemacht. Was aber einem bestimmten Zeitgeschmack als zentral und wichtig erscheint, mag wohl einer anderen historischen Periode als irrelevant, bloß konventionell vorkommen. Und dann werden die jeweiligen ästhetischen Konventionen hinterfragt – im Namen einer größeren, mittels anderer Modalitäten künstlerischer Aussage zu erreichenden Wirklichkeitsnähe. Sobald es darum geht, „im Vergleich zu den herrschenden Konventionen wirklichkeitsnäher zu schreiben"[3], wird Realismus als Wahrheitsgehalt, als ästhetische Transparenz auf außerliterarisch Erlebtes und Erlebbares zum kämpferischen Slogan im Zeichen einer adäquateren Referentialität. Um mit Morgenstern zu reden, dem Wiesel wird wieder einmal erlaubt, sich spontan und unbekümmert zu bewegen – im Namen größerer ästhetischer und existentieller Freiheit. Was dabei entsteht, ist selbstverständlich kein absolutes, ein für alle Mal gültiges Bild der Welt –, sondern wieder ein Korpus von Konventionen, die, solange sie gelten, für natürlich und notwendig gehalten werden, die aber dann ihrerseits im Wandel historischer Erfahrung zu „bloßen" Konventionen gemacht werden. Es geht somit um den immer wieder unternommenen Versuch, eine möglichst unmittelbare Überschneidung zwischen den Formen und technischen Möglichkeiten künstlerischer

---

[2] Stephan Kohl: *Realismus: Theorie und Geschichte*, München 1977.
[3] Ebda., S. 12.

Kreativität einerseits und der tatsächlichen Welt konkreter Lebenserfahrung andererseits herbeizuführen. Angestrebt wird ein hautnahes Sich-Überschneiden jener beiden artistischen Grundimpulse, von denen bereits die Rede gewesen ist – von, um mit Ernst Gombrich zu reden, „matching" und „making", von Abbilden, Nachahmen, *Finden* einerseits und Entwerfen, Kreieren, *Erfinden* andererseits.[4]

Dieser Prozeß unaufhörlichen soziokulturellen Wandels bringt selbstverständlich mit sich, daß wir, in Anbetracht der immer wiederkehrenden, variierenden Bestrebung, Realismus zu erzielen, strenggenommen von Realis*men* reden sollten. Denn wir müssen verhindern, daß wir bestimmte kontingente ästhetische Formen zu gottgewollten, unwandelbaren Wahrheiten machen. Es ist ja klar, daß die Welt, von der Homer spricht, anders bewohnt und erlebt wird als die Welt, der wir in Virginia Woolfs Romanen begegnen. Und doch ist es so, daß gewisse literarische Werke, auch wenn sie in philosophischer und begrifflicher Hinsicht „überholt" sein mögen, immer noch die Fähigkeit behalten, uns intensiv anzusprechen. Dantes *Göttliche Komödie* basiert auf einer Auffassung menschlicher Erfahrung, die im christlichen Glauben verankert ist. Im Laufe der Säkularisation, die sich allüberall in Westeuropa seit dem 18. Jahrhundert niedergeschlagen hat, sind viele christliche Glaubensartikel bestenfalls zu leeren Formeln geworden. Das heißt nun aber nicht, daß Dantes grandioses Epos uns unverständlich geworden ist. Manches verstehen wir sicherlich nur mühsam, wenn überhaupt; aber gewisse, uns fiktiv verfügbare Möglichkeiten sprechen uns nach wie vor an. Das „Realistische" an irgendeinem Kunstwerk birgt sowohl Wandelbares als auch Bleibendes in sich. Von dieser, um mit Goethe zu reden, Dauer im Wechsel des wirklichkeitsnahen Kunstwillens zeugen zwei Darstellungen, die immer noch sehr lesenswert sind: Erich Auerbach, *Mimesis: Dargestellte Wirklichkeit in der abendländischen Literatur*, und J. P. Stern, *On Realism*.[5] Auerbach weigert sich konsequent, eine Begriffsbestimmung des literarischen Realismus zu geben; er untersucht nur, anhand genauer textnaher Lektüren von erstaunlicher Feinfühligkeit und Resonanz, Momente im jeweiligen Text, in denen sich die entscheidende Seinsweise weltlicher Erfahrung herauskristallisiert. Homers Wirklichkeit ist, wie gesagt, anders beschaffen als die der Bibel, als die Shakespeares

---

[4] E.H. Gombrich: *Art and Illusion: A Study in the Psychology of pictorial Representation*, Oxford 1980, S. 24. Vgl. auch *Realism*, hg. v. Lilian R. Furst, London und New York 1992, S. 1-5.

[5] Erich Auerbach: *Mimesis: Dargestellte Wirklichkeit in der abendländischen Literatur*, Bern 1946: J.P. Stern: *On Realism*, London und Boston 1973.

oder Stendhals. Aber unter Auerbachs Geleit wissen wir, daß all diese Wirklichkeiten als die in der abendländischen Tradition verkörperten Möglichkeiten des Daseins[6] uns nach wie vor ansprechen und bewegen. Was auf
theoretischer Ebene von Auerbach nicht unternommen wird, holt J. P. Stern
nach. Er arbeitet drei Merkmale realistischer Kunst heraus: (i) die erzählerische Anerkennung des schieren Vorhandenseins der materiellen Welt, wobei die Gegenstände, die beschrieben werden, zu Emblemen narrativ ver-
bürgter Welthaltigkeit werden; (ii) die Thematisierung des Vorhandenseins
der Resistenz der gegenständlichen Welt; (iii) das Hervorheben der um-
ständlichen Konsequenz und Konsistenz der empirischen Welt. An diesen
drei Faktoren merken wir, laut Stern, daß wir es mit realistischen Fiktionen
zu tun haben – weil sie alle in thematischen Konstellationen verankert sind,
die den unmittelbaren Kontakt zwischen menschlichem Innern und materiellem Außen, zwischen individueller Wahrnehmung und allgemeiner
Tatsächlichkeit heraufbeschwören. Stern behauptet somit, daß die verschiedenen Welten, die in der realistischen Literatur zum Ausdruck gebracht
werden, wie mannigfaltig sie auch immer sein mögen, eines gemeinsam
haben: eine gewisse erkenntnistheoretische Naivität, die glaubt, daß es so
etwas wie ein menschliches Selbst und wie eine materielle Welt gibt, und
daß dieses Selbst nicht gefragt wird, ob es in der Materie leben will – es lebt
notgedrungen und als existentielles darin. Philosophische Fragen nach der
Begriffsbestimmung des Selbst und der Materie sind letzten Endes für den
realistischen Schriftsteller irrelevant.

Zweimal habe ich soeben von der vertrauten Formel „es gibt" Gebrauch
gemacht – so etwa: es gibt ein menschliches Selbst, es gibt eine materielle
Welt, in der jenes Selbst wohl oder übel beheimatet ist. Es handelt sich somit
für den Realisten, in Sterns Darstellung, um *Gegebenheiten*, um das, was es
gibt, um *Données*, die schlicht und einfach unumgänglich und unleugbar
sind. Etwas Ähnliches wird von keinem Geringeren als George Henry
Lewes behauptet. In einem für die *Westminster Review* geschriebenen
Artikel verteidigt er Gustav Freytags Roman *Soll und Haben* gegen den
Vorwurf „realistischer Banalität", der erhoben wurde, weil sich Freytag,
wie es hieß, allzusehr mit alltäglichen Arbeitsprozessen beschäftigte. Lewes
hatte einige Bedenken, was die künstlerische Qualität von *Soll und Haben*
anging – und mit Recht, wie wir sehen werden. Gegen die prinzipielle
Attacke aber, die impliziert, daß alltägliche, vom Leser sofort zu erkennen-
de Situationen banal sind, nimmt er Freytag in Schutz: „Realismus ist die

---

[6] Vergleiche das berühmte „Kunstgespräch" in Georg Büchners *Lenz.*

Grundlage aller Kunst, und dessen Antithese ist keineswegs Idealismus, sondern Falschismus."[7]

Für Lewes, Auerbach und Stern ist der Realismus nicht dekonstruierbar; er entspringt einem angeborenen Bedürfnis des Schriftstellers, die Welt „wie sie ist" zu schildern. Auf Fragen der Mittelbarkeit, der Konstruiertheit – und der Dekonstruierbarkeit – werden wir später zurückkommen müssen. Hier gilt es vorläufig, zweierlei festzuhalten. Erstens: sowohl Lewes als auch Auerbach und Stern fassen den Realismus als, wenn nicht invariabel, so doch zumindest transepochal auf. Zweitens: obwohl alle drei sehr genau zu lesen vermögen, ist Realismus für sie primär eine Kategorie der Thematik und nicht der Form, der Struktur und der Stilistik. Zweifelsohne verdanken wir Auerbach und Stern entscheidende Anregungen in unserer Auffassung der möglichen Vermittlungen zwischen dem realistischen Kunstwerk und der außerliterarischen Wirklichkeit.

Im nächsten Kapitel wenden wir uns Definitionen des Realismus zu, die epochenspezifisch sind.

---

[7] Georg Henry Lewes: „Realism in Art: recent German Fiction", in: *The Westminster Review* 70, 1858, S. 496.

II. Theorie des Realismus

(Realismus als Zeitstil)

Für viele Theoretiker ist der Realismus keine konstante Kategorie des Kunstwillens überhaupt, sondern vielmehr der Name eines Zeitstils. Er bezieht sich, so heißt es, auf den bürgerlichen Roman des späten achtzehnten und des neunzehnten Jahrhunderts, und aus diesem Grund sind Realismustheorie und Romantheorie aufs engste miteinander verflochten. Begriffe wie „Romantheorie" oder „Realismustheorie" muten in diesem historischen Kontext vielleicht etwas hochgestochen an, denn die eigentlichen Beiträge zu den jeweiligen Theorien sind eher unsystematisch und unrigoros, wie wir sehen werden. Vor allem trifft das auf die englische und französische Traditionen zu, wo die theoretischen Aussagen sehr oft aperçuhaften, punktuellen Charakters besitzen. Wir dürfen aber trotzdem von einem damals gängigen Grundkonsens reden.

Für Ian Watt in seiner berühmten Studie *The Rise of the Novel* ist die Geburtsstunde des modernen Romans und somit des modernen Realismus überhaupt von den kreativen und dynamischen Energien des anbrechenden Kapitalismus untrennbar.[1] Die soziale und geistige Mobilität der Zeit geht aus den Wertvorstellungen des modernen Individualismus hervor. In philosophischer Hinsicht heißt das, daß die Wahrheit keineswegs als das Produkt ewiger Normen und Dogmen anzusehen ist; sie wird vielmehr in dem individuellen Experiment praktischer Lebensführung entdeckt und an den Tag gefördert. Vor allem ist der Roman die dem modernen Lebensgefühl passende Form, denn er vermag, die individuierte, wimmelnde Fülle der bürgerlichen Welt in den Griff – auch in den Begriff – zu bekommen. Stephan Kohl schreibt: „Inhaltlich ist unübersehbar die neue Öffnung der realistischen Kunst gegenüber der zeitgenössischen Wirklichkeit, die mit Exaktheit in ihrer geschichtlichen Bedingtheit und in ihrer Wirklichkeit auf den Menschen „aktualistisch" reproduziert wird."[2] Es sind vor allem die englischen und französischen Romantraditionen, und die daraus hervorgehenden theoretischen Legitimationen realistischer Prosa, die dem europäischen

---

[1] Ian Watt: *The Rise of the Novel*, Harmondsworth 1963. In deutscher Übersetzung: *Der bürgerliche Roman: Aufstieg einer Gattung*, Frankfurt am Main 1974.
[2] Kohl: *Realismus*, S. 79.

Realismus ihre wesentliche Signatur geben. Einige Beispiele mögen stellvertretend für viele stehen.

Für die englischen Romanschriftsteller des ausgehenden achtzehnten Jahrhunderts gilt es, einen energischen Kampf gegen die Beliebtheit der „romances" des vorangehenden Jahrhunderts (d'Urfés *L'Astrée*, La Calprenèdes *Cassandre* und *Cléopatre*, Mlle de Scudérys *Clélie* und *Artamène* – bezeichnenderweise durchweg französische Titel) auszutragen. 1749 schreibt Fielding: „I think it may very reasonably be required of every writer that he keeps within the bounds of possibility."[3] Clara Reeve meint in *The Progress of Romance* (1785): „The Romance is an heroic fable, which treats of fabulous persons and things. The Novel is a picture of real life and manners, and of the times in which it was written."[4] Später beschreibt Walter Scott, dessen Romanwerk einen weitverbreiteten und nachhaltigen Einfluß auf seine deutschen Zeitgenossen ausüben sollte, in seinem *Essay on Romance* (1824) den Roman als „a fictitious narrative, differing from the Romance, because the events are accommodated to the ordinary train of human events, and the modern state of society."[5] An diesen drei Beispielen lassen sich zwei Schwerpunkte erkennen: erstens, die Auffassung, daß sich der Roman gegenüber der Romanze dadurch profilieren soll, daß er von alltäglichen, wahrscheinlichen Ereignissen, Schauplätzen handelt; zweitens, die Überzeugung, daß der Roman ein Bild seiner eigenen Zeit vermitteln soll.

Die englische Roman- und Realismustheorie mißt somit der Aktualität und Wahrscheinlichkeit der eigentlichen Thematik große Bedeutung bei. Im großen und ganzen aber handelt es sich um eine relativ konziliante, unpolemische ästhetische Gesinnung. Die Begriffsbestimmungen des Romanrealismus sind alles andere als prinzipiell oder systematisch. Die Romanze wird verworfen – aber nicht im Ton akribischer Denunziation. Und gegen Ende des neunzehnten Jahrhunderts fehlte es nicht an Stimmen, die den realistischen Roman mit der in stilistischer und thematischer Hinsicht ideellen Welt der Romanze verquicken wollen, im Sinne von R. L. Stephensons Beobachtung: „all representative art, which can be said to live, is both realistic and ideal."[6]

Die Theorie des französischen Romanrealismus ist viel radikaler und polemischer als die englische. Theoretische Äußerungen von Balzac bis Zola

---

[3] Miriam Allott: *Novelists on the Novel*, London 1959, S. 42.
[4] Ebda, S. 47.
[5] Ebda, S. 49.
[6] Ebda, S. 72.

zeugen von einem unverkennbaren Glauben an die empirische, experimentelle Methode der Naturwissenschaften. Balzac behauptet im *Avant-Propos* der *Comédie humaine*, daß sein ganzes gewaltiges Unternehmen von dem zoologisch-taxonomischen – will sagen naturwissenschaftlich anmutenden – Vergleich zwischen Menschen und Tieren – „une comparaison entre l'Humanité et l'Animalité"[7], getragen wird. Und in einer der meistzitierten Stellen der europäischen Romantheorie behauptet er, daß seine Rolle nur darin bestehe, der französischen Gesellschaft als Sekretär zu dienen: „La société française allait être l'historien, je ne devais être que le secrétaire."[8] Die szientistisch anmutende Stimme wird noch polemischer bei Zola: „Nous devons opérer sur les caractères, sur les passions, sur les faits humains et sociaux, comme le chimiste et le physicien opèrent sur les corps bruts."[9] Die Töne der polemischen Zuspitzung sind unüberhörbar. Man sollte dabei nicht vergessen, daß sich der Kampf in Frankreich für den Romanrealismus gegen normierte Regeln des guten Geschmacks durchzusetzen hatte. Daher der radikale Ton, der in der englischen Tradition kaum vorhanden ist. Für die englischen Schriftsteller und Theoretiker wurde die „Klassik" durch Shakespeare verkörpert. Und in der ungeheuren sprachlichen und gattungsmäßigen Vielfalt seines Oeuvres vertritt er keineswegs die Werte eines stringenten Geschmackskanons. Wohingegen die neoklassischen Regeln der französischen Klassik (Corneille, Racine) mit ihrem höfischen, unverkennbar stilisierten Charakter die Schriftsteller der realistischen Generation zu schroffer Ablehnung reizten. Daher die implizite Polemik in Stendhals Vergleich zwischen einem Roman und der erdnahen Beliebigkeit eines sich bewegenden Spiegels:

> Eh, monsieur, un roman est un miroir qui se promène sur une grande route. Tantôt il reflète à vos yeux l'azur des cieux, tantôt la fange des bourbiers de la route. Et l'homme qui porte le miroir dans sa hotte sera par vous accusé d'être immoral! Son miroir montre la fange, et vous accusez le miroir! Accusez bien plutôt le grand chemin où est le bourbier, et plus encore l'inspecteur des routes qui laisse l'eau croupir et le bourbier se former.[10]

Man hört unmißverständlich den impliziten Ton des Streitgesprächs mit dem „Monsieur" als Kontrahenten. Im Zentrum dieser Polemik stehen zweierlei: erstens eine beinahe unwirsche Geste, die formale, stilistische,

---

[7] Honoré de Balzac: *La Comédie humaine*, hg. v. Marcel Bouteron und Henri Longnon, Paris 1953, S. xxv.

[8] Ebda, S.xxiv.

[9] Emile Zola: *Le roman expérimental*, in Zola: *Oeuvres complètes*, hg. v. Henri Mitterand, Paris 1968, Bd. 10, S. 1183.

[10] Stendhal: *Le Rouge et le Noir*, in Stendhal: *Romans et nouvelles*, hg. v. Henri Martineau, Paris 1952, Bd. 1, S. 557.

ästhetische Erwartungen des durchkomponierten Kunstwerks verwirft – zugunsten einer provokativen, zur Schau getragenen Beliebigkeit; zweitens die aggressive Folgerung, daß der Romanschriftsteller es nicht zu verantworten hat, wenn der „Inspecteur" es zuläßt, daß überall Dreck ist. Die scharfe Kante der Polemik wird sowohl gegen ästhetische als auch gegen politische Ideologien gerichtet.

Selbstverständlich darf man solche Stellungnahmen nicht für bare Münze nehmen. Balzac mag sich zwar „nur" als den Sekretär bezeichnen, der die Texte des eigentlichen Geschichtsschreibers – der französischen Gesellschaft – aufnimmt; aber gerade diese Herabsetzung der eigenen Kreativität ist eine Fiktion. An der selben Stelle – d.h. im *Avant-Propos* der *Comédie Humaine* – spricht er von artistischen Ambitionen, die über die Rolle des stenographischen Handlangers der sozialen Wirklichkeit manifest hinausgehen:

> pour mériter les éloges que doit ambitionner tout artiste, ne devais-je pas étudier les raisons ou la raison de ces effets sociaux, surprendre le sens caché dans cet immense assemblage de figures, de passions et d'événements?[11]

Entscheidend ist hier meines Erachtens die Vorstellung, daß der Künstler die verborgene Bedeutung erhaschen, aufdecken soll. Wenn aber die Bedeutung verborgen ist, wie soll sie ans Tageslicht gebracht werden? Ganz offensichtlich nicht – oder nicht bloß – dank penibler, akribischer Wiedergabe der empirisch wahrnehmbaren Oberfläche des Lebens. Sondern eher durch die interpretatorische, will sagen erkenntnisleitende, Absicht der kreativen Phantasie des realistischen Schriftstellers. Was dahinter vibriert ist jener Sieg des Realismus, von dem Friedrich Engels in dem überaus wichtigen Brief an Miß Harkness spricht.[12] Engels weist darauf hin, daß Balzac selbst, der Bürger, der Mann, über dessen Existenz Literaturgeschichten und sonstige Nachschlagewerke zu berichten wissen, daß dieser Balzac keine besonders einleuchtenden, tiefschürfenden Diagnosen seiner Zeit lieferte. Wir wissen aus dem *Avant-Propos*, daß er politische Ansichten einer frappierenden Undifferenziertheit vertrat:

> L'enseignement, ou mieux, l'éducation par le Corps religieux est donc le grand principe d'existence pour les peuples, le seul moyen de diminuer la somme du mal et d'augmenter la somme du bien dans toute société.[13]

---

[11] Balzac [Anm. 7], S. xxix.
[12] Friedrich Engels: „Brief an Margaret Harkness", zitiert bei Hartmut Steinecke: *Romanpoetik in Deutschland: von Hegel bis Fontane*, Tübingen 1984, S. 226.
[13] Balzac [Anm. 7], S. xxx.

Ein paar Sätze später heißt es:

> J'écris à la lueur de deux Vérités éternelles: la Religion, la Monarchie, deux néces-
> sités que les événements contemporains proclament, et vers lesquelles tout écri-
> vain de bon sens doit essayer de ramener notre pays.[14]

Was ins Auge fällt ist nicht so sehr der Konservatismus dieser Gesinnung, sondern deren analytische Plumpheit. Gerade solche Ansichten werden aber von Balzacs kreativem Projekt dementiert; und darin besteht, für Engels, der Sieg des Realismus. Der Bürger Balzac vermochte viel weniger, eine differenzierte Diagnose der französischen Gesellschaft aufzustellen als der kreative Balzac, der aus der Gesellschaft seiner Zeit sein eigenes Epos vom Menschsein schuf. Die künstlerische Phantasie ist somit nicht, wie allzu oft angenommen wird, eine eskapistische Flucht vor der gesellschaftlichen Wahrheit, sondern vielmehr das Medium für deren kritische Durchleuchtung dank artistischer Formgebung und Kreativität. Sogar der Hohe Priester der naturwissenschaftlich ambitionierten Literatur, Emile Zola, weiß, daß ein literarisches Experiment notgedrungen von den Energien auktorialer Erfindung und Kreation beseelt werden muß: „La méthode expérimentale le (= den Autor) laisse à toute son intelligence de penseur et à tout son génie du créateur. Il lui faudra voir, comprendre, inventer."[15] Diese Argumentation will selbstverständlich nicht heißen, daß jeder Akt schöpferischer Kreativität notgedrungen ein realistischer ist. Es gibt eskapistische Phantasien, sowie es metaphysische, sexuelle, finanzielle Phantasien usw. gibt. Worauf es Engels aber ankam, war nämlich, jene Orthodoxie zu beseitigen, die besagt, daß literarischer Realismus einem Prozeß der Berichterstattung gleichkommt. Balzac, Stendhal, Zola waren kreative Schriftsteller ersten Ranges – und nicht stenographisch veranlagte Dokumentargeister.

Ich habe diesen ganzen Fragekomplex anhand der französischen Roman- und Realismustheorie erörtert, weil, wie wir gesehen haben, gerade das polemische, das sozusagen „anti-artistische" Moment in dieser Tradition einige zentrale Fragen mit aller wünschenswerten Deutlichkeit herausdestilliert, Fragen, die mit der Dialektik von *Abbilden* und *Bilden*, von *Finden* und *Erfinden* zu tun haben. In diesem Kontext soll auf drei weitere Argumente hingewiesen werden, die ebenfalls mit der französischen Tradition und vor allem mit Balzac zu tun haben. Was einem Leser an einem Balzacschen Roman sofort auffällt, ist eine gewisse Diskrepanz, eine Zweistilig-

---

[14] Ebda, S. xxxi.
[15] Zola [Anm. 9], S. 1180.

keit. Einerseits ist der Romantext eindeutig bemüht, konkrete Aspekte des gesellschaftlichen Lebens der Zeit zu beschreiben. *Le Père Goriot* beginnt mit der Beschreibung einer schäbigen Pension in Paris. Die durchgehaltene erzählerische Gebärde ist jene des Chronisten – sie besteht sicherlich aus keiner nüchternen, unparteiischen Stimme, aber immerhin bildet sie eine Instanz, die die physischen Gegebenheiten einer präzis definierbaren Welt heraufbeschwört. Andererseits hat es Stellen, an denen wir uns in einem scheinbar überdimensionalen Melodrama befinden. Gefühle, Leidenschaften grandiosen Ausmaßes schaffen sich freien Lauf, es wird geschrien, gebrüllt, getobt. Es fehlt nicht an engelreinen Helden und Heldinnen, aber auch nicht an herzlosen Opportunisten, an himmelschreienden Bösewichten – von denen der monumentale Verbrecher Vautrin das frappanteste Beispiel ist. Man war oft dazu geneigt, diese Zweistiligkeit zu bedauern und unter Umständen sogar zu beanstanden. Man hat zwischen einem realistischen Balzac, der die Maison Vauquer so eindrücklich schildert, und einem romantischen Balzac, der ohne melodramatische, überhitzte Szenen nicht auskommen kann, unterschieden. Vielleicht tut man aber gut daran, zu bedenken – etwa im Sinne Adornos oder Christopher Prendergasts[16] – daß gerade das Überhitzte, Hysterische, Übertriebene der Balzacschen Phantasie mit der ungeheuren Energie und Dynamik des gesellschaftlichen Umbruchs in Frankreich zwischen etwa 1820 und 1850 zu tun hat. Es war eine Zeit, der Balzac, wie wir gesehen haben, äußerst mißtrauisch gegenüberstand. Der kreative Balzac vermochte, die immense soziale und wirtschaftliche Dynamik herauszuhören, und ihr nicht nur plastischen, sondern auch aufschlußreichen Ausdruck zu verschaffen.

Ich habe gerade von der Beschreibung der Maison Vauquer gesprochen. Was da am Werk ist, ist eine bestimmte erzählerische Konvention ausführlichen Beschreibens, die im Realismus immer wieder gehandhabt wird. Im vorhergehenden Kapitel war von solchen Stellen die Rede, denn gerade diese virtuose und ausladende Beschreibungskunst ist, für J. P. Stern, eines der transepochalen Merkmale der realistischen Schreibweise. Es handelt sich nämlich um den kreativen Eros, der den Erzähler mit der Vielfalt der sinnlich wahrnehmbaren Welt verbindet. Die Dinge dieser Welt, durch diesen Akt erzählerischer Anerkennung vermittelt, sind „Embleme der Fülle".[17] In einem berühmten Aufsatz ist Roland Barthes diesem erzähleri-

---

[16] Siehe Theodor W. Adorno: „Balzac-Lektüre", in Adorno: *Noten zur Literatur*, Frankfurt am Main 1974, S. 139-157. C. Prendergast: *Balzac: Fiction and Melodrama*, London 1978.
[17] Stern: *On Realism*, S. 5.

schen Moment nachgegangen, und er bezeichnet ihn als einen bestimmten rhetorischen Trick, als den „effet de réel".[18] Wo Stern eine Transparenz des literarischen Textes auf eine außerliterarische – und nicht literarisierte – Dingwelt registriert, besteht Barthes darauf, daß wir es hier mit einem rhetorischen Stilmittel zu tun haben. Er nimmt als Beispiel die Schilderung eines Gegenstandes – eines Barometers – in Flauberts *Un Cœur simple*. Er argumentiert, daß das Entscheidende an diesem Gegenstand dessen Redundanz, dessen Überflüssigkeit ist. Das Barometer ist nicht als bedeutungsträchtiges Symbol da; es repräsentiert nicht, es verkörpert nicht, es verweist nicht; es *ist* einfach. Und der realistische Effekt, laut Barthes, besteht darin, daß gerade diesem einfachen, bloßen Vorhandensein erzählerischer Tribut gezollt wird. Von Flaubert wissen wir, aus einer vielzitierten Briefstelle, daß er sich danach gesehnt hat, einen Text zu verfassen, in dem alles auf das künstlerische *Erfinden* ankommen und sich die ganze Dimension des *Findens* abschaffen würde:

> Ce qui se semble beau, ce que je voudrais faire, c'est un livre sur rien, un livre sans attache extérieure, qui se tiendrait de lui-même par la force interne de son style, comme la terre sans être soutenue se tient en l'air, un livre qui n'aurait presque pas de sujet ou du moins où le sujet serait presque invisible, si cela se peut.[19]

Selbst Flaubert mit seinem Verlangen nach einem „livre sur rien" ist es aber nicht gelungen, Stoff, Materie, Weltfülle aus dem fiktiven Universum zu verbannen. Denn das Barometer in *Un Cœur simple* ist, wie wir gesehen haben, für Barthes ein Paradebeispiel des „realistischen Effekts". Zugestandenermaßen handelt es sich um einen „Effekt", um ein rhetorisches Kunstmittel; ein Kunstmittel aber, das letzten Endes den ganzen Bereich gegenständlicher Wirklichkeit und Gegebenheit heraufbeschwört. In dieser Hinsicht ist Flaubert nicht anders als Balzac oder Zola. Einerseits haben alle drei nachdrücklich von den Prozessen ihrer eigenen Kreativität gesprochen; andererseits haben alle drei auch von der Nabelschnur der Referentialität gewußt, die bedeutet, daß ihre Texte über etwas sind – und nicht „sur rien". Das Entscheidende ist, daß sie die äußerst delikate Dialektik zwischen *Erfinden* und *Finden* durchgehalten haben. Was die Argumentation von Barthes und anderen strukturalistisch orientierten Kritikern immer wieder hervorhebt, ist die Tatsache, daß sogar der scheinbar einfachste Bezug auf die außerliterarische Welt auf einer Rhetorik, einer textuellen Aussage

---

[18] Roland Barthes: „L'Effet de réel", in *Littérature et réalité*, hg. v. Gerard Genette und Tzvetan Todorov, Paris 1982, S. 81-90.
[19] Gustave Flaubert: *Correspondance: Deuzième Série (1850-1854)*, Paris 1910, S. 86 (Brief an Louise Colet vom 16. Januar 1882).

basiert. Es gibt somit keine voraussetzungslose Transparenz vom literarischen Text auf eine unvermittelte – d.h. textlich unkontaminierte – Dingwelt. Diese Dingwelt wird vielmehr im Prozeß künstlerischer Kreativität manifest gemacht. Wie komplex ein scheinbar einfacher, natürlicher Akt des Erzählens sein kann, ist von Barthes mit seiner viel beachteten Studie *S/Z* gezeigt worden. Wieder einmal steht ein Klassiker des französischen Realismus im Zentrum der Diskussion – Balzac.[20] In einer ausführlichen Analyse zerlegt Barthes Balzacs kurzen Prosatext *Sarasine* in die verschiedenen erzählerischen Codes, die in ihrer Verflechtung die Gesamtheit der narrativen Aussage konstituieren. Mit den Details von Barthes' Analyse brauchen wir uns hier nicht auseinanderzusetzen. Das Entscheidende aber ist, daß eine breit angelegte Taxonomie rhetorischer Möglichkeiten innerhalb der realistischen Schreibweise geboten wird. Barthes hat somit bewiesen, daß der realistische Text mehr ist als ein Deuten auf eine konkrete, außerliterarische Welt; er ist vielmehr eine Deutung dieser Welt im Vorgang ihrer erzählerischen Vermittlung. In letzter Zeit ist dieser Ansatz von vielen Kritikern weitergeführt worden. Im Fahrwasser des Strukturalismus und des Dekonstruktivismus ist immer wieder demonstriert worden, daß Realismus nicht nur Widerspiegelung einer Welt ist, sondern Reflexion mittels narrativer Kunst über eine Welt. Und doch läßt sich der Realismus letzten Endes in Rhetorik nicht auflösen; der „livre sur rien" kommt nicht zustande – nicht einmal der „livre sur soi-même". (Über die anti-mimetischen und selbstreferentiellen Impulse zeitgenössischer Texttheorie wird später zu sprechen sein).

Bisher habe ich von der deutschen Realismus- und Romantheorie kaum gesprochen. Und das hat seine bestimmten Gründe. Denn es ist zu einem Gemeinplatz der europäischen Literaturgeschichtsschreibung geworden, daß sowohl die Theorie als auch die Praxis deutscher Prosa im europäischen Kontext nur einen provinziellen – will sagen marginalen – Rang behaupten darf. In einem Sammelband, der eine ungeheure Dokumentationsfülle zu Fragen des deutschen Realismus zusammenbringt, steht Folgendes zu lesen: „der deutsche Realismus hält eine Kluft zwischen künstlerischer Weltauffassung und Naturwissenschaft aufrecht, die der französische Realismus bereits zu überbrücken trachtet."[21] Sicherlich ist es richtig, wie wir sehen werden, daß die Roman- und Realismustheorie in Deutschland kaum von

---

[20] Roland Barthes: *S/Z*, Paris 1970.
[21] *Realismus und Gründerzeit: Manifeste und Dokumente zur deutschen Literatur*, hg. v. Max Bucher, Werner Hahl, Georg Jäger, Richard Wittmann, Stuttgart 1981, S. 47.

den szientistischen Ambitionen der französischen Tradition berührt ist. Und im Vergleich zu der englischen Tradition fehlt es mitunter an bodenständigen Rechtfertigungen eines künstlerischen Verliebtseins in das Leben „so wie es ist", in einfache Welthaltigkeit. Man kann somit zum berechtigten Schluß kommen, daß in der deutschen Tradition gewisse Stränge des europäischen Realismusverständnisses fehlen. Was man aber meines Erachtens auch feststellen soll und kann ist, daß als Entgelt für das Fehlen, andere Stränge wiederum stark vorhanden sind – nämlich der konsequente Versuch in Richtung einer Ästhetik des reflektiert-narrativen Realismus. Es ist bedenkenswert, daß man bis zum Ende des neunzehnten Jahrhunderts warten muß, bis eine konsequent durchdachte Romanpoetik entworfen wird – und zwar von Henry James mit seinen *New York Prefaces*. Die europäische Diskussion über Romanrealismus von etwa der Mitte des achtzehnten Jahrhunderts bis zum Ende des neunzehnten Jahrhunderts ist, wie wir gesehen haben, fragmentarisch, punktuell, unsystematisch, aperçuhaft. Aber die deutsche Tradition bildet eine Ausnahme. Man darf nicht vergessen, daß die Geschichte der europäischen Ästhetik von deutschen Denkern – etwa von Baumgarten, Lessing, Schiller, Kant, Hegel, Schopenhauer, Nietzsche – dominiert wird. Im Kontext dieser Tradition intensiver Reflexion über Sinn und Tragweite der Ästhetik darf es nicht wundernehmen, daß die deutsche Roman- und Realismusdiskussion viel stringenter ist als in den anderen europäischen Ländern. Wie wir sehen werden, wirkt hier ein Vermächtnis der klassischen und idealistischen Ästhetik von Schiller und Hegel weiter, das der deutschen Tradition ihr unverkennbares Gepräge verleiht.

Gerade diese Tradition ist aber als „un-europäisch" abgetan worden. Die Gründe dafür haben zum Teil, wie mir scheint, mit außerliterarischen Faktoren zu tun. Sie hängen mit Fragen der Geschichte Deutschlands und der deutschen Geschichtsschreibung zusammen. Diesem ganzen Fragenkomplex – dem sogenannten „deutschen Sonderweg" – soll im nächsten Kapitel nachgegangen werden.

Ich schließe mit einigen Bemerkungen zu den Errungenschaften des „klassischen" (d.h. kanonisch gewordenen) europäischen Realismus. In thematischer Hinsicht haben wir es hier mit Romanen zu tun, die das Aufeinanderprallen von Individuum und Gesellschaft im Zeichen eines frühkapitalistischen Konkurrenzkampfes behandeln. Es geht um Prozesse der Sozialisierung, der Anpassung, der Assimilation – aber auch um Prozesse der Auseinandersetzung und Auflehnung. Diese Form des Romanrealismus wird zur dominierenden Gattung in Europa, und sie wird von einer ganzen Reihe erstaunlich begabter Schriftsteller praktiziert (Balzac, Stendhal, Flaubert, Jane Austen, Thackeray, Dickens, George Eliot, Tolstoi,

Turgeniew u.a.). Diese Romanform ist dem modernen Leser nach wie vor vertraut. Trotz der Errungenschaften der Romankunst des zwanzigsten Jahrhunderts, Errungenschaften, die mit der intensiven Erschließung der menschlichen Innenwelt (Bewußtseinsstrom, innerer Monolog u.s.w.) und mit der narrativen Eroberung mythisch-psychologischer Erfahrungsbereiche zu tun haben, ist der zeitgenössische Unterhaltungsroman, in allen europäischen Ländern, dem Realismus des neunzehnten Jahrhundert weitgehend verpflichtet. Der heutige Leser findet, wie sein Vorgänger im neunzehnten Jahrhundert (man denke an den Erfolg der Reihenromane damals), sofortigen Zugang zu den Werken der bereits genannten „Klassiker" der europäischen Romanliteratur. Dazu kommt, daß diese Romane sich sehr gut für Kino- oder Fernsehverfilmung eignen, was zu ihrer Popularität auf entscheidende Art beiträgt, denn „das Buch zum Film" läßt sich bekanntlich sehr gut verkaufen.

Zu diesem Strom sowohl populärer als auch anspruchsvoller Literatur hat die deutsche Romantradition nur einige wenige Titel beisteuern können. Und das hat zur Folge gehabt, daß eine ganze Tradition in Bausch und Bogen marginalisiert worden ist. Mir scheint, daß die deutsche Erzählprosa – sowohl in der Theorie als auch in der Praxis – im europäischen Kontext mehr zu bieten hat, als man gemeinhin annimmt. Damit will ich keineswegs versuchen, eine Reihe deutscher Romane, die man bis jetzt für mittelmäßig gehalten hat, als verkannte Meisterwerke darzustellen. Anderseits habe ich auch nicht vor, für eine Abschaffung von Kriterien literarischer Qualität zu plädieren – als ob sie nicht ins Gewicht fielen. Mir scheint aber, daß gewisse ideologisch verfestigte Positionen die Definition des realistischen Romans und die interpretatorischen Modalitäten der Geschichtsschreibung europäischer Nationalstaaten weitgehend bedingt haben. Es gilt, diese Position zu hinterfragen, um ein differenzierteres Bild deutscher Geschichte und deutscher Geschichten im europäischen Kontext zu gewinnen.

III. Deutsche Sonderwege?

(Von normativer Geschichtsschreibung)

Es ist eine Binsenwahrheit festzustellen, daß fast jeder Versuch, nach 1945 deutsche Geschichte zu schreiben, von der Katastophe des Dritten Reichs geprägt wird. Auf eine Art ist das schlechterdings unvermeidlich, denn jene Katastrophe war – und ist – solchen Ausmaßes, daß sie immer wieder zu Erörterungen, kausalen Analysen, Interpretationen anregt. Die Gefahr aber ist, daß die Historiographie von einer bestimmten, beinahe ethisch anmutenden Erwartung getragen wird – nämlich dem Bedürfnis zu zeigen, daß alle Straßen der deutschen Vergangenheit zu Hitler geführt haben. Damit soll ja keineswegs geleugnet werden, daß wichtige Kausalzusammenhänge bestehen und daß sie aufgedeckt werden müssen. Andererseits aber ist es schlechterdings absurd zu behaupten, daß die ganze Geschichte des Heiligen Römischen Reiches notwendigerweise in die Greuel der KZs münden „mußte". Man soll sich den Verlockungen des normativen Historismus widersetzen, denn gerade dieses Normative hat mit sich gebracht, daß Deutschland an gewissen europäischen Normen gesellschaftlicher und politischer Entwicklung gemessen – und als abseitig und marginal abgestempelt wird. Manchmal wird der Gang deutscher Geschichte als eine einzige Aberration angesehen; und was als historische Analyse geboten wird, ist nicht so sehr eine Diskussion dessen, was eigentlich da war, was vor sich ging – als vielmehr dessen, was nicht da war, was fehlte.

Die europäische Norm – ob sie explizit genannt wird oder nicht – ist des öfteren die Entwicklung Englands oder Frankreichs. Das allgemeine Schema lautet etwa wie folgt: die Entwicklung, die von der agrarischen Feudalgesellschaft zu einer modernen, industrialisierten demokratischen Staatsform führt, führt über die bürgerlich-liberale Revolution des achtzehnten und neunzehnten Jahrhunderts. Die bürgerliche Klasse sorgt dafür, daß dem Feudalismus ein Ende gemacht wird, daß der Einfluß und das Ansehen des Adels allmählich abgebaut wird – und zwar durch die merkantile, geistige und soziale Mobilität der sich behauptenden, aufsteigenden Klasse. Tradierte Normen, herkömmlich-dynastische Wertvorstellungen werden zugunsten eines energischen Individualismus verworfen. Das Individuum wird als autonome Entität anerkannt und respektiert; und aus diesem philosophischen Grundsatz geht ein politischer hervor: der individuelle Bürger ist wahlberechtigt und bildet somit die Basis eines differenzierten Systems demokratischer Repräsentation und Vertretung. Die wirtschaftliche Revolution des angewandten Individualismus im Zeichen des Kapitalismus geht Hand in Hand mit der politischen und der erkenntnistheoretischen Anerkennung des Einzelmenschen. Der individuelle Bürger agiert als autonome Instanz innerhalb des sich entfaltenden Handels- und Vertragswesens.

An diesem Geschichtsschema ist, so heißt es, der Entwicklungsverlauf Deutschlands nicht beteiligt; an solchen normativen Denkmodellen gemessen, ist deutsche Geschichte von Grundrhythmen des Versagens charakterisiert. Zu Beginn des 19. Jahrhunderts bilden die deutschen Länder einen bunten Teppich von kleinen Staaten, Fürstentümern, Städten. Der Partikularismus des Heiligen Römischen Reiches ist, so heißt es, ein fatales Vermächtnis aus der feudalen Vergangenheit. Die Französische Revolution zeigt mit kaum zu überbietender Deutlichkeit, daß die Energien und Aspirationen eines modernen Staates nicht hintanzuhalten sind. Aber die Deutschen weigern sich, der – sozusagen „französischen" – Norm zu gehorchen, denn die Revolution von 1848 entpuppt sich, in dem berühmten Spruch des englischen Historikers A. J. P. Taylor, als der Wendepunkt, bei dem keine Wende eintrat („the turning point where Germany failed to turn").[1] Man merkt, wieder einmal ist von „failure", vom Versagen, vom „Nichtzustandekommen" die Rede. Dazu kommt, daß Deutschland auch gegen die englische Norm verstößt; diese Norm besteht in einer allmählichen Entwicklung (ohne spektakuläre Revolution nach französischem Muster), wobei wirtschaftliche, vor allem merkantile Entwicklungen – die frühe und unaufhaltsam sich enfaltende Industrialisierung – für die Dynamik sozialen Wandels sorgen. Da bildet Deutschland wieder einmal eine Ausnahme; die Industrialisierung entwickelt sich spät, dann aber explosiv. 1871 betrug die Bevölkerung Deutschlands 41 Millionen; bis 1914 stieg sie auf 67,7 Millionen. (Während die Bevölkerung Frankreichs in der gleichen Zeitspanne von 36 Millionen auf 40 Millionen stieg). In diesen Jahren wird die industrielle Produktivität in Deutschland gewaltig angekurbelt und überholt bis Ende des Jahrhunderts diejenige Großbritanniens. Immer wieder, laut konventionellen historischen Modellen, ist Deutschland asynchron, nie ganz den Hauptströmungen des Zeitalters, nie ganz den Anforderungen einer neuzeitlichen historischen Entwicklung gewachsen. Wie fragwürdig manche Aspekte dieser Tendenz, die deutsche Geschichte in Bausch und Bogen des Nicht-Normativen zu beschuldigen, auch immer sein mögen, es bestehen

---

[1] A. J. P. Taylor: *The Course of German History*, London 1978, S. 69.

sehr wohl Unterschiede zwischen der gesellschaftlichen und wirtschaftlichen Entwicklung im Deutschland des neunzehnten Jahrhunderts und dem, was sich im übrigen Europa abspielt. In diesem Sinne scheinen mir gewisse Aspekte des vieldiskutierten „deutschen Sonderwegs" wichtig und aufschlußreich zu sein; es ist aber trotzdem wünschenswert, die Denkschemata historischer Notwendigkeit und ethischer Beurteilung zu differenzieren. Fangen wir an einem möglicherweise etwas überraschenden Ort an – mit der Weimarer Klassik. [2] In einem fragmentarischen Gedicht, das den Titel „Deutsche Größe" trägt, versucht Friedrich Schiller, eine Bestimmung seiner eigenen Nation zu entwerfen. Er kontrastiert sie mit der paradigmatischen politischen Nation (Frankreich) und mit der paradigmatischen merkantilen Nation (England), denn das Wesen der deutschen Nation besteht darin, daß sie primär als geistiges, meta-nationales Gebilde definiert wird. Man denke auch an die siebenundzwanzigste *Xenie*, in der Goethe schreibt:

> Zur *Nation* Euch zu bilden, ihr hoffet es, Deutsche vergebens;
> Bildet, ihr könnt es, dafür freier zu Menschen euch aus!

Somit ist ein Schlüsselbegriff genannt, der damit zu tun hat, daß sich Deutschland gegenüber Frankreich und England erst relativ spät zu einem vereinigten Nationalstaat (1871) bildet. Daher die These, daß bis spät in das neunzehnte Jahrhundert hinein Deutschland nicht so sehr als politische Nation, als realexistierende demographische Entität, vorhanden war, sondern als Kulturnation (d.h. nur in seiner Sprache und Kultur, nur als geistiges Gebilde). Daher der Begriff der „verspäteten Nation" – wobei das Eigenschaftswort „verspätet" wieder einmal einen gewissen normativen Unterton mit in die Diskussion hineinbringt. Denn „verspätet" impliziert notgedrungen als binäres Gegenstück „pünktlich"; wobei die anders geartete verfassungsgeschichtliche Entfaltung deutscher Identität mit dem Beigeschmack der „deutschen Misere" behaftet wird. Wenn man versucht, relativ werturteilsfrei den Verlauf deutscher Geschichte im neunzehnten Jahrhundert zu überblicken, dann fällt einem auf, daß die Kleinstaaterei, jenes Erbe des Heiligen Römischen Reiches, die wesentliche Signatur abgibt. Der Napoleonische Einmarsch in die Länder westlich des Rheins führt zur Abolierung einiger Staaten und freier Städte im Sinne eines modernen Vereinheitlichungswillens, aber nach der Niederlage Napoleons 1814 verwandelt sich der Rheinbund in den Deutschen Bund, und dort ist der Geist des

---

[2] Siehe Friedrich Schiller: *Werke*, hg. v. Benno von Wiese, Nationalausgabe, Bd. II/1, hg. v. Norbert Oellers, Weimar 1983, S. 431-436, und J.W. Goethe: *Xenien*, 27, in: *Goethes Werke*, hg. v. Erich Trunz, Hamburger Ausgabe, Bd. I, Hamburg 1964, S. 212.

Partikularismus nach wie vor am Werk. Der Deutsche Bund war ein Staatenbund und keineswegs ein Bundesstaat. Er hatte kein Staatsoberhaupt, er kannte kein gemeinsames Bürgerrecht; der Bundestag in Frankfurt war kein Parlament in unserem heutigen Sinne, sondern vielmehr eine Sammlung von Gesandten. Zu jener Zeit gab es nur 34 Städte mit mehr als 20.000 Einwohnern. Der Deutsche Bund bestand aus 39 unabhängigen Territorien- und 4 Stadtstaaten (Hamburg, Frankfurt am Main, Bremen, Lübeck). Dieses Gebilde wurde von W. H. Riehl als das „individualisierte Land" [3] bezeichnet; und dieses Land existierte zwischen zwei größeren politischen Blöcken, Preußen (im Norden) und Österreich (im Süden). Im Laufe des 19. Jahrhunderts ist es vor allem Preußen, das die Initiative ergreift – besonders in wirtschaftlicher Hinsicht. 1818 werden innerhalb Preußens sämtliche Tarife abgeschafft. Dieser erste Schritt in Richtung einer offenen metalokalen Marktwirtschaft wird von anderen Territorien begrüßt. 1828 bilden Bayern und Württemberg eine Zollunion. Die Tendenz, die sich abzeichnet, läßt sich nicht aufhalten. Im Jahre 1834 wird der deutsche Zollverein gegründet; achtzehn Staaten, mit einer Gesamtbevölkerung von 23 Millionen, sind daran beteiligt; aber Österreich ist nicht Mitglied.

Zum Teil infolge des daraus resultierenden wirtschaftlichen Aufschwungs werden politische Aspirationen artikuliert. Die Unruhen steigern sich und entladen sich im Jahre 1848. Wie wir bereits registriert haben, handelt es sich um keinen revolutionären Durchbruch; in sehr vielen Territorien reagieren die traditionellen Machthaber taktisch. Sie gewähren bestimmte Reformen, sie machen Konzessionen, aber das erlaubt ihnen, ihre Macht später zu konsolidieren. Zwar wird in Frankfurt am Main ein Parlament frei nach modernem Muster geboren; aber es wird von den gebildeten Mittelschichten dominiert. Und die dort ausgetragenen Diskussionen verlaufen in einer politischen Windstille; das große Thema ist die Vereinigung Deutschlands, wobei zwei konkurrierende Modelle eifrig diskutiert werden – die kleindeutsche Lösung (ohne Österreich), und die großdeutsche Lösung (mit Österreich). Die endgültige Entscheidung wird nicht so sehr vom Parlament getroffen, denn Preußen gelangt zur unbestreitbaren wirtschaftlichen Dominanz, und die erfolgreichen Kriege gegen Österreich und Frankreich in den 60er und 70er Jahren auf realpolitischer Ebene bestätigen diese Überlegenheit. 1871 tritt die kleindeutsche Lösung in Kraft; das Wilhelminische Reich wird unter preußischer Führung geboren; und die industrielle und allgemeine

---

[3] W.H. Riehl: *Land und Leute*, in Riehl: *Die Naturgeschichte des Volkes*, Bd.I, Stuttgart, Augsburg, Tübingen 1854-1869.

wirtschaftliche Entwicklung geht, wie wir bereits registriert haben, geradezu explosiv vor sich. Dieser Aufschwung wird vom Staat gewollt, und, was Investitionen angeht, energisch angekurbelt. Im Gegensatz etwa zur Situation in England ist in Deutschland der Bund zwischen Staat, Industrie und Finanzwelt sehr eng. Der Staat gründet Technische Hochschulen, Realschulen, Handels- und Fachschulen; er interveniert gern – was auch an der erstaunlich frühen Einführung von Maßnahmen zum Schutz der Arbeiter zu registrieren ist. Bismarck war sicherlich kein Freund der Sozialisten, aber er war Pragmatiker genug, um einzusehen, daß sich die Effizienz der Industrie durch Krankenversicherungen, Arbeitslosigkeitsunterstützung und andere Formen innovativer Gesetzgebung im Sinne eines Wohlfahrtsstaates erhöhen ließ.

Zusammenfassend läßt sich sagen, daß die deutsche Geschichte des 19. Jahhunderts von zwei – scheinbar diametral entgegengesetzten – Energien getragen wird. Einerseits (und an einem Ende des Jahrhunderts) jene Kleinstaaterei, jene Nation, die sozusagen über keine Hauptstadt verfügt, sondern eine Vielfalt von Hauptstädten aufweist; eine außergewöhnliche politisch-kulturelle Schöpfung, auf die wir später – im Kontext einer Erörterung von Mack Walkers Begriff der „Heimatstädte" – zurückkommen werden. Und andererseits (und am anderen Ende des Jahrhunderts) ein dynamischer Staat, wirtschaftlich äußerst erfolgreich, von dem Geist eines erstaunlich modernen Wohlfahrtsstaates getragen, aber in politischer Hinsicht immer noch nach den Formen und Strukturen suchend, die die Energien der Moderne demokratisch gestalten.

Ralf Dahrendorf[4] bemängelt das Ausbleiben bewußt ausgetragener politischer Konflikte. Dabei übersieht er keineswegs die positiven und progressiven Tendenzen; er bedauert aber, daß diese immer von oben initiiert und gesteuert werden. Für ihn ist das Deutschland des ausgehenden neunzehnten Jahrhunderts nach wie vor in alten, autoritären Denkmustern verfangen. Er spricht von einer weitverbreiteten fatalen Liebe zum Staat, von der heillosen „Verbindung von modernen Wirtschaftsformen und autoritärer politischer Ordnung."[5] Das alles mag wohl stimmen – aber nur zum Teil. Denn obwohl der Weg von der Kleinstaaterei zum autoritären Wohlfahrtsstaat ein langer ist, ist eines daran wohl besonders auffallend: in der deutschen Kultur des neunzehnten Jahrhunderts wird der eigentliche

---

[4] Ralf Dahrendorf: *Gesellschaft und Demokratie in Deutschland*, München 1972.
[5] Ebda, S. 51.

öffentliche Raum, das, was gemeinhin als Regierung, Verwaltung, administrative Ordnung, als Obrigkeit bezeichnet wird, lange nicht – wie etwa in England oder Frankreich – als etwas Abstraktes, Feindseliges, Inhumanes, Oktroyiertes angesehen. Der deutsche Bewohner eines kleinen Fürstentums und der deutsche Bürger des wilhelminischen Interventionstaates hatten etwas gemeinsam: für sie war keine scharfe – will sagen prinzipielle – Kluft gesetzt zwischen privaten und öffentlichen Bereichen. Nicht etwa, daß ich damit behaupten will, daß im deutschen Kulturraum eine paradiesische Einheit zwischen Intimsphäre und Öffentlichkeit, zwischen Innen und Außen bestand. Mir scheint aber, daß die eigentliche Definition beider Bereiche und deren Interaktion auf einer anderen Begrifflichkeit beruhte als etwa in England oder Frankreich.

Jürgen Kocka weist zum Beispiel darauf hin, daß „der Liberalismus selten antigouvernmental" war[6], denn das liberale Bürgertum im Deutschland des neunzehnten Jahrhunderts war an politischem Ansehen und wirtschaftlichem Einfluß innerhalb der heimatlichen Gemeinde interessiert – und war somit bereit, auf meta-lokaler Ebene Berufspolitikern und Bürokraten die Politik zu überlassen. Das hängt zum Teil mit der Tradition des „unpolitischen" Deutschen, der „fatalen deutschen Innerlichkeit" zusammen, auf die ich später zurückkommen werde. Im jetzigen Kontext möchte ich auf eine weniger pejorative Deutung dieses Aspektes deutscher Kultur hinweisen. Kocka zeigt, daß die (begrenzte) wirtschaftliche Rückständigkeit Deutschlands keine starke Dominanz der Bourgeoisie in politischen Belangen zuließ; dafür entstand „eine ganz spezifische, in Aufklärung und Neuhumanismus wurzelnde Bildungs- und Universitätstradition."[7] Heutzutage kennen wir diese Tradition hauptsächlich durch Nietzsches bitteres satirisches Bild des Bildungsphilisters. Das darf aber weder verabsolutiert noch rückprojiziert werden. Die Ehrfurcht vor Kultur und Bildung ist ein charakteristisches – und ehrbares – Merkmal des deutschen Bürgertums. Und wenn der Bürger sozusagen bereit war, das Wirkungsfeld des Geistes zu achten, so waren die Männer des Geistes ihrerseits bereit, der Welt praktischer, gesellschaftlicher Arbeit zu dienen. Daher – um noch einmal Kocka zu zitieren – die ausgeprägte Wichtigkeit des Beamtentums in Deutschland:

> Diese einzigartige Stellung der Beamten innerhalb des deutschen Bürgertums läßt sich an ihrer großen Zahl und ihrem hohen sozialen Ansehen ebenso zeigen wie an ihrer ausgeprägten politischen Macht.[8]

---

[6] *Bürgertum in Deutschland*, hg. v. Jürgen Kocka, München 1988, S. 73.
[7] Ebda, S. 63.
[8] Ebda, S. 70.

Aus dem Grund darf es nicht wunder nehmen, wenn sich zur Zeit der rapiden industriellen Expansion in Deutschland der Übergang zu einem Interventions- und Wohlfahrtsstaat relativ mühelos vollzog. Der Staat war sozusagen von einer ausgesprochen bürgerlichen Intelligenz und von kreativem Verwaltungsgeist durchdrungen. Natürlich hat diese Verehrung des Beamtentums in Deutschland auch seine Schattenseiten. Ein solches Ethos kann allzuleicht in Obrigkeitsglauben und Unterwürfigkeit ausarten. Und der Geist des Beamtentums kann in Paragraphenfetischismus und Prinzipienreiterei abrutschen. Es ist kaum ein Zufall, daß die erste große stringente Analyse des Phänomens Beamtentum, die wir besitzen, aus der Feder eines deutschen Wissenschaftlers kommt – und zwar von Max Weber.[9] (Wir kennen alle die vielen satirischen Darstellungen deutschen Beamtentums. Man denke etwa an Kurt Tucholskys Bemerkung, daß das deutsche Volk, „das angeblich so unter seinen Beamten leidet, sich nicht genug tun kann, ihnen nachzueifern – im Bösen, versteht sich." Als Beispiel dafür steht ein bürokratischer Liebesbrief:

Geheim! Tagebuch-Nr. 69/218.

Hierorts, den heutigen

1. Meine Neigung zu Dir ist unverändert.
2. Du stehst heute abend, 7 1/2 Uhr, am zweiten Ausgang des Zoologischen Gartens, wie gehabt.
3. Anzug: Grünes Kleid, grüner Hut, braune Schuhe. Die Mitnahme eines Regenschirms empfiehlt sich.
4. Abendessen im Gambrinus, 8.10 Uhr.
5. Es wird nachher in meiner Wohnung voraussichtlich zu Zärtlichkeiten kommen.

(gez.) Bosch, Oberbuchhalter [10]

Gerade im Kontext solcher – sicherlich gerechtfertigter und wohlgezielter – Denunziationen der bürokratischen Mentalität müssen wir uns daran erinnern, daß die Bürokratie auch imstande war, Positives, Progressives, Menschenfreundliches zu vollbringen.)

---

[9] Max Weber: *Wirtschaft und Gesellschaft: Grundriß der verstehenden Soziologie*, Tübingen 1956.
[10] Kurt Tucholsky: „Zeitungsdeutsch und Briefstil", in: Tucholsky: *Gesammelte Werke*, hg. v. Mary Gerold-Tucholsky und Fritz J. Raddatz, Bd. VII, Reinbek bei Hamburg 1962, S. 275 f.

Als Zusammenfassung dieser Diskussion der historischen Beschaffenheit des „deutschen Sonderwegs" sei auf die hervorragende Studie des amerikanischen Historikers Mack Walker, *German Home Towns*, hingewiesen.[11] Im Zentrum dieser Darstellung steht eine bestimmte, für Walker unverwechselbare deutsche Form gesellschaftlichen Zusammenlebens, die vorindustriell, aber nicht agrar-feudal, sondern städtischen Charakters war. Diese sogenannten „Heimatstädte" (etwa Ansbach, Bamberg, Braunschweig, Darmstadt, Erfurt, Fulda, Göttingen, Goslar, Hildesheim, Horb, Kassel, Lüneburg, Nürnberg, Oldenburg, Osnabrück, Regensburg, Rottweil, Tübingen, Ulm, Würzburg) wurden von einem einzigartigen Geflecht wirtschaftlicher, familialer, institutioneller, affektiver Bindung getragen. Sie sind in Riehls „individualisiertem Land" zu finden, d.h. in den Territorien zwischen Preußen und Österreich, und sie sind, laut Justus Möser, von dem zentralen Begriff des *Eigentums* geprägt, wobei Eigentum ein komplexer Nexus der Selbstbestimmung ist, die durch und durch kommunal ist. Das Ethos solcher Städte war lokal, statisch, stabil; sie waren, ihrem Wesen nach, individuell, aber es war eine Individualität, die kollektiv war, die aus der kollektiv-partikularisierten geistigen Lebensform des Heiligen Römischen Reiches hervorging. Sie waren in wirtschaftlicher und administrativer Hinsicht selbstregulierend dank den Zünften; es handelte sich um eine intime, familiale Welt, die aber von öffentlich bekannten Anordnungen durchzogen war. Die Gesetzgebung der „Heimatstädte" basierte hauptsächlich auf Gewohnheitsrecht, auf Gemeindegeist; und war somit idiosynkratisch, individuell, aber organisch verwurzelt im ganzen städtischen Diskurs. Zwei Devisen aus dem Gebrauch der Zeit sind ausschlaggebend: *Stadtrecht bricht Landrecht* und *Willkür bricht Landrecht*. Zum Begriff „Willkür" muß übrigens angemerkt werden, daß das Wort erst im Laufe des 18. Jahrhunderts seine heutige pejorative Bedeutung von „prinzipienlos", „beliebig", „gesetzlos-individuell" bekam. In früheren Jahrhunderten bedeutete es „freie Wahl", „Selbstbestimmung", „Eigenmächtigkeit" – und war somit durchaus positiv in seiner semantischen Ausstrahlung.

Was die Zünfte angeht, analysiert Walker das ungemein komplexe Verwaltungssystem einer Stadt wie Rottweil mit seinen neun Zünften und der sogenannten „Herrenstube"[12], die quasi eine zehnte Zunft war – für Bürger, die beruflich und anderweitig anerkannt waren, aber keine formale Mitgliedschaft in einer der bestehenden Zünfte hatten. Die Zünfte sorgten

---

[11] Mack Walker: *German Home Towns*, Ithaca und London 1971.
[12] Ebda, S. 52 ff.

dafür, daß etwaige Streite und Konflikte nicht so sehr artikuliert und ausgetragen, als vielmehr geschlichtet wurden, bevor sie überhaupt an den Tag treten konnten. Ein Lehrling arbeitete im Durchschnitt drei bis vier Jahre für einen Meister und wohnte bei ihm. Nachher kamen die Wanderjahre, die wiederum etwa drei Jahre dauerten. Dann erfolgte die Rückkehr in die Heimatstadt, und das Gesuch wurde eingereicht, als Meister anerkannt zu werden. Der angehende Meister mußte eine Probe seiner Geschicklichkeit einreichen. Wenn seine Arbeit angenommen wurde, durfte er sich Meister nennen; und es wurde von ihm erwartet, daß er dann heiraten würde. Es ist das Charakteristische dieses ganzen Zunftwesens, daß drei Bereiche ständig aufeinander konvergieren: das Persönlich-Familiale (der Lehrling wohnte als Familienmitglied bei seinem Meister); das Professionelle (der Lehrling lernte einen bestimmten Beruf und wurde in sämtliche Aspekte der Herstellungsprozesse eingeweiht, Produktion, Verkauf, Buchhaltung usw.); der Gemeinschaftsgeist der Stadt mit ihren verschiedenen Ämtern und den sie bekleidenden Honoratioren. Die Zünfte waren Hüter der persönlichen und der öffentlichen Moral. Sie hielten sehr auf „Ehrbarkeit", „Redlichkeit". Sie achteten auf die Familie, auf die Kinder ihrer Mitglieder; und sie wurden von Gefühlen intensiver Verbundenheit und Zugehörigkeit getragen. „Bürgerliche Nahrung" war ein sehr breitgefächerter Begriff, in dem Wirtschaftliches, Gewerbemäßiges, Familiales miteinander verwoben waren. Es ist bezeichnend, daß zwei Standardwerke der deutschen Historiographie, Justus Mösers *Osnabrückische Geschichte* und Karl Friedrich Eichhorns *Deutsche Staats- und Rechtsgeschichte* auf einer intensiven Anerkennung der „heimatstädtischen" Lebensform als paradigmatisch für die deutsche Identität beruhen. Das Hohe Lied auf die „Hometowns", gerade zu der Zeit ihrer äußersten Bedrohung von seiten des Zollvereins und des sich abzeichnenden Aufstiegs Preußens zur Position gesamtdeutscher Hegemonie, ist Richard Wagners *Die Meistersinger von Nürnberg* (1867). Der erste Akt dieses sowohl grandiosen als auch intimen Musikdramas ist dem Zunftbewußtsein der Meistersinger gewidmet. David erklärt des langen und breiten, was man alles wissen und lernen muß, bis man in die Zunft aufgenommen wird. Hans Sachs, als Schuster und Meistersinger, ist sich des Ineinanders von Handwerk und Kunst, von Regeln und Kreativität, von Familialem und Öffentlichem durchaus bewußt. Vor allem weiß er von der Dialektik von Konvention und Neuerung, von der Bedrohung und Erneuerung der Regeln durch den Wahn, der alles verderben, aber auch alles verjüngen kann. Es gibt wohl kaum eine Oper in der abendländischen Tradition, die eine Institution – in diesem Fall eine Zunft – und eine Stadt zu ihrem zentralen thematischen Anliegen macht. Hans Sachs singt im ersten Akt:

Gesteht, ich kenn' die Regeln gut;
und daß die Zunft die Regeln bewahr',
bemüh' ich mich selbst schon manches Jahr.
Doch einmal im Jahre fänd ich's weise,
daß man die Regeln selbst probier',
ob in der Gewohnheit trägem G'leise
ihr' Kraft und Leben sich nicht verlier':
und ob ihr der Natur
noch seid auf rechter Spur,
das sagt euch nur,
wer nichts weiß von der Tabulatur.[13]

Im Zentrum von Wagners Oper, ihr eigentlicher Held, ist die geistige Lebensform, die eine solche Weisheit hervorbringen kann. Was geboten wird, ist selbstverständlich ein Mythos, eine Utopie, aus Vergangenheit und Zukunft bestehend. Aber das Visionäre ist letztlich in der Sozialgeschichte von Wagners eigenem Land beheimatet, in der geistigen Lebensform der „Hometowns". Sogar nach ihrem endgültigen Verschwinden blieben sie nach wie vor als Möglichkeit des Daseins im Gedankengut deutscher Kultur als einflußreiche Metaphern wirksam. Daß sie in typologischer Hinsicht weiterwirken konnten, wird von Ferdinand Tönnies bestätigt, denn seine idealtypische Gegenüberstellung von „Gemeinschaft" und „Gesellschaft" wäre ohne die „Hometowns" undenkbar.

Mir scheint, daß aus dieser Tradition von vorindustriellen – aber ausgesprochen städtischen – sozialen Gruppierungen entscheidende Impulse für die neuzeitliche deutsche Prosaepik hervorgehen. Die europäische Norm sozialpsychologischer Erfahrung setzt eine schroffe Kluft zwischen öffentlichem und privatem Leben voraus. Der öffentliche Bereich wird von den Wertvorstellungen der freien Marktwirtschaft beherrscht, wo Wettbewerbsfähigkeit, Tüchtigkeit, Unternehmertum zu Leitbegriffen werden. Nur in dem privaten Raum – in der Intimsphäre der Familie, des häuslichen Bereichs – wird nach den Werten von Mitleid, Liebe, nach den tiefsten menschlichen Bedürfnissen gefragt – und gelebt. Immer wieder besteht die Handlung etwa in einem Roman von Dickens oder Balzac aus dem gewaltsamen Aufeinanderprallen dieser beiden Bereiche. Der unschuldige Junge versucht, sich in der Hauptstadt zurechtzufinden (*Le Père Goriot, Great Expectations*). Der Unterschied gegenüber der deutschen Romantradition besteht meines Erachtens nicht so sehr in dem Fehlen einer Hauptstadt wie

---

[13] Richard Wagner: *Die Meistersinger von Nürnberg*, in: Wagner: *Dichtungen und Schriften*, hg. v. Dieter Borchmeyer, Frankfurt am Main 1983, Bd. 4, S. 128.

London oder Paris, sondern darin, daß das Verhältnis zwischen Außen und Innen, zwischen öffentlichem und privatem Bereich keineswegs das einer drastischen und bitteren Frontenbildung ist. Der öffentliche Bereich verschließt sich für deutsche Schriftsteller keineswegs so schroff gegen die affektiven Bedürfnisse des Individuums; der innere Bereich ist keineswegs abgekapselt, hermetisch gegen jeden Kontakt mit der Außenwelt verschlossen. Ich will nicht behaupten, daß die deutschsprachige Prosaliteratur vom Wissen um die Konflikte zwischen Individuum und Gesellschaft ungetrübt war. Vielmehr zeugt die deutsche Literatur überall von den Konflikten, mit denen wir aus dem „klassischen" europäischen Realismus vertraut sind. Aber – und das ist das Entscheidende – mit der narrativen Definition und Situierung des Öffentlichen und des Privaten ist es anders bestellt; der Konflikt zwischen diesen Bereichen geht infolgedessen mit anderen begrifflichen und erzählerischen Vorzeichen vor sich.

In der Tradition der deutschen Roman- und Realismustheorie sind diese Vorzeichen mit den Leitbegriffen „Poesie" und „Prosa" verknüpft. In einer wichtigen Briefstelle spricht Gottfried Keller von der „Reichsunmittelbarkeit der Poesie" – auch im (modernen) Zeitalter der Eisenbahn und des Fracks.[14] (Diesem Rekurrieren auf „Poesie" im Zeitalter der „Prosa", das etwas typisch Deutsches ist, soll das nächste Kapitel gewidmet sein). Hier gilt es aber festzuhalten, daß im Kontext einer erzähltheoretischen Diskussion Keller eine Vokabel aus dem Wörterbuch des Heiligen Römischen Reiches benutzt – „Reichsunmittelbarkeit". Gewisse Territorien und Städte hatten nämlich das Privilegium, direkt – und nicht über vermittelnde Instanzen – mit dem Kaiser verhandeln zu dürfen. Keller spricht von der „Reichsunmittelbarkeit der Poesie". Vielleicht ließe sich sein Spruch auch so formulieren: „die Poesie der Reichsunmittelbarkeit". Vielleicht war in diesem Sinne die geistige Lebensform der „Hometowns" poetisch-unmittelbar. Was soviel heißen würde, daß das ganze Gegensatzpaar Poesie/Prosa, von dem demnächst die Rede sein soll, nicht bloß ein Terminus aus dem ästhetischen Bereich ist, sondern auch eine Problemstellung bezeichnet, die im wesentlichen mit deutscher Sozial- und Kulturgeschichte zu tun hatte.

---

[14] Gottfried Keller: *Gesammelte Briefe*, hg. v. Carl Helbling, Bern 1950-1954, Bd. 3/1, S. 56ff. (Brief vom 27. Juli 1881 an Paul Heyse).

IV. Deutsche Sonderwege?

(Von normativer Literaturgeschichtsschreibung)

Aus Gründen, die mit der im vorigen Kapitel diskutierten historischen Eigenart der deutschen Nation zu tun haben, ist immer wieder – sei es tadelnd (was meistens der Fall ist) oder sei es lobend – behauptet worden, daß die deutsche Kultur im allgemeinen von einer unverkennbaren Innerlichkeit gekennzeichnet sei. Ihre Innerlichkeit bringe es mit sich, so heißt es, daß die Deutschen auf dem Gebiet der Musik (jener *per definitionem* unreferentiellen Kunst), der spekulativen, system-bauenden Philosophie, der Theologie absolut Entscheidendes hervorgebracht haben. Überall rührt sich der Geist, überall ahnt man eine Tiefe der Gesinnung, der Problemstellung; . und wenn etwas fehlt, so ist es ein Respekt vor der Oberfläche, vor der empirisch wahrnehmbaren Welt. Jene Kondition wirkt sich sehr stark auf die Entwicklung der erzählenden Prosa seit etwa dem ausgehenden achtzehnten Jahrhundert aus, das heißt auf die erzählende Prosa im Zeitalter des europäischen Realismus. Manche Kritiker sind der Meinung, daß Deutschland – abgesehen etwa von Theodor Fontane – nur einen poetischen, will sagen, provinziellen Realismus hervorgebracht habe, eine Abart des Realismus, die so tut, als ob sich die unabdingbar prosaischen Verhältnisse des modernen sozialen Lebens in Poesie verwandeln ließen. Wolfgang Preisendanz spricht für viele, wenn er schreibt:

> legt man [...] den Beitrag zur Ortsbestimmung ihrer Gegenwart als Maßstab an, so erscheint der [...] oft zu hörende Vorwurf ziemlich berechtigt, die Behauptung der „Reichsunmittelbarkeit der Poesie" [...] habe den Rückzug oder wenigstens den Kontaktverlust mit den unmittelbar drängenden, brennenden Problemen und Realitäten des politisch-sozialen Lebens mit sich gebracht, habe wieder einmal die Einbürgerung des deutschen Dichters verhindert. Will man ein anderes, positives Verhältnis zu diesen Erzählern gewinnen, so muß man wohl oder übel einen anderen Maßstab wählen.[1]

Der Begriff, den Preisendanz zitiert – die „Reichsunmittelbarkeit der Poesie" – ist bereits in unserer Diskussion aufgetaucht. Er erinnert, wie wir gesehen haben, an jenen oft diskutierten Sonderweg deutscher Geschichte, der des öfteren für das Fehlen eines energischen Prosa-Realismus europäi-

---

[1] *Wege des Realismus*, hg. v. Wolfgang Preisendanz, München 1977, S. 90.

schen Gepräges in der deutschen Kultur verantwortlich gemacht wird. In Preisendanz' Argumentation hört man beinahe Anflüge eines schlechten Gewissens – zum Beispiel in dem „wohl oder übel" des letzten Satzes. Und dieses schlechte Gewissen hat eine lange Tradition.

Friedrich Schillers pejorative Bemerkung, daß der Romanschreiber nur ein „Halbbruder"[2] des Dichters sei, scheint den Gang der modernen Roman- und Realismustheorie in Deutschland aufs nachhaltigste geprägt zu haben. Trotz der Leistungen Goethes auf dem Gebiet der Romankunst, trotz der leidenschaftlichen Liebe der romantischen Generation zum Roman – denn in der formalen Vielfalt der Romangestaltung sahen sie eine Verkörperung des romantischen (sprich: endlosen) Buches schlechthin[3] – ist ein Beigeschmack von Schillers Skepsis immer wieder aus den verschiedenen Äußerungen zur deutschen Romantheorie des 19. Jahrhunderts herauszuhören. Diese ästhetischen Bedenken schlagen sich in einem immer wiederkehrenden Gegensatzpaar nieder – der „Poesie" einerseits und der „Prosa" andererseits –, das für die deutsche Tradition geradezu charakteristisch ist und in dieser Form und in diesem Ausmaß in den übrigen europäischen Literaturtheorien nicht anzutreffen ist. Die entscheidenden Formulierungen verdanken wir keinem Geringeren als Hegel. Er bezeichnet den Roman als „moderne bürgerliche Epopöe", und charakterisiert ihn wie folgt:

> Der Roman im modernen Sinne setzt eine bereits zur *Prosa* geordnete Wirklichkeit voraus, auf deren Boden er sodann in seinem Kreise – sowohl in Rücksicht auf die Lebendigkeit der Begebnisse als auch in betreff der Individuen und ihres Schicksals – der Poesie, soweit es bei dieser Voraussetzung möglich ist, ihr verlorenes Recht wieder erringt. Eine der gewöhnlichsten und für den Roman passendsten Kollisionen ist deshalb der Konflikt zwischen der Poesie des Herzens und der entgegenstehenden Prosa der Verhältnisse sowie dem Zufall äußerer Umstände: ein Zwiespalt, der sich entweder tragisch und komisch löst oder seine Erledigung darin findet, daß einerseits die der gewöhnlichen Weltordnung zunächst widerstrebenden Charaktere das Echte und Substantielle in ihr anerkennen lernen, mit ihren Verhältnissen sich aussöhnen und wirksam in dieselben eintreten, andererseits aber von dem, was sie wirken und vollbringen, die prosaische Gestalt abstreifen und dadurch eine der Schönheit und Kunst verwandte und befreundete Wirklichkeit an die Stelle der vorgefundenen Prosa setzen.[4]

---

[2] Friedrich Schiller: *Über naive und sentimentalische Dichtung*, in: Schiller: *Werke*, hg. v. Benno von Wiese, Nationalausgabe, Bd. XX, Weimar 1962, S. 462.

[3] Vgl. Friedrich Schlegel: *Literary Notebooks 1797-1801* (hg. v. H. Eichner), London 1957, S. 21 ff.

[4] Zitiert nach Hartmut Steinecke: *Romanpoetik in Deutschland: von Hegel bis Fontane*, Tübingen 1984, S. 45 f.

An einer anderen Stelle in seiner Ästhetik erörtert Hegel die Rolle der inneren und äußeren Abenteuerlichkeit im modernen Roman. Intertextuell ist für ihn der Roman mit dem alten Epos verbunden; sowohl in der klassischen als auch in der mittelalterlichen Form ist das Abenteuerliche unabdingbare Komponente des erzählerischen Duktus. Wie wirkt sich dieses Erbe in der modernen Welt aus? Hegels Antwort lautet wie folgt:

> Dies Romanhafte ist das wieder zum Ernste, zu einem wirklichen Gehalte gewordene Rittertum. Die Zufälligkeit des äußerlichen Daseins hat sich verwandelt in eine feste, sichere Ordnung der bürgerlichen Gesellschaft und des Staats, so daß jetzt Polizei, Gerichte, das Heer, die Staatsregierung an die Stelle der chimärischen Zwecke treten, die der Ritter sich machte. Dadurch verändert sich auch die Ritterlichkeit der in neueren Romanen agierenden Helden. Sie stehen als Individuen mit ihren subjektiven Zwecken der Liebe, Ehre, Ehrsucht oder mit ihren Idealen der Weltverbesserung dieser bestehenden Ordnung und Prosa der Wirklichkeit gegenüber [...]. Besonders sind Jünglinge diese neuen Ritter, die sich durch den Weltlauf, der sich statt ihrer Ideale realisiert, durchschlagen müssen [...]. Nun gilt es, ein Loch in diese Ordnung der Dinge hineinzustoßen, die Welt zu verändern, zu verbessern oder ihr zum Trotz sich wenigstens einen Himmel auf Erden herauszuschneiden [...]. Denn das Ende solcher Lehrjahre besteht darin, daß sich das Subjekt die Hörner abläuft, mit seinem Wünschen und Meinen sich in die bestehenden Verhältnisse und die Vernünftigkeit derselben hineinbildet [...]. Mag einer auch noch so viel sich mit der Welt herumgezankt haben, umhergeschoben worden sein, – zuletzt bekömmt er meistens doch sein Mädchen und irgendeine Stellung, heiratet und wird ein Philister so gut wie die anderen auch [...].[5]

Ich habe diese beiden Stellen ausführlich zitiert, weil sie, wie mir scheint, zum Profundesten gehören, was über die Romangestaltung je geschrieben worden ist. Schillers Skepsis dem Roman gegenüber ist bei Hegel zu einer faszinierenden Dialektik geworden, einer Dialektik, die sich unter den beiden Leitbegriffen „Poesie" und „Prosa" zusammenfassen ließe. Für Hegel besteht die grundlegende Thematik des modernen Romans in einer Oszillation zwischen Auflehnung und Anpassung, denn der Protagonist gerät mit der bestehenden sozialen Ordnung in Konflikt, und er lernt, teilweise sich zu behaupten, teilweise sich zu fügen. Was die innere und äußere Handlung angeht, handelt es sich um komplexe Ambivalenzen, und Hegels eigene Erörterung dieser Ambivalenz ist ihrerseits von ambivalenten Bewertungen gekennzeichnet. Es geht in der modernen Kultur um „Ernst", um ein „Rittertum", das sich zu einem „wirklichen Gehalte" konzentriert hat. Der Protagonist steigert sich in exzessive Wünsche und Vorstellungen hinein

---

[5] Ebda, S. 44 f.

(„ins Unermeßliche"); es wimmelt von idealistischen Plänen und Visionen („wenigstens einen Himmel auf Erden herauszuschneiden"). All diese Ambitionen mögen zwar chimärisch sein; aber der Prozeß des Sich-Fügens, der Entbehrung, hat etwas Brutal-Ernüchterndes an sich („daß sich das Subjekt die Hörner abläuft"). Und das versöhnliche Happy-End scheint, näher betrachtet, alles andere als „happy" zu sein („heiratet und wird ein Philister so gut wie die anderen auch"). Am Ende steht so etwas wie Des-illusionierung, Entzauberung, Verbitterung. Das Erstaunliche an Hegels Charakterisierung des modernen Epos ist, daß von einer *Synthese* zwischen poetischen und prosaischen Imperativen kaum die Rede ist. Meistens ist der Ausgang entweder tragisch oder komisch – oder, wenn schon versöhnlich, dann eher mühsam („das Echte und Substantielle in ihr anerkennen lernen [...] und wirksam in dieselben eintreten") oder von einer wohlwollenden Utopie beseelt („eine [...] befreundete Wirklichkeit und die Stelle der vorge-fundenen Prosa setzen"). Obwohl sich Hegels Diagnose des modernen Romans im Kontext seiner Ästhetik äußerst knapp und gegenüber seiner Erörterung des Dramas absolut marginal ausnimmt, erwies sie sich inner-halb des deutschen Romandiskurses von erstaunlicher Resonanz. Das Be-griffspaar „Poesie" und „Prosa" taucht immer wieder auf, wie wir sehen werden. Eines ist an Hegels Kommentar von überragender Bedeutung: es geht für ihn nicht so sehr um Kompromisse, um Versöhnungen, sondern um Spannungen, um ein Kräftefeld, in dem Poesie und Prosa ständig mit-einander kollidieren und sich ständig hinterfragen. Auf dieses reflektierende – will sagen, kritische – Potential der Hegelschen Auffassung des Romans werde ich später zurückkommen.

Was die Geschichte der Romantheorie in Deutschland angeht, möchte ich auf die von Hartmut Steinecke herausgegebene Sammlung von Texten zur Romanpoetik hinweisen. Wer diese Texte studiert, wird die Konsistenz einer sich immer wieder herausdifferenzierenden Fragestellung feststellen können. Steineckes Anthologie entnehme ich einige Beispiele:

> Ursprünglich – glauben wir – bezweckte der Roman, als zur Poesie herabge-stimmte Epopöe, nichts weiter, als eben das Leben des Einen statt zu besingen – zu beschreiben. (Alexis)[6]
>
> Romane werden in der Regel nur zum Zeitvertreib gelesen. – Es scheint, daß diese sonderbare Geringschätzung einer poetischen Form, die nichtsdestoweni-ger die beliebteste ist, auf einem veralteten Vorurtheile beruhe. (Menzel)[7]
>
> Die Gesellschaft ist eine ganz andere geworden, der Adel ist gestürzt und ver-lacht, das altersgraue Herkommen ist bezweifelt und angetastet, und die Poesie

---

[6] Ebda, S. 58.
[7] Ebda, S. 64.

der Gesellschaft, der Roman, ist größthenteils noch der alte. Dies ist der Hauptvorwurf, der diesem Theile unserer Literatur zu machen ist. (Laube)[8]
Greift in die Zeit, haltet euch an das Leben. Ich weiß, was ihr entgegnet. Nicht wahr, es ist verdammt wenig Poesie in dieser Zeit, in diesem Leben, das wir in Deutschland führen? Woher der Stoff zu einem zeitgeschichtlichen Roman? (Wienbarg)[9]
[...] der Roman, der eine so umfassende und elastische Formengebung hat, daß man zugleich die verschiedenen Elemente der Poesie, namentlich das Lyrische und Dramatische, darin verschmelzen sieht. So erstrebt er ein Totalbild der menschlichen Richtungen in jeder Ausdehnung, und die Prosa erscheint in ihm als das vereinende Gesammtorgan aller Zustände, sie mögen poetisch oder prosaisch sein. (Mundt)[10]
Endlich ist hier der *spekulative* Roman zu nennen. Dieser ist ein Produkt Frankreichs und Deutschlands und faßt in sich alle charakteristischen Stadien der Sonne der heutigen Poesie zusammen. Wenn man die unterscheidenden Merkmale der modernen Poesie finden will, so muß man sie hier suchen. Auf diesem Bereich wird nicht nur das Schicksal der modernen Poesie ausgefochten, die Tendenz, wohin sie sich zuletzt neigen wird, sondern auch manche entscheidende Frage des Zeitalters selbst in Anregung gebracht, insofern der Roman ein Hilfsmittel ist, die Ideen an die Masse zu bringen. (Gutzkow)[11]
Ein *Roman* wird desto höherer und edlerer Art seyn, je mehr *inneres* und je weniger *äußeres* Leben er darstellt [...]. (Schopenhauer)[12]
Der Realismus der Poesie wird dann zu erfreulichen Kunstwerken führen, wenn er in der Wirklichkeit zugleich die positive Seite aufsucht, wenn er mit Freude am Leben verknüpft ist [...]. (Julian Schmidt)[13]
Die Grundlage des modernen Epos, des Romans, ist die erfahrungsgemäßig erkannte Wirklichkeit, also die schlechthin nicht mehr mythische, die wunderlose Welt. (Vischer)[14]
Die neuere deutsche Romanschriftstellerei als eine Frucht der Hegelei [...]. (Nietzsche)[15]
Realismus ist die *künstlerische Wiedergabe* (nicht das bloße Abschreiben) des Lebens. (Fontane)[16]

Solche Beispiele ließen sich mehr oder weniger beliebig vermehren. Die angeführten Texte mögen aber genügen, denn sie zeigen, wie sehr die Begrifflichkeit, die der deutschen Romandiskussion zugrundeliegt, eine relativ

---

[8] Ebda, S. 70.
[9] Ebda, S. 78.
[10] Ebda, S. 80.
[11] Ebda, S. 85.
[12] Ebda, S. 122.
[13] Ebda, S. 155.
[14] Ebda, S. 159.
[15] Ebda, S. 179.
[16] Ebda, S. 217.

konsequente und konsistente ist. Sie geht, wie wir gesehen haben, aus der Ästhetik der deutschen Klassik (Schiller) und des deutschen Idealismus (Hegel) hervor. Was läßt sich über ein solche Tradition sagen? Oft wird an diesen Texten das Fehlen einer zeitgemäßen Ästhetik gerügt. Und zwar mit der Begründung, daß gerade diese endlose Grübelei über mögliche Standortbestimmungen des Poetischen innerhalb der epischen Formen von Fragen der unnachgiebig prosaischen Aktualität, des gesellschaftlichen Gegenwartsbezuges ablenkt. Wieder einmal sind wir beim deutschen Sonderweg gelandet, beim Fehlen des romanhaften Realismus europäischen Formats. Sicherlich sind die entsprechenden Texte der englischen und französischen Romantheorie robuster in ihrer Bejahung des energischen Gegenwartsbezuges. Sie sind vitaler – aber auch unsystematischer und unreflektierter. Und gerade das scheint mir an der deutschen Tradition literarischer Diskussion so überaus wichtig und wertvoll zu sein: daß sie nämlich immer wieder die Dimension der Reflexion in der erzählenden Literatur thematisiert und befragt. Sicherlich gibt es Texte, die an einem solchen kritischen Projekt nicht übermäßig beteiligt sind. Bei Julian Schmidt etwa, dem Hohen Priester des Poetischen Realismus, hört man sehr oft einen Willen zur Verklärung, zu einer restaurativen Ästhetik des Beschwichtigend-Schönen, obwohl einige Artikel, die in den *Grenzboten* erscheinen, von kritischem Spürsinn zeugen. Aber allzuoft in der Literaturkritik ist poetischer Realismus einfach das Stichwort gewesen, worunter und womit man die gesamte Theorie und Praxis deutscher Prosaepik im 19. Jahrhundert als weltabgewandt und verniedlichend abgetan hat. Und das scheint mir unannehmbar. Denn was für meine Begriffe bei der deutschen Tradition sehr ins Auge sticht, ist folgendes: erstens ein intensives Nachdenken über Modalitäten der Repräsentation in den narrativen Gattungen; zweitens ein ständiges Bedürfnis, das Poetische der artistischen Kreativität und Formgebung als kritische Instanz zu begreifen, als eine erkenntnisleitende Dimension aufzufassen, von der aus die Tatsächlichkeit (die Prosa) der gesellschaftlichen Verhältnisse hinterfragt werden kann. Da sind wir wieder bei Hegel gelandet: es geht nicht so sehr um ein Ineinander von Poesie und Prosa als vielmehr um deren wechselseitige Befragung. Die Prosa des mimetischen Imperativs befindet sich sozusagen im Streitgespräch mit dem poetischen Imperativ, die Welt anders zu konzipieren als sie in ihrer Konkretion ist. Das sind theoretische Möglichkeiten, deren Tragweite weit über furchtsames Provinzlertum hinausgeht. Neben der englischen und französischen Tradition ist die deutsche Romanpoetik von einem erstaunlichen kritischen Potential durchzogen, einem Potential, das damit zu tun hat, daß Reflexion als legitimer Bestandteil der romanhaften Thematik und der romanhaften Narrativik angesehen wird.

Ich habe bereits darauf hingewiesen, daß die Romanpoetik als streng durchdachtes ästhetisches System erst im 20. Jahrhundert zustande kommt (mit den „Prefaces" von Henry James und den frühen Studien von Friedemann und Lubbock).[17] Die von Steinecke gesammelten Texte, aus denen ich zitiert habe, bieten punktuelle Aperçus in Richtung einer stringenten Begriffsbestimmung des Romans. Daher muß man ihm zustimmen, wenn er schreibt:

> Überblickt man die Diskussion des 19. Jahrhunderts, so kann man feststellen: es gibt in diesem Zeitraum kaum einen Theoretiker von Rang, der sich systematisch ausführlicher mit der Gattung befaßt hat; die Literaturwissenschaft beginnt sich zwar allmählich mit dem Roman zu beschäftigen, aber ihre Beiträge stehen, von wenigen Ausnahmen abgesehen, auf einem dürftigen theoretischen Niveau; auch die großen Romanciers mieden weitgehend zusammenhängende Erörterungen zentraler Fragen des Romanschreibens. Dies führt dazu, daß die systematischen Einsichten in das Wesen, die grundlegenden ästhetischen Probleme und die geschichtsphilosophischen Bedingungen der Gattung gegenüber der Romantik nur in begrenztem Maße anwuchsen.[18]

Das stimmt zweifelsohne. Nur sollte man m.E. nicht übersehen, daß die Lage in den übrigen europäischen Ländern ähnlich ist. Die Romantheorie ist sozusagen ein Aschenputtel der gattungsbezogenen Ästhetik. Nur, was die deutsche Leistung auf diesem Gebiet angeht, ließe sich folgendes, und wohlgemerkt, Positives sagen: kein Romantheoretiker der gesamten europäischen Tradition kommt annähernd an das heran, was Hegel gesehen und formuliert hat; die Hegelschen Kategorien (von Prosa und Poesie) ermöglichen eine Kohärenz in der deutschen Gesamtdiskussion, die zu wichtigen und aufschlußreichen Erkenntnissen führt. In einem Ausmaße, das nur in der deutschen Tradition aufzufinden ist, gerinnen die punktuellen und aperçuhaften Bemerkungen zu (um wiederum an Steinecke zu erinnern) „systematischen Einsichten in das Wesen, die grundlegenden ästhetischen Probleme und die geschichtsphilosophischen Bedingungen der Gattung".

Die Gattungstheorie, die im deutschen Kontext sozusagen aus dem Punktuellen ins Systematische vordringt, ist eine, die mit europäischen Entwicklungen aufs engste verwoben ist. Es gehört überhaupt zum europäischen Gedankengut, daß die Romanform sich gegen den Vorwurf der episodenhaften Formlosigkeit verteidigen muß. Henry James äußerte sich sehr herablassend über unstringente, plauderhafte Romane; er nannte sie „loose

---

[17] Käte Friedemann: *Die Rolle des Erzählers in der Epik*, Berlin 1910. Percy Lubbock: *The Craft of Fiction*, London 1921.
[18] Steinecke, *Romanpoetik*, S. 40 f.

baggy monsters".[19] Der Roman neigt *per definitionem* dazu, eine ausladende, extensive Form zu sein. Daher wird er des öfteren von einem impliziten Demokratismus, sowohl in thematischer als auch stilistischer Hinsicht, getragen. 1839 schrieb Hermann Marggraff: „er [der Roman] erkennt keinen Unterschied der Stände an, er bringt, demokratisch wie er ist, eine gewisse Gleichmäßigkeit der Anschauungen und Empfindungen in die hohen und niedern Stände."[20] Der Roman verfügt über eine Breite, die erlaubt, daß eine Art Panorama des sozialen Lebens angestrebt werden darf. In diesem Kontext ist Gutzkows *Die Ritter vom Geiste* und die damit verbundene Theorie des „Romans des Nebeneinander" ausgesprochen wichtig. Dazu kommt, daß der Roman zur „Heteroglossia" im Bakhtinschen Sinne tendiert[21]; d.h. daß er als stilistisches Gebilde dem Diskurspluralismus der modernen Welt gerecht werden kann und will. Die vielfachen, miteinander konkurrierenden Stimmen der Zeit kommen alle zur Geltung. Und das sind nicht nur die Stimmen der verschiedenen Charaktere, das sind auch die Stimmen des stilistischen Gewirrs einer komplexen Gesellschaft, wobei journalistische, philosophische, medizinische, erotische und andere Diskurse nebeneinander bestehen. Der Roman wird nicht von einem Bedürfnis nach manifester Einheit getragen; daher kann er es sich leisten, erzählend, lyrisch, dramatisch, reflektierend, ja sogar selbstreflektierend zu sein. Was manchmal als seine unartistische Laxheit verrufen wurde, erweist sich gerade als eine Stärke und ein Vorzug in der Mannigfaltigkeit der modernen Gesellschaft. Von diesen Möglichkeiten, wie wir in den Kapiteln ausführlicher Textanalyse sehen werden, macht der deutsche Roman erheblichen Gebrauch – nicht so sehr trotz, sondern wegen der ihm innewohnenden Dialektik von Poesie und Prosa.

Da von der Einbettung deutscher Romankunst in den europäischen Kontext die Rede ist, sollte eine bestimmte Gattung eigens erörtert werden, nämlich jener Romantyp, der, laut vielen Darstellungen, etwas typisch und einmalig Deutsches ist – der Bildungsroman. Es handelt sich um eine Romanform, die intensiv mit der sich entfaltenden Subjektivität des Helden beschäftigt ist, und die aus diesem Grunde mit dem Projekt einer realistischen Schreibweise auf den ersten Blick wenig zu tun hat. Man tut jedoch gut daran zu bedenken, daß sich viele Implikationen der Bildungsroman-

---

[19] Henry James: *The tragic Muse* (Preface), New York 1936, S. x.

[20] Hartmut Steinecke: *Romanpoetik von Goethe bis Thomas Mann*, München 1987, S. 75. Vgl. auch Franco Moretti: *The Way of the World: the Bildungsroman in European culture*, London 1987.

[21] Siehe Mikhail Bakhtin (Michail Bachtin): *Literatur und Karneval: Zur Romantheorie und Lachkultur*, München 1969.

tradition auf Fragestellungen des Realismus erstrecken. In einem äußerst wichtigen Passus schlägt Hartmut Steinecke den Terminus „Individual-roman" vor, um die exklusiv binnendeutsche Bestimmung des Bildungs-romans etwas zu entkräften. Er schreibt:

> Der in Deutschland im 19. Jahrhundert dominierende Typus des Individual-romans steht keineswegs – wie das Interpretationen unter dem Stichwort eines verengend verstandenen ‚Bildungsromans' häufig suggeriert haben – von vorn-herein in einem Gegensatz zum Gesellschaftsroman. Der Abstand zur westeu-ropäischen Entwicklung ist zwar deutlich erkennbar, aber der Weg der Gattung in Deutschland bildet, betrachtet man ihn in einer gewissen Breite und ohne sich den Blick durch „literarhistorische Mythologie" verstellen zu lassen, keineswegs einen völlig eigenen, alternativen ‚Sonderweg'.[22]

Steinecke faßt den Bildungsroman keineswegs als Lobgesang auf privili-gierte Innerlichkeit auf, sondern er hebt vielmehr den Prozeß der Sozialisie-rung des Individuums als zentrale Thematik hervor. Das scheint mir in vie-lerlei Hinsicht wertvoll und einleuchtend – obwohl ich nach wie vor dazu neige, den Bildungsroman als erkenntnistheoretische Hinterfragung der Parameter menschlicher Subjektivität zu deuten.[23] Aber was mir besonders wertvoll an Steineckes Gattungsverständnis erscheint, ist das Stichwort der Sozialisation. Denn gerade in der Durchleuchtung dieses vielschichtigen Prozesses scheint mir die deutsche Romantradition Entscheidendes gelei-stet zu haben; und das wurde viel zu oft in den Standardwerken der Litera-turgeschichte übersehen.

Zusammenfassend möchte ich auf jene Dialektik zwischen „Poesie" und „Prosa" zurückkommen, die, wie wir gesehen haben, die ganze Roman-und Realismustheorie in Deutschland durchzieht. Sehr oft ist diese theore-tische Position als Verschönerung, Verbrämung – will sagen Verniedlichung – der praktischen gesellschaftlichen Erfahrung abgetan worden. Mir scheint aber, daß dem nur bedingt zuzustimmen ist. In dreifacher Hinsicht ist m.E. die deutsche Romantheorie mit europäischen Tendenzen verbunden. Erstens: die Poesie/Prosa-Dialektik handelt von dem zentralen kreativen Nexus eines jeden Realismus: von dem Ineinander prosaischer Redupli-kation („Prosa") einerseits und kreativer Hinterfragung („Poesie") anderer-seits, von „Finden" und „Erfinden". Das diskursive Gerüst der Theorie in Deutschland, dieses ständige Rekurrieren auf „Poesie" und „Prosa" mag

---

[22] Steinecke: *Romanpoetik* 1987, S. 75. Vgl. auch Franco Moretti: *The Way of the World: the Bildungsroman in European culture*, London 1987.
[23] Siehe Martin Swales: *The German Bildungsroman from Wieland to Hesse*, Princeton 1978.

zwar ein Unikat sein. Aber das Grundmodell, das im Zentrum der Diskussion steht, ist ein Teil eines europäischen kreativen Projektes.

Zweitens: wie Gerhard Plumpe gezeigt hat[24], ist Daguerres Entdeckung der Technik genauer visueller Reproduktion die Geburtsstunde einer Kultur, die über die Möglichkeiten lebensgetreuer photographischer Abbildung verfügt. 1839 wird seine Erfindung öffentlich bekannt und benutzt. Von dem Punkt an sind konkrete Lebensverhältnisse mit erstaunlicher Genauigkeit reproduzierbar. Und das hat schwerwiegende Folgen. Denn es hat keinen Sinn, daß das verbale Medium der Literatur mit dem visuellen Medium der Photographie konkurriert, was ausführliche Beschreibung angeht. Um an Barthes' Argumentation zu erinnern, der „Effekt des Wirklichen" ist genau das – ein rhetorischer Effekt – und keine genaue Stenographie konkreter Sachverhalte. Gerade das kreative Potential der Rhetorik, der ästhetischen („poetischen") Verarbeitung bringt einen Erkenntnisgewinn mit sich, den Brecht im Sinne hatte, als er schrieb: „Realismus ist nicht, wie die wirklichen Dinge sind, sondern wie die Dinge wirklich sind."[25] Das adverbum „wirklich" – „eigentlich" – bringt Prozesse und Kategorien geistiger, will sagen symbolischer (künstlerischer, poetischer), Interpretation ins Spiel. Realismus als Wort kommt von „res"; Realismus handelt aber nicht von dem konkreten So-sein der Dinge, sondern von deren kreativer Transformation und Interpretation.

Drittens: ich komme auf meine Diskussion von Mack Walkers „Heimatstädten" zurück, auf jene charakteristisch deutsche Dimension von Kleinstaaterei und Partikularismus. Ich habe bereits darauf hingewiesen, daß gerade das Ethos jener „Heimatstädte" ein anderes Modell menschlicher Erfahrung hervorbringt als das der wimmelnden Großstadt (Balzacs Paris oder Dickens' London). Wo bei Balzac oder Dickens ein schroffer Gegensatz zwischen Individuum und Masse, zwischen Privatem und Öffentlichem, evident ist, ist bei der deutschen Prosaliteratur vielmehr von ihrer wechselseitigen Hinterfragung die Rede. Daher die zentrale Thematik der Sozialisation, auf die ich bereits hingewiesen habe. Denn die Gesellschaft der „Hometowns" ist nicht nur im äußeren Inventar der Gesellschaft verankert – Straßen, Häuser, Zimmer, Möbel usw. – sondern im inneren Inventar, im mentalen Mobiliar, im komplexen mentalitätsgeschichtlich ausschlaggebenden Raum des sozialisierten Innenlebens. Es handelt sich nicht um die abstrakte „Idee" einer Kultur, sondern um die psychologisch konkret zirkulierenden Ideen, Wertvorstellungen, Symbole. Der deutsche Rea-

---

[24] *Theorie des bürgerlichen Realismus*, hg. v. Gerhard Plumpe, Stuttgart 1985, S. 18-20.

[25] Bertolt Brecht: *„Katzgraben"-Notate*, in Brecht: *Gesammelte Werke* (werkausgabe edition suhrkamp), Frankfurt am Main 1967, Bd. 16, S. 837.

lismus hat, wenn ich recht sehe, über Industrialisierung, Elendsviertel, entfremdete Arbeit, Klassenkonflikte relativ wenig zu sagen. Er ist aber imstande, mentale Determinierung, die kursierende Symbolik des Gesellschaftlichen zu verstehen und zu befragen.

Der poetische Realismus deutschen Gepräges ist lange nicht so heiter, affirmativ, plakativ, wie man gemeinhin annimmt. Denn die ihm innewohnende Symbolik ist keine Transzendierung des Sozialen, sondern eine Auseinandersetzung mit sozialen *Données*. Das Symbol (das Poetische) existiert in dialektischer Spannung mit dem prosaischen Raum. Einerseits ist das Symbol Teil des Prosaischen, denn es ist in der Psychologie sozialisierter Figuren beheimatet. Andererseits ist das Symbol eine Kreation der Fiktion, die wir lesen, und ist somit die artistische Befragung der prosaischen Währung bloß gesellschaftlich bedingter Symbole. In diesem Kontext ist eine weitere Argumentation von Belang. Paul Coates spricht in seiner Studie über den europäischen Roman seit Richardson von „realistischer Fantasie"; darunter versteht er nicht nur die eskapistische Fantastik der Wünsche und Träume der Figuren als Ausdruck ihres gesellschaftlich konditionierten Zustandes, sondern auch die Fähigkeit des narrativen Textes, den Modus ihrer genauen Wiedergabe prosaischer Wirklichkeitsbezüge dank einer disputativen metaprosaischen Fantastik zu hinterfragen.[26] Coates findet diese Konstellation vor allem in der englischen und deutschen Literatur verkörpert; und er meint, daß beide Literaturen von zwei ähnlichen linguistischen und kulturellen Paradigmenwechseln gekennzeichnet sind – von Luthers Bibel und der englischen „Authorized Version" der Bibel. Beide Übersetzungen bringen Erhabenheit und Alltagssprache miteinander in Berührung. Beide Texte verkörpern die Möglichkeit, daß der sublime poetische Text ein kritisches Licht auf die akzeptierten menschlichen und sozialen Normen wirft. Im Kontext dieses entscheidenden kulturellen Erbes sollten wir eine Feststellung K. D. Müllers bedenken: „Auffallend ist das hohe poetologische Reflexionsniveau des deutschen Realismus."[27] Dieses Reflexionsniveau drückt sich sowohl thematisch als auch stilistisch aus: thematisch, weil die Reflexion, der Bewußtseinsinhalt, das mentale Mobiliar der Figuren geschildert wird; stilistisch, weil über diese Reflexionsvorgänge von seiten des Textes selber mittels dessen – expliziter oder impliziter – Erzählstimme reflektiert wird. Im nächsten Kapitel wird zu zeigen sein, daß gerade dieses Reflexionsniveau dank der Implikationen moderner dekonstruktivistischer Literaturtheorie am besten zu verstehen ist.

---

[26] Paul Coates: *The realist Fantasy: Fiction and Reality since „Clarissa"*, London und Basingstoke 1983.
[27] *Bürgerlicher Realismus*, hg. v. Klaus-Detlef Müller, Königstein/Ts. 1981, S. 11.

V. Diskurse als Realien

(Realismus im Zeitalter der Dekonstruktion)

In letzter Zeit ist die Theorie des „klassischen" (d.h. unmittelbar referentiellen, gegenständlichen) Realismus vor allem von Strukturalisten und Dekonstruktivisten stark angezweifelt worden. Es ist zum Beispiel von Barthes, Hillis Miller, Derrida, de Man[1] argumentiert worden, daß das scheinbar Natürliche, das Selbstverständliche, das Auf-außerliterarische-Dinge-Transparentsein des traditionellen Realimusbegriffs letztlich auf einer Rhetorik basiert, die so tut, als sei sie lediglich die „objektive" (d.h. unvermittelte) Wiedergabe der vorhandenen Wirklichkeit. Jene Art von Realismus, so heißt es, ist entweder eine literarische Konvention, die sozusagen vergessen hat, daß sie eine ist – oder sie ist eine Konvention, die auf die raffinierteste Art und Weise ihre eigene Fiktivität zu verschleiern vermag.

Mir scheint, daß die gängigen Argumentationen moderner kritischer Orthodoxie Gefahr laufen, selber zur unreflektierten, von ihren Anhängern geflissentlich nachgeplapperten Ideologie zu werden. Das ist vor allem deshalb zu bedauern, weil bestimmte Aspekte dieser leidenschaftlichen Attacke gegen die Referentialität des literarischen Kunstwerks auf eine besonders wertvolle Weise dazu beitragen können, die Realismustheorie zu differenzieren und zu beleben.[2] Drei theoretische Positionen sind für meine Argumentation von Belang:

Erstens:

> Es geht auf ein epistemologisch falsches Modell zurück, wenn man meint, daß es einerseits einen extra-literarischen Bereich, Wirklichkeit genannt, gibt und andererseits einen literarischen Text, der sich auf diese objektive, tatsächliche und aus Tatsachen bestehende Welt bezieht. Denn das, was wir Menschen als Wirklichkeit wahrnehmen und bewohnen, besteht letztlich keineswegs nur aus *res*, aus unvermittelten Gegenständen, Objekten, Tatsachen. Vielmehr ist es so, daß unsere Welt in dem Sinne bewohnbar ist und wird, daß sie aus einem komplexen

---

[1] Vgl. Roland Barthes: *S/Z*, Paris 1970; J. Hillis Miller, „The Fiction of Realism: *Sketches by Boz, Oliver Twist*, and Cruikshank's Illustrations", in: *Dickens Centennial Essays*, hg. v. Ada Nisbet und Blake Nevins, Berkeley 1971, S. 85-126, (wiederabgedruckt in *Realism*, hg. v. Lilian R. Furst, London und New York 1992, S. 287-318); Jacques Derrida: *De la Grammatologie*, Paris 1967; Paul de Man: *Allegories of Reading*, New Haven 1979.

[2] Vgl. Christopher Prendergast: *The Order of Mimesis*, Cambridge 1986.

System besteht, aus einer Ökonomie von ständig zirkulierenden Zeichen, Symbolen, Konventionen, Ritualen, Wertvorstellungen usw. Der literarische Text ist somit ein bestimmter, innerhalb der gemeinsamen Textualität einer jeweiligen Gesellschaft beheimateter Text. In diesem Sinne könnte man der an und für sich skandalös anmutenden Maxime Derridas zustimmen: „il n'y a pas de horstexte."[3]

Zweitens:

Die Literatur besteht per definitionem aus Sprache. Das literarische Kunstwerk kann infolgedessen nie das getreue Abbild der konkreten Welt vermitteln, sondern nur das getreue Abbild des Diskurses geben, der in der gesellschaftlichen Welt zirkuliert.

Drittens:

Es kommt des öfteren vor, daß der Begriff der Mimesis zwei Kategorien der Wahrscheinlichkeit miteinander vermengt: *vraisemblance* (d.h. das, was, als Beschreibung der Welt, sich als plausibel erweist), und *bienséance* (d.h. das, was schicklich ist, was geschildert werden darf). Daher ist es oft so, daß ein traditionell-realistisches Werk, obwohl es sich in mancher Hinsicht gesellschaftskritisch gibt, letzten Endes alles andere als subversiv ist. Denn dadurch, daß der herkömmliche Realismus eminent zugänglich, lesbar ist, bestätigt er unsere Lesung der Welt, d.h. unsere Wertvorstellungen, bestätigt sie als zeitlos, natürlich, als notwendig und unumstößlich. Solche Wertvorstellungen sind aber keine Naturgesetze: sie sind sozial verabschiedete – d.h. veränderbare – Gesetze.

Ich habe diese Bedenken hinsichtlich der mimetischen Referentialität des literarischen Kunstwerkes zusammengefaßt, nicht weil ich diese Doktrin der Pan-Textualisierung restlos akzeptiere. Ich glaube nach wie vor, daß es sinnvoll ist, vom Realismus zu sprechen, weil der Terminus eine Art Überblick ermöglicht über gewisse Werke der europäischen Literatur, in denen es vor allem darum geht, den Modus vivendi einer bestimmten Gesellschaft und die Rolle des Einzelmenschen innerhalb jener Gesellschaft erzählerisch zu vermitteln. Aber mir scheint, daß der dekonstruktivistische Ansatz uns erlaubt, der sprachlichen Seinsweise des literarischen Realismus gerecht zu werden. Daraus geht Folgendes hervor: Wenn ein Roman einen Stuhl beschreibt, liefert er Sprache, Worte – und nicht Leder und Roßhaar. Kein Roman – und sei er noch so welthaltig und gegenständlich – kommt darum herum, aus Signifikanten gemacht zu sein. (Dieses uneliminierbare Vorhandensein eines prinzipiellen Unterschiedes zwischen dem, was dargestellt wird, und dem Medium dieser Darstellung trifft sogar auf die Malerei zu, obwohl sie ihrem Wesen nach ikonisch, d.h. viel unmittelbarer, abbildender ist als die Literatur. Eine bildliche Darstellung von Trauben ist sofort in

---

[3] Jacques Derrida: *De la Grammatologie*, Paris 1967, S. 227.

ihrer referentiellen Aussage wiedererkennbar. Während das Wort „Traube"
an und für sich keine Kopie einer Traube ist. Das Wort ist, im Saussureschen
Sinne, auf die zufällige Vermittlung eines kulturell verbürgten Zeichen-
systems angewiesen. Nach einer griechischen Legende aber gelang es dem
Maler Zeuxis, einen Rebstock so überzeugend darzustellen, daß die Vögel
auf seinem Bild gelandet sind, und versucht haben, daran zu picken. Kein
Vogel würde von dem Wort „Traube" essen wollen. Aber selbst bei der
Malerei werden die Vögel enttäuscht. Denn ein Bild von Trauben besteht
aus Leinwand und Farbe, und nicht aus Trauben. (Man erinnere sich an
René Magrittes atemberaubend genaues Bild einer Pfeife, worauf geschrieben steht „Ceci n'est pas une pipe".) Wenn aber ein Roman sich mit dem
mentalen Mobiliar einer jeweiligen Gesellschaft beschäftigt – d.h. nicht mit
Stühlen und Vorhängen, sondern mit Ideen, Wertvorstellungen, mit der
institutionalisierten Subjektivität der Figuren, mit dem ganzen sozialbe-
dingten Diskurs eines Zeitalters, dann überschneiden sich literarisches
Medium und soziale Materie. Denn beide sind aus Sprache gemacht. Man
könnte auch die Argumentation Jean Baudrillards[4] erwägen, derzufolge die
kapitalistische Gesellschaft – vor allem, aber nicht nur der Moderne – unentwegt Bilder und Symbole erzeugt und konsumiert. (Man denke vor
allem an die Rolle der Medien, der Werbung.) Karl Marx glaubt an das Primäre des Arbeitsprozesses, Baudrillard an das Primäre des Symbolisie-
rungsprozesses als gesellschaftliche Produktion.

Wenn solche Argumente uns einleuchten, dann heißt das, daß die mimesis-
feindlichen Energien der jüngsten Literaturtheorie es nicht nur ermöglichen, sondern geradezu verlangen, daß die Spannweite möglicher Realis-
musarten breiter gefaßt sein muß, als im Kontext der älteren, unreflektierten Realismus-Diskussion gängig war. Eckhard Höfner schreibt:

> Man [tut] gut daran, entgegen den meisten Handbüchern und Literaturge-
> schichten, Realismus nicht als „voraussetzungslose" Darstellung der Realien zu
> begreifen, sondern als Darstellung gemäß eines bestimmten Codes. [5]

Der Code, der das Kunstwerk mit der gesellschaftlichen Realität verbindet,
besteht aus Sprache.

Es ist in diesem Kontext wichtig zu bedenken, daß die deutsche Sprache,
was die philosophische Diskussion der konkret wahrnehmbaren Welt angeht, über zwei Hauptwörter verfügt – „Wirklichkeit" und „Realität" –

---

[4] Jean Baudrillard: *Selected Writings*, hg. v. Mark Poster, Cambridge 1988.
[5] Eckhard Höfner: *Literarität und Realität: Aspekte des Realismusbegriffs in der
französischen Literatur des 19. Jahrhunderts*, Heidelberg 1980, S. 21.

wohingegen die englische und französische nur eines besitzen („reality",
„réalité"). Ohne daß wir uns auf subtile erkenntnistheoretische Theoreme
einlassen, läßt sich doch behaupten, daß der implizite Unterschied zwischen
diesen beiden Hauptwörtern auf eine Differenzierung hinweist, die im
Kontext unserer Diskussion wichtig ist; nämlich die Differenzierung zwischen einerseits *res*, konkreten, empirisch feststellbaren Dingen und andererseits Entitäten, die wirken, die sich in der Gesellschaft auswirken. Unter
dieser Kategorie könnten wir sehr viel von dem menschlichen Bewußtseinsinhalt subsumieren. Eine Idee, eine Ideologie, eine Aspiration ist kein konkretes Faktum, kann aber durchaus zu den *Données* einer bestimmten Gesellschaft gehören. Beim Realismus der deutschen Tradition geht es nicht so
sehr um die *Realien* als um *Wirklichkeiten*, um Ideen, Glaubensartikel, die
wirken. Da sind zum Beispiel gewisse symbolische Vorstellungen von im-
menser Bedeutung. Solche Gegensatzpaare wie Stadt und Land, Heimat
und Fremde, zivilisiert und primitiv, heilig und profan sind mentale, begriffliche Entitäten, die als integrierte und strukturierende Bestandteile eines
gesellschaftlichen Ethos fungieren und die somit an der Strukturierung und
Textualisierung einer Gesellschaft beteiligt sind. Die Sprache selber kann
auch ein legitimer Gegenstand realistischer Darstellung sein, vor allem insofern sie (im Sinne der späten Wittgensteinschen Philosophie) als eine „Lebensform" aufgefaßt wird. Denn Modalitäten und Vorgänge der Repräsentation und Reproduktion sind Teil der gesellschaftlichen Erlebnissphäre –
und auch der Kunst, die diese Vorgänge thematisiert. Bis zu einem entscheidenden Grad besteht eine funktionierende soziale Welt aus Diskursen,
die zirkulieren. Das soll aber nicht als Ästhetisierung des gesellschaftlichen
Lebens aufgefaßt werden; es bedeutet eben nicht, daß Diskurse bloß ästhetische Gegenstände sind; sie sind vielmehr wirklichkeitsbildend. Für diejenigen, die in bestimmten Wertvorstellungen aufgewachsen sind, sind die jeweiligen Diskurse verbindlich. Sie sind notwendig, sie werden als natürlich,
unumstößlich empfunden, als wahres Bild der bestehenden Welt. Es ist des
öfteren Aufgabe der realistischen Kunst, diese Diskurse nicht nur zu repro-
duzieren, sondern auch zu hinterfragen. Die Kunst kann das Als-selbstver-
ständlich-Hinnehmen eines gesellschaftlichen Diskurses dadurch verhindern, daß sie diese Diskurse aufgreift und thematisiert. Dank der Verfrem-
dung, die dem ästhetischen Moment innewohnt, wird Erkenntnis, ein Aufdecken verborgener Bewußtseins- und Erlebnisstränge, eine Hinterfragung
gesellschaftlicher Symbolisierung möglich gemacht.

Eine letzte Bemerkung zu dieser ganzen Frage der Wesensbestimmung realistisch zu vermittelnder Materie. Ich erinnere an Roland Barthes' Begriff
vom „Effekt des Wirklichen", von dem bereits die Rede gewesen ist. Dieser
Effekt besteht bekanntlich in der narrativen Anerkennung konkreter Ge-

genständlichkeit, die unreflektiert ist in dem Sinne, daß sie um ihrer selbst willen geschildert wird – und nicht wegen eines innewohnenden Symbolwertes. Die gegenständliche Welt mit ihren *Realia* wird erzählerisch nachvollzogen, denn der traditionelle realistische Roman weiß, daß die konkrete Umgebung auf entscheidende Art und Weise an dem Lebenswandel der Figuren beteiligt ist. Die konkrete Dingwelt ist keineswegs bloß der Hintergrund, gegen den sich das menschliche Subjekt abhebt. Es gibt vielmehr nur *einen* Grund, nur einen Grund des Seins. Weil dieser physische Grund des Seins überall präsent ist, neigt der traditionelle Realismus dazu, unsymbolisch zu sein – im Sinne der einfachen Weltfülle des „realistischen Effekts". Oder wenn Bildlichkeit operativ ist, dann, um an Jakobsens Begriffspaar zu erinnern, im metonymischen anstatt im metaphorischen Sinne.[6] Beide Formen bildlicher Aussage zeugen von der Möglichkeit, Bedeutung aus einer Sphäre in eine andere zu übertragen. Bei der Metonyme sind die jeweiligen Sphären physisch benachbart. (Wenn wir zum Beispiel sagen: „das Weiße Haus ist immer noch der Meinung, daß...", dann meinen wir natürlich den amerikanischen Präsidenten und seine Berater, und nicht das eigentliche Gebäude in Washington. Das „Weiße Haus" aber funktioniert stellvertretend für die „obersten Machthaber der USA", weil sie dort zu Hause sind und dort arbeiten. Wir haben somit metonymisch gesprochen – dank Kategorien körperlicher Proximität.) Bei der Metapher sind die jeweiligen Sphären nur begrifflich miteinander verwandt. (Wenn ich sage, daß der Bug des Schiffes durch das schwere Wasser hindurchschneidet, dann stelle ich einen Vergleich dar, der nicht auf die körperliche Co-präsenz des Schiffes und des Messers angewiesen ist. Ich könnte die Metapher variieren – „das Schiff hämmerte sich durch die Wogen" – ohne daß die Aussage problematisch würde. Wenn ich hingegen sage „Der Eiffelturm ist immer noch der Meinung, daß ...", ist die Metonyme unnachvollziehbar – und somit sinnlos.) Insofern der traditionelle Realismus bildliche Aussagen hervorbringt, haben sie gewöhnlich mit der gesellschaftlichen Kontextualisierung (und Konditionierung) der Figuren zu tun. Ich denke an Charles Bovarys Mütze, an die Agrarmesse und an Binets Drehbank in *Madame Bovary*, an das Bordell in *L'Education Sentimentale*, an die Gerichtshöfe in *Bleak House*, an das Gefängnis in *Little Dorrit*, an die Schule in *Hard Times*, an den Zug in *Anna Karenina*. Das alles sind metonymische Aussagen, die aus dem körperlichen Gegebensein hervorgehen. Das sind mit anderen Worten relativ unreflexive Aussagen. Wohingegen im deutschen Realismus des neunzehnten Jahrhunderts, wie wir sehen werden, es sich immer wieder um

---

[6] Vgl. David Lodge: *The Modes of modern Writing: Metaphor, Metonymy, and the Typology of modern Literature*, London 1977.

Texte handelt, die von einer Intensität der Reflexion getragen sind, die mit den Denkprozessen der Figuren zu tun hat – und wohlgemerkt auch mit der erzählerischen Reflexion über diese Reflexion.

Die Metaphorik und Symbolik in den deutschen Texten regt zu dialektischem Denken an, denn die Symbole, Leitmotive, Metaphern, die wiederkehrenden Handlungen der Figuren drücken Bewußtseinsinhalte und nicht Gegenständlichkeit aus. Sie zeugen einerseits von der sozialen Determiniertheit des Innenlebens und andererseits von der Möglichkeit kognitiver Freiheit, einerseits von einem hilflosen Verhaftet-sein in Schablonen, in Klischees, in angepaßtem, gesteuerten Verhalten und andererseits von einem Wissen um (und von einer Auflehnung gegen) gesellschaftliche Zwänge. Die Symbole drücken sowohl die Dressierung als auch den Höhenflug der Gefühle und Gedanken aus. Sie verbergen und enthüllen die psychischen und kognitiven Energien des Innenlebens. Sie fungieren sowohl als Gebärde der kompulsiven Wiederkehr der gesellschaftlich tabuisierten Erfahrung als auch als Instanz unserer narrativ erreichten kritischen Erkenntnis. Der Barthessche „effet de réel" bedeutet ein bewußtes Aussparen der Dimensionen figürlicher und narrativer Reflexion. Die Tradition des deutschen Realismus hingegen basiert auf einem Wissen um die Verankerung von Reflexion im Konnex des realistischen Kunstwillens.[7] Ich erinnere an den Brechtschen Spruch: „Realismus ist nicht wie die wirklichen Dinge sind, sondern wie die Dinge wirklich sind". „L'effet de réel" ist sozusagen wie die wirklichen Dinge sind. Wohingegen die Frage nach dem wirklichen Sein der Dinge mit purer Gegenständlichkeit wenig zu tun hat; denn es handelt sich per definitionem um eine Kategorie der begrifflichen und symbolischen Reflexion, um jene Kategorie, die den deutschen Realismus durchzieht. Der Analyse von Texten aus dieser Tradition möchte ich mich nun zuwenden.

---

[7] Vgl. etwa Lilian R. Furst: „Re-reading *Buddenbrooks*", in: *German Life and Letters* 44, 1991, S. 325, und M. Swales: *Studies of German Prose Fiction in the Age of European Realism*, Lewiston 1995.

VI. Die Geburt des Realismus aus dem Geist kulturkritischer Analyse

(Jungdeutschland)

In seinen *Briefen aus Berlin* schreibt Heinrich Heine mit Bezug auf die Romane Walter Scotts, daß „man sie überall liest, bewundert, bekritelt, herunterreißt und wiederliest".[1] Die zwanziger und dreißiger Jahre des neunzehnten Jahrhunderts sind tatsächlich eine Zeit intensiver Walter-Scott-Rezeption in Deutschland. Was an Scotts Romanwerk vor allem wie eine Offenbarung wirkte, war eben der groß angelegte Versuch, National-geschichte und sozialen Wandel zum Hauptgegenstand einer expansiven Fiktion zu machen. Für Gustav Freytag, viel später im neunzehnten Jahrhundert, ist Walter Scott die *fons et origo* der großen europäischen Roman-tradition schlechthin. Er meint, „daß man in irgend einer Zukunft für den größten und eigenthümlichsten Fortschritt in der Poesie des neunzehnten Jahrhunderts gerade den Prosaroman betrachten wird, wie er sich seit Walter Scott bei den Culturvölkern Europas entwickelt hat".[2]

Gerade bei der jungdeutschen Generation werden Aspirationen in Richtung einer sozialkritischen Romankunst eifrig besprochen und artikuliert. Die Absicht, ein Abbild und eine Bestandsaufnahme der zeitgenössischen Welt durch den Roman zu vermitteln, wird immer wieder deutlich. Auffallend ist es aber, daß die eigentlichen künstlerischen Hervorbringungen der jungdeutschen Schriftsteller nicht so sehr mit gegenständlichem, beschreibendem Realismus zu tun haben, sondern vielmehr eine äußerst reflexive, kulturkritische und intertextuelle Auseinandersetzung mit dem eigenen Zeitalter aufweisen. Was immer wieder im Vordergrund steht, ist der Versuch, jenes (um wieder einmal mit Heine zu reden) nach-Goethe-sche „Ende der Kunstperiode" zu diagnostizieren. Immer wieder dreht es sich um zweierlei: einerseits, um das Wissen von politischer Reaktion und Stagnation; andererseits um eine problematisierte Auseinandersetzung mit

---

[1] Vgl. Hartmut Steinecke: *Romanpoetik von Goethe bis Thomas Mann*, München 1987, S. 76. Zur Frage der Scott-Rezeption in Deutschland vgl. Edward McInnes: „*Eine untergeordnete Meisterschaft?*" *The critical reception of Dickens in Germany 1837-1870*, Frankfurt am Main 1991, S. 21-44.

[2] Hartmut Steinecke: *Romanpoetik in Deutschland: von Hegel bis Fontane*, Tübingen 1984, S. 238.

dem gewaltigen Vermächtnis klassischer und romantischer Literatur (und vor allem mit Goethe). Beide Impulse hängen selbstverständlich auf engste miteinander zusammen; denn gerade die intensiv empfundene politische Desillusionierung läßt die Schönheit – aber auch die katastrophale Irrelevanz – großer Literatur drastisch in Erscheinung treten. Die zentrale Thematik des jungdeutschen Romans ist der Zusammenprall eines intensiven, nach allseitiger Entfaltung der menschlichen Persönlichkeit strebenden Innenlebens und der grausamen Einkerkerung (sowohl im buchstäblichen als auch im metaphorischen Sinn) des Außenlebens in der Gesellschaft.

Heinrich Laubes *Das junge Europa* (1833-37) besteht aus drei Bänden, der erste (*Die Poeten*) und der dritte (*Die Bürger*) sind in Briefform gehalten, während der zweite Band (*Die Krieger*) eine Er-Erzählung ist. Im Zentrum stehen fünf junge Studenten, die von erotischen Abenteuern, literarischen Ambitionen und politischen Visionen angefeuert sind. In den Briefen bekommt man das Pathos der verschiedenen Formen des Idealismus zu lesen. Vor allem die 1830er Julirevolution in Paris wird als gewaltige Verheißung verherrlicht. Konstantin schreibt:

> O großer Gott, seit Jahren danke ich dir heute zum ersten Male für deine Welt, ja sie ist schön; der alte Unflat wird unter die Füße getreten, die Menschenrechte schreien durch die Gassen.[3]

Parallel zu diesen politischen Gefühlsregungen laufen Augenblicke erotischer Exaltation, die gelegentlich pubertär überschwenglich wirken. Hippolyt schildert seine Liebe zu einer Aristokratin in Tönen, die einer unfreiwilligen Komik nicht entbehren:

> meine passive, mir so ungewohnte Rolle von mir werfend, drückte ich die vollen straffen Glieder des schönen Weibes an mich und schleuderte die lodernden Funken der Sinnlichkeit verschwenderisch um uns herum, umschlang sie wie ein Löwe sein Weib, überließ mich ganz der heiteren Kraft meines Wesens.[4]

Im dritten Buch des Romanzyklus findet die Innerlichkeit nach wie vor brieflichen Ausdruck, aber der Grundtenor, sowohl in stilistischer als auch thematischer Hinsicht, ist der der Ernüchterung und Desillusionierung. Hippolyt ist ob der taktischen Schläue des Bürgerkönigs Louis Philippe entsetzt:

> Das Repräsentativsystem, das sonst dem König hinderlich war, ist durch seine Klugheit für ihn die bequemste Regierungsart geworden [...], [...] in kurzer Zeit ist aller Fortschritt, den wir erwarteten, auf ein paar Formeln gezogen.[5]

---

[3] Heinrich Laube: *Das junge Europa*, Leipzig 1908, Bd. I, S. 97.
[4] Ebda, S. 70.
[5] Ebda, Bd. III, S. 8.

Aber in England ist ihm keinesweg wohler. Er konstatiert, daß das Land auf einer freiheitlichen Regierungs- und Verfassunsform beruht, aber er findet, daß sämtliche idealen Ziele am Geist widerlichen Pragmatismus zugrunde gehen: „Mich interessiert das große Gedicht der Freiheit und Schönheit, nicht das ABC derselben."[6] Die Poesie des „großen Gedichts" muß sich vor der prosaischen Nüchternheit Englands geschlagen geben. Beide in Briefform verfaßten Bücher umrahmen das zweite Buch, das von Valerius' Einsatz im Dienst der polnischen Freiheitsbewegung berichtet. Erzählt wird in der dritten Person von den Schmerzen und Niederlagen und Brutalitäten eines hoffnungslosen revolutionären Aufstands. Da ist von Innerlichkeit wenig die Rede – aus dem einfachen Grunde, weil überall grausame Fakten die Oberhand gewonnen haben. Es gibt zum Beispiel eine schmerzvolle Szene in einem Krankenhaus: „Der Begriff eines Menschen hört in solchen Zeiten auf, es gibt nur Gegenstände, deren man sich so schnell und so gut entledigt, als es eben gehen will."[7] Valerius findet, daß er nicht umhin kann, alles zu bezweifeln, woran er so leidenschaftlich geglaubt hat. Sämtliche grandios konzipierten Pläne für den progressiven Vormarsch der Menschheit scheitern, wie ihm scheint, an der grenzenlosen resistenten Vielfalt, am wimmelnden Chaos individuierten menschlichen Seins:

> Und dort waren es nicht jene Freiheitsgedanken an sich, die er jetzt bezweifelte; es waren die Verhältnisse im großen, die allgemeinen historischen Entwicklungen, die ihm den Geist mit Dämmerung bedeckten. Er ahnte das Tausendfältige der menschlichen Zustände, die tausendfältigen Nuancen der Weltgeschichte, die millionenfachen Wechsel in der Gestalt eines Jahrhunderts und in der Gestalt seiner Wünsche und Bedürfnisse.[8]

Laubes Romantrilogie trägt den Titel „Das junge Europa". Damit wird angedeutet, daß die erzählerische Fiktion bemüht ist, den Geist einer europäischen Generation um 1830 zu belauschen. Was aus diesem Vorhaben resultiert, ist ein Text, der Inneres (Poetisches) und Äußeres (Prosaisches) miteinander konfrontiert. Es geht um die Mentalität eines Zeitalters, eine Mentalität, die letzten Endes von Enttäuschungen gekennzeichnet ist. Die eigentliche Handlung – die persönlichen und politischen Geschehnisse – ist weniger wichtig als die Reaktionen und Reflexionen, die sie auslöst. Das Versprechen der im Titel angesprochenen Jugend geht nicht in Erfüllung.

Ein ähnlicher Versuch, mentalitätsgeschichtliche Strömungen erzählerisch zu vermitteln, durchzieht Theodor Mundts *Madonna* (1835). Im Zentrum

---

[6] Ebda, S. 109.
[7] Ebda, Bd. II, S. 217.
[8] Ebda, S. 42.

des Textes stehen die zutiefst literarischen Aufzeichnungen eines Ich-Er-
zählers, der durch Böhmen fährt und atmosphärische Reisebilder verfaßt.
Immer wieder ist von der „Trennung von Fleisch und Geist"[9] die Rede, und
dieses Thema durchzieht die erzählerischen Reflexionen – und auch den
eingeschobenen Bericht von Maria, der „Madonna"-Figur des Titels. Sie ist
eine gebürtige Böhmin, eine schöne junge Frau, die nach Dresden geschickt
wird, wo sie dann bei einem reichen Onkel wohnt. Er versucht, sie zu ver-
führen, aber sie wehrt sich heftig. Sie sucht Trost bei Mellenberg, einem jungen Theologen, der im selben Haus logiert. Es folgt eine Nacht leidenschaftlicher Liebe. Am folgenden Morgen ist Maria wie neugeboren:

> Es war mir, als hätte ich erst einen kräftigen Blick ins Leben gewonnen. Alles
> schien an mir klarer, bestimmter, herausgetretener, gerundeter geworden, Alles
> hatte Ton, Klang und Duft in mir von innen und außen.[10]

Aber Mellenberg kann sich mit dem Ausbruch seiner eigenen Sexualität
nicht versöhnen, und er begeht Selbstmord. Maria zieht die bittere Bilanz:
„Er hatte meine Liebe nicht verstanden, und ich seine Religion nicht."[11]
Marias Bericht trägt den Titel „Bekenntnisse einer wirklichen Seele" – und
damit begegnet uns ein frappantes Beispiel jener literarischen Intertextualität, die allgegenwärtig ist. Immer wieder sind die literarischen Anspielungen kulturkritischen Charakters, denn die Hauptwerke der hohen Literatur
werden explizit oder implizit jener Trennung von Fleisch und Geist, jener
Negation des Körperlichen, des Wirklichen beschuldigt, die das zentrale
thematische Anliegen bildet. Marias Bekenntnisse sind nämlich die einer
wirklichen Seele (und nicht, wie in Goethes *Wilhelm Meisters Lehrjahren*,
die „Bekenntnisse einer *schönen* Seele"). Als der Erzähler in einem Kloster
Zeitungen entdeckt, bedenkt er die Modalitäten einer Wackenroder-Paro-
die:

> Zeitungen! Zeitungen! Zeitungen in einem Cisterzienser-Kloster! Welche Rie-
> senprogresse der Cultur! [...] Zugleich gefiel ich mir in der großartigen Idee, in
> einem Kloster Politik zu treiben, und ich nahm mir vor, im nächsten Wirths-
> hause *Phantasieen eines zeitungsliebenden Klosterbruders* zu schreiben.[12]

Obwohl es Mundts *Madonna* manchmal an künstlerischer Kohärenz mangelt, denn der Text entgeht nicht immer den Gefahren struktureller Beliebigkeit, sind diejenigen Stellen besonders überzeugend, an denen eine kulturkritische Abrechnung mit der Gegenwart dominierend zum Vorschein
kommt. Was registriert wird, ist die Distanz zwischen einer grandiosen lite-

---

[9] Theodor Mundt: *Madonna*, Leipzig 1835, S. 395.
[10] Ebda, S. 241.
[11] Ebda, S. 259.
[12] Ebda, S. 64 f.

rarischen Überlieferung und den bodenständigen Anforderungen der Moderne. Man denke zum Beispiel an das Nachwort, womit das Buch schließt. Die Parodie der Einleitung des Herausgebers in Goethes *Werther* ist unüberhörbar:

> Doch, du gute Seele, wenn du dem Teufel überantworten willst dies Buch, oder vielmehr die Luft dieser Zeit, aus der es den Verfasser in den Wirthshäusern und auf den Landstraßen angeflogen, du gute Seele, dann bedenke doch, daß, wie gesagt, auch ein Buch seinen Gott hat![13]

Das kulturkritische Vorhaben, das in solchen Textstellen zu spüren ist, zeugt von einer dezidierten Absage an die großartigen Leistungen der Goetheschen „Kunstperiode". *Madonna* ist, verglichen etwa mit Gutzkows *Wally*, von dem später ausführlich die Rede sein wird, ein nur teilweise gelungenes Werk. Aber es wird von einem akribischen Geist sozialkritischer Hinterfragung herkömmlicher literarischer Modalitäten durchzogen.

Eine satirische Anlehnung an und Abrechnung mit Goethe läßt sich auch in Ferdinand Gustav Kühnes *Eine Quarantäne im Irrenhause* (1835) registrieren. Der junge Erzähler befindet sich im Irrenhaus Mondstein, weil – wie sich allmählich herausstellt – sein Onkel, der Präsident eines Kleinstaates, ihn wegen seiner radikalen politischen Ansichten dorthin verbannt hat. Im Irrenhaus verfaßt der Erzähler ein Tagebuch, und gerade hierin besteht die beeindruckende Stärke und Aussagekraft von Kühnes Roman. Im letzten Drittel des Textes wird geschildert, wie der Erzähler und seine Geliebte Victorine der Irrenanstalt entkommen, zu Victorines Mutter reisen und erfahren, daß die Mutter bereits Selbstmord begangen hat; Victorine wird von der Polizei erschossen; später stirbt der Onkel – aber er bittet seinen Neffen um Verzeihung und scheidet friedlich aus dem Leben. Diese letzten, spektakulären Familienszenen sind von einem schier melodramatischen Pathos gekennzeichnet, der die Schlußphasen des Romans für den modernen Leser beinahe unlesbar macht. Das soll uns aber nicht davon ablenken, die ungeheure Resonanz der Tagebuchabschnitte zu registrieren und zu würdigen. Das zentrale Symbol ist das des Irrenhauses; und es hat eine doppelte Bedeutung. Einerseits funktioniert es als ein Ort, wo Leute beherbergt werden, die an der gewaltigen metaphysischen Tradition der deutschen Philosophie zugrunde gegangen sind. Ein Doktor spricht von der verhängnisvollen Auswirkung Kantscher Doktrinen: „Seit Immanuel Kants strikte Anhängerschaft so gut wie ausgestorben ist, hat die Zahl der hartgesottenen Wahnsinnigen sehr abgenommen."[14] Zum Teil fungiert die Anstalt somit als

---

[13] Ebda, S. 433.
[14] Ferdinand Gustav Kühne: *Eine Quarantäne im Irrenhause*, Leipzig 1835, S. 178.

eine Art Vorwegnahme von Thomas Manns Berghof-Sanatorium im *Zauberberg*. Dort wie hier handelt es sich um eine abgekapselte Institution, deren febrile Insassen von der endlosen Diskussion philosophisch-kultureller Theoreme immer mehr dem praktischen Leben entfremdet werden. Der Erzähler selber verurteilt das Weltabgewandte der deutschen philosophischen Tradition:

> Der alte Faust lebt noch, er geht noch um am hellichten Tage in der deutschen Geisteswelt. Das Hegel'sche System, dies labyrinthische Gebäu mit den tausend Kammern, ein Werk des deutschen Fleißes, das die ägyptische Architektur hinter sich läßt, von dem aber die Sonne der griechischen Schönheit ihr Auge abwendet, – das ist das neueste Stück Arbeit vom alten Faust.[15]

Die Irrenanstalt hat aber auch eine andere symbolische Bedeutung, die mit ihrer Funktion als Gefängnis für politisch inakzeptable Leute zu tun hat. In diesem Kontext wird Wahnsinn nicht als pathologische, sondern als politische Kategorie des Marginalisierten aufgefaßt. Erschütternd vor allem ist, daß wir immer wieder *Werther*-Töne zu hören bekommen – aber sie werden ins Politische moduliert. Ständig lehnt sich der Erzähler gegen seine Gefangennahme auf – aber in Kühnes Roman handelt es sich weder um eine existentielle, noch um eine theologische, noch um eine metaphorische Kondition der Einschränkung und Gefangenschaft, sondern um eine politisch-konkrete Situation der systematischen institutionellen Brutalisierung. Wenn der Erzähler schreibt: „Warum? Warum bin ich hier? Beim ewigen Gott! ich weiß es nicht, und kann es nicht finden"[16], erkennen wir, daß seine Konstatierung der Grundlosigkeit des eigenen Daseins nicht primär aus metaphysischer Einsicht hervorgeht, sondern auf politische Manipulation zurückzuführen ist. Der Erzähler, der die deutsche Metaphysik verwirft, entdeckt allmählich die allzu physischen, praktischen Gründe für seinen Aufenthalt im Irrenhause. Gegen Ende seines Berichtes erörtert der Erzähler die Ähnlichkeit zwischen ihm und Werther:

> Ich könnte als ein zweiter, metaphysischer Werther ein schreckenhaftes Ende nehmen, ich habe viel Anlaß dazu. Aber ich will nicht, ich bin zu zähe, ich will mich eher wahnsinnig phantasieren als freiwillig untergehen.[17]

Aus solchen herausfordernden Trotzgefühlen, die einen kanonischen literarischen Text verwerfen zugunsten eines engagierten Kampfes mit der konservativen Gesinnung der Zeit, geht die metapersönliche Bedeutung des Erzählers hervor. Am Anfang von Kühnes Text steht eine Vorrede des

---

[15] Ebda, S. 43.
[16] Ebda, S. 3.
[17] Ebda, S. 134.

Autors (man denkt abermals an *Werther*), worin sowohl die menschliche als auch die politische Resonanz des Tagebuchschreibens bestätigt wird:

> Sein inneres Geschick habe ich miterlebt, als wenn es das meinige war. [...] Im Conflicte mit dem Denken und Fühlen unserer Zeit befangen, schlug sich der Selbstquäler eine empfindliche Wunde und verströmte viel von seinem Herzensblut.[18]

In dem Hinweis auf das „Denken und Fühlen unserer Zeit" kommt die erzählerische Absicht unverkennbar zum Ausdruck, ein politisch-repräsentatives Nachspiel zum *Werther* zu produzieren. Die Intertextualität ist von der kulturkritischen Argumentation untrennbar, laut deren die zeitgenössische Welt (des dritten Jahrzehnts des neunzehnten Jahrhunderts) entweder ein Jahrmarkt der ideologisch-philosophischen Eitelkeit oder ein Gefängnis ist. Am Ende seines Berichtes reflektiert der Erzähler über seinen eigenen Text; er registriert das Unklassische, Unästhetische seines Tagebuchs und verteidigt dessen fragmentarischen Charakter im Namen eines innewohnenden Wahrheitsgehaltes:

> Ich will nächstens mein Tagebuch schließen, ich werde mit dem Leben nicht fertig, meine Selbstbekenntnisse sind so fragmentarisch wie die Menschenwelt. Ich mag nicht die Summe ziehen von meinen inneren Erlebnissen. [...] Warum soll ich die Dissonanzen für mich lösen, da sie in unseren Zeitläufen harmonielos durcheinander tönen? [...] Es gibt provisorische Zustände in der Literatur wie in den politischen Constellationen der Welt; ebenso gibt es auch provisorische Menschen. Sie sind das Product einer Krisis.[19]

Das scheint mir ein erstaunlicher Passus zu sein, denn es handelt sich um ein Moment textlicher Selbstreflexion im Dienste einer kulturkritischen Diagnose. Ästhetische Form (Fragmentation) wird mit gesellschaftlicher Form (Anomie) konfrontiert und dadurch aufs intensivste hinterfragt.

Solche Momente kulturkritischen und gesellschaftlichen Kommentars im Rahmen eines selbstreflexiven Textes sind in Gutzkows *Wally die Zweiflerin* (1835) von zentraler Bedeutung. Die Heldin Wally ist eine mutige, selbständige junge Frau, die sich sehr stark zu Cäsar, einem subversiven Freidenker, hingezogen fühlt. Aber sie merkt, daß er auf sie einen zermürbenden Einfluß hat. Sie entscheidet sich für gesellschaftliche und psychologische Stabilität und heiratet Luigi, einen sardinischen Edelmann und Gesandten. Jeronimo, der Bruder Luigis, verliebt sich hoffnungslos in Wally

---

[18] Ebda, S. V.
[19] Ebda, S. 317 f.

und bringt sich aus verzweifelter Sehnsucht um. Wally kann sich aus dem Bann von Cäsars faszinierender Persönlichkeit nicht befreien. Sie verläßt ihren Mann und flieht mit Cäsar. An diesem Punkt hört die eigentliche Romanhandlung (insofern es eine gibt) auf. Der nächste Textabschnitt besteht aus Wallys Tagebuch, in dem ihr verzweifeltes Ringen um religiöse Sicherheit evident wird. Sie hat ihren Glauben verloren, vermag aber nicht ohne den Trost der Religion weiterzuleben. Cäsar hat Wally seine Überlegungen über Glaubensfragen geschickt. Sie zitiert sie in ihrem Tagebuch; wir lesen sie als eingeschobenen Text. Wally wird von seiner überlegenen Skepsis so sehr angegriffen, daß sie Selbstmord begeht. Der Roman schließt mit kurzen auktorialen Notizen über „Wahrheit und Wirklichkeit". *Wally* ist ein verwirrender Roman. Er ist letztlich ein unstabiler Text, der von unstabilen Bewußtseinsvorgängen handelt. Er beginnt wie folgt:

> Auf weißem Zelter sprengte im sonnengolddurchwirkten Walde Wally, ein Bild, das die Schönheit Aphroditens übertraf, da sich bei ihm zu jedem klassischen Reize, der nur aus dem cyprischen Meerschaume geflossen sein konnte, noch alle romantischen Zauber gesellten: ja selbst die Draperie der modernsten Zeit fehlte nicht, ein Vorzug, der sich weniger in der Schönheit selbst als in ihrer Atmosphäre kundzugeben pflegt. Welche natürliche und ihr doch so vollkommen gegenwärtige Koketterie auf einem Tiere, von dem sie wahrscheinlich selbst nicht wußte, daß es blind war! Wally gab sich das Ansehen, als wäre sie mit ihrer Situation verschwistert; aber nichts ist so reizend, als wenn durch irgendeine fast gelungene Affektation, durch die ganze Haltung eines innerlich mehr reflektierten wie angebornen Wesens einige kleine Lichtritzen schimmern [...].[20]

Wir fangen mit einem „Bild" an, das von einer offensichtlichen Gebärde narrativer Selbstreflexität getragen wird. Die Schönheit der Szene wird aus klassischen, romantischen und modernsten Requisiten zusammengetragen. Und die Heldin der Erzählung scheint auch an der Inszeniertheit der ganzen Szene beteiligt zu sein. Das blinde Pferd gibt dem Bild einen märchenhaften Anstrich: zur gleichen Zeit aber legt Wally eine Koketterie an den Tag, die sowohl unschuldig natürlich als auch ausgesprochen wissend, selbstbespiegelnd ist. Sie weiß, daß sie sich im Zentrum eines inszenierten Bildes befindet. Sie ist eins mit diesem Bild; aber sie ist auch affektiert, denn ihr ganzes Wesen ist „mehr reflektiert wie angeboren".

Sie begegnet Cäsar, dessen Liebe zu ihr sich so verhängnisvoll auswirken wird. Er ist ein komplexer Geist, der von Modalitäten der Desillusionierung geplagt ist:

---

[20] Karl Gutzkow: *Wally die Zweiflerin*, hg.v. Günter Heintz, (Reclams UB), Stuttgart 1979, S. 5.

Cäsar stand im zweiten Drittel der zwanziger Jahre. Um Nase und Mund schlängelten Furchen, in welche die frühe Saat der Erkenntnis gefallen war, jene Linien, die sich von dem lieblichsten Eindrucke bis zur dämonischen Unheimlichkeit steigern können. Cäsars Bildung war fertig. [...] Cäsar hatte die erste Stufenleiter idealischer Schwärmerei, welche unsre Zeit auf junge Gemüter eindringen läßt, erstiegen. Er hatte einen ganzen Friedhof toter Gedanken, herrlicher Ideen, an die er einst glaubte, hinter sich [...]. Er war reif, nur noch formell, nur noch Skeptiker: er rechnete mit Begriffschatten, mit gewesenem Enthusiasmus. [...] Unglückliche Jugend! Das Feld der Tätigkeit ist dir verschlossen, im Strome der Begebenheiten kann deine wissensmatte Seele nicht wieder neu geboren werden; du kannst nur lächeln, seufzen, spotten und die Frauen, wenn du liebst, unglücklich machen![21]

Wiederum, wie bei Wally, gibt der Erzähler keine Schilderung des körperlichen Aussehens der Figuren. Wir wissen nicht, in welchem Wald wir uns befinden; auch nicht, ob die Begegnung zufällig oder geplant ist. Alles dreht sich um das psychologisch-kulturelle Bild zweier junger Menschen. Cäsar leidet gewaltig an nachromantischem Weltschmerz, an wissensmatter Skepsis. Er ist somit – und das wird vom Erzähler hervorgehoben – auf seine Art repräsentativ, denn er hat die verschiedenen Gedankengänge und Gesinnungen „unserer Zeit" durchgemacht. Die lebensmüde Selbstreflexivität seines Charakters ist – ähnlich wie Wallys Affektation – nicht angeboren; sie ist vielmehr eine soziokulturelle Erscheinung, der Niederschlag eines nach-Goetheschen, epigonalen Zeitalters.

Als Wally und Cäsar sich kennenlernen und ineinander verlieben, sind die Modalitäten erotischer Annäherung unverkennbar im Bereich literarischer Anspielungen beheimatet. Gegen Ende ihres ersten langen Gesprächs stellt Wally Fragen, die Cäsars religiösen Glauben betreffen. Der intertextuelle Bezug auf die „Gretchen-Frage" in Goethes *Faust* ist unüberhörbar. Beide Figuren sind literarisch vorgeprägt. Gegen Anfang des dritten Kapitels belauschen wir Wally an ihrem Toilettentisch, der von Büchern bedeckt ist – Chamisso, Heine, Wienbarg, Laube, Mundt. Cäsars Überlegungen über Fragen des religiösen Glaubens verdanken den Schriften von Reimarus und David Friedrich Strauß sehr viel. Wallys Selbstmord erinnert stark an den berühmtesten Selbstmord der deutschen Literatur – an Goethes *Werther:*

> Es war an einem trüben und regnerischen Herbsttage. Die Kastanien prasselten von den Bäumen. Der Wind schlug die Regenschauer an die nassen Fenster. Alles in der Natur schien zu Grabe zu gehen.[22]

---

[21] Ebda, S. 6.
[22] Ebda, S. 125.

Um neun Uhr griff sie noch einmal nach der Feder und schrieb:
Lebet wohl! Alle! Alle! Armselig war mein Leben; wie klein, wie nichtig alle die
Beziehungen meiner Jugend! Und das war wohl des Todes wert; denn ich bin
nichts, nur Staub, nur Vernichtung. Mein Leben ist unnütz. Grüßet sie alle,
grüßet den Frühling des kommenden Jahres, wo ich tot sein werde und keines
Vogels Ruf mich wieder wecken wird.[23]

Insofern man die Intertextualität dieser Szene – und so vieler anderen
Szenen – in *Wally die Zweiflerin* registriert, geht es primär nicht darum, die
Figuren und Ereignisse im Roman der Unaufrichtigkeit zu beschuldigen.
Das Entscheidende daran ist vielmehr, daß in Gutzkows Roman epigonale
Inauthenzität geradezu die Signatur des historischen Zeitalters ist.[24] Je mehr
die Figuren – vor allem Wally und Cäsar – sich der Literatur bedienen, um
dadurch die Intensität ihrer Lebenserfahrung zu verbürgen, desto mehr
beweisen sie das Kolportierte ihres Lebens. Ihre Äußerungen entbehren somit der Spontaneität und nehmen immer wieder zitathaften Charakter an.
Ihre Gefühle und Wahrnehmungen bestehen somit aus umgeschriebenen,
geborgten Textpassagen, aus wiedergekautem Gedankengut. Wally und
Cäsar sind nicht so sehr sprechende, sondern vielmehr gesprochene Instanzen. Einmal – an einer entscheidenden Stelle des Romans – schreibt Wally
an ihre Freundin Antonie von dem brüchigen Diskurs ihres Lebens:

Das ist alles halb, siehst Du. Es ist noch immer nicht das, was ich sagen möchte
und nicht sagen kann. [...] O Antonie, ich habe nichts, was wert wäre, gedacht:
ich will gar nicht sagen, gemeint oder gesprochen zu werden. Ich drücke an den
Begriffen, die mir zu Gebote stehen; aber sie sind elastisch und geben immer
nach und gehen immer wieder zurück.[25]

Sogar diese Konstatierung der eigenen Inauthenzität wird für inauthentisch
befunden, denn Wally verschickt den Brief nicht, sondern zerreißt ihn.
Nirgends kommt sie aus einem Wissen um die überall vorhandene Textua-
lität des eigenen Lebens heraus. Denn was sich bei ihr so verhängisvoll aus-
wirkt, ist letztlich das Schicksal einer ganzen Kultur, eines ganzen Zeitalters.
Die vernichtende Zeitdiagnose, die überall in *Wally* zu spüren ist, wird vom
Erzähler von Zeit zu Zeit explizit gestellt. Man denke etwa an folgende
Stelle, die einen Augenblick sexueller Leidenschaft schildert – nicht einmal
Sexualität ist gegen den Fluch der Selbstinszenierung und Selbststilisierung
gefeit:

---

[23] Ebda, S. 127.
[24] Vgl. Rainer Funke: *Beharrung und Umbruch 1830-1860: Karl Gutzkow auf dem Weg in die literarische Moderne*, Frankfurt am Main 1984.
[25] *Wally*, S. 42.

Sie ließ die Umarmung Cäsars zu: nicht, weil sie ihn liebte, oder aus Egoismus, aus Stolz, einen Mann überwunden zu haben, sondern [...] weil sie zuletzt glaubte, daß diese heißen Küsse, welche Cäsar auf ihre Lippen drückte, allen Millionen gälten unterm Sternenzelt.[26]

Die Anklänge an Schillers „Ode an die Freude", die Beethoven im vierten Satz seiner neunten Symphonie vertont, sind unmißverständlich. Und sie werden vom Erzähler im Sinne eines grandiosen kulturkritischen Panoramas kommentiert:

Sehet da eine Szene, wie sie in alten Zeiten nicht vorkam! Hier ist Raffiniertes, Gemachtes, aus der Zerrissenheit unserer Zeit Geborenes: und was ist die Wahrheit Romeos und Juliettens gegen diese Lüge! Was ist die egoistische Geschlechtsliebe gegen diesen Enthusiasmus der Ideen, der zwei Seelen in die unglücklichsten Verwechslungen werfen kann! Ich zittre vor einem Jahrhundert, das in seinen Irrtümern so tragisch, in seinem Fluche so anbetungswürdig ist.[27]

Es handelt sich hier um einen vielschichtigen historischen Kommentar. Einerseits verurteilt der Erzähler ein Zeitalter, in dem Aufrichtigkeit und Integrität von Künstelei und Selbststilisierung verdrängt werden. Andererseits rechtfertigt er die Wirren seiner Zeit im Gegensatz zur Integrität, zum Mit-sich-selbst-identisch-Sein früherer Kulturen. Aber dadurch wird die erzählende Stimme Teil des Dilemmas, das sie zu hinterfragen versucht. Das Pandämonium der Romanwelt destabilisiert sogar den erzählerischen Diskurs. Der Metatext der erzählerischen Kommentierung wird selber zum Teil und Symptom jenes Jahrmarkts der Eitelkeit, woraus letztlich die zeitgenössische Kultur besteht.

Als Gutzkow seinen Roman gegen die kritischen Stimmen seiner Zeitgenossen verteidigte, die sowohl den Roman als auch dessen Urheber der Irreligiosität beschuldigten, wies er darauf hin, daß er einen Roman und keinen philosophischen Trakt hervorgebracht habe[28], und daß er infolgedessen die im Romantext vertretenen Ansichten weder verwerfen noch rechtfertigen – sondern sie vielmehr unter die kritische und historische Lupe nehmen wollte. Das ist zweifellos richtig, denn die Ansichten der fiktiven Charaktere – seien sie ästhetisch oder religiös, politisch oder sozial – werden alle von der gemeinsamen Kultur geprägt und artikuliert. Gutzkow insistierte, daß er „mit den Farben" gemalt habe, „welche mir die Wirklichkeit lieh".[29]

---

[26] Ebda, S. 34 f.
[27] Ebda, S. 35.
[28] Siehe Erwin Wabnegger, *Literaturskandal: Studien zur Reaktion des öffentlichen Systems auf Karl Gutzkows Roman „Wally die Zweiflerin"*, Würzburg 1987.
[29] *Wally*, S. 150.

Einmal hebt er den Kontrast zwischen George Sands Lelia, die von Wally sehr bewundert wird, und Wally selber hervor. Lelia ist, so schreibt er, ein „schönes Ideal, das sich, von Tizian gemalt, prächtig an der Wand ausnehmen würde"; während die arme Wally „nur so ein Aschenbrödel der Realität ist."[30] Das Argument stimmt. Denn Gutzkows kulturkritischer Realismus handelt von Aschenbrödel-Figuren, denen es in der Regel nicht gelingt, dem Ball im Schloß beizuwohnen, einen schönen Prinzen zu heiraten. Wie Jeffrey Sammons sehr treffend zeigt, ist *Wally* das Bild einer zerrütteten, entfremdeten Kultur.[31]

Zwei weitere Romane, die ich – wenn auch nur sehr knapp und thesenartig – kommentieren möchte, stammen von Karl Immermann: *Die Epigonen* und *Münchhausen. Die Epigonen* (1835) handelt, wie bereits der Titel andeutet, von einer Kultur, die vom Fluch des Zu-spät-kommens durchzogen wird. Immer wieder sind Anklänge an frühere Werke und Schriftsteller – vor allem Goethe – zu spüren. Der Roman bietet somit die Diagnose eines Zeitalters, in dem die Werke der Goethezeit als Instanzen gegenwärtiger Unzulänglichkeit fungieren.[32] Laube bezeichnete Immermanns Roman als den „Wilhelm Meister der modernen Verhältnisse".[33] *Die Epigonen* versucht, in Anlehnung an Goethes *Wilhelm Meister*-Projekt, die Adelswelt mit den neuen Energien bürgerlichen Merkantilismus zu versöhnen. Die Versöhnung bleibt aber etwas Erzwungenes. Wie Hermann sagt: „Wir sind, um in *einem* Wort das ganze Elend auszusprechen, Epigonen, und tragen an der Last, die jeder Erb- und Nachgeborenschaft anzukleben pflegt."[34] Das Pronomen „wir" ist vielsagend, denn der Roman zeugt offensichtlich vom Versuch, eine allgemeine, gesellschaftliche Diagnose erzählerisch aufzustellen. Im Zentrum stehen keine autonomen Subjekte, sondern zeittypische menschliche Erscheinungsformen. „Es geht mit geborgten Ideen, wie mit

---

[30] Ebda, S. 144.
[31] Vgl. Jeffrey L. Sammons: *Six Essays on the Young German Novel*, Chapel Hill 1975, S. 43.
[32] Siehe G. H. Holst: *Das Bild des Menschen in den Romanen Karl Immermanns*, Meisenheim am Glan 1976; Harry Maync: *Immermann: der Mann und sein Werk im Rahmen der Zeit- und Literaturgeschichte*, München 1921; Walter Morgenthaler: *Bedrängte Positivität: zu Romanen von Immermann, Keller, Fontane*, Bonn 1979; Markus Schwering: *Epochenwandel im spätromantischen Roman*, Köln 1985; Benno von Wiese: *Karl Immermann*, Bad Homburg 1969; Manfred Windfuhr: *Immermanns erzählendes Werk: zur Situation des Romans in der Restaurationszeit*, Gießen 1957.
[33] Heinrich Laube: *Geschichte der deutschen Literatur*, Stuttgart 1840, Bd. IV, S. 17.
[34] Karl Immermann: *Werke in fünf Bänden*, hg. v. Benno von Wiese u.a., Bd. II, *Die Epigonen*, Frankfurt am Main 1971, S. 121.

geborgtem Gelde",[35] meint Hermann und umreißt somit den mentalitäts-
geschichtlichen Stellenwert seiner Zeit. Die Romanhandlung besteht aus
einem Knäuel von Klischees, Verwechslungen, dramatisch, ja sogar melo-
dramatisch aufgedeckten Familienverhältnissen. Die Insubstantialität des
Romans ist der Niederschlag gesellschaftlicher Inauthentizität. Die meisten
Figuren leiden an Weltschmerz, Lebensüberdruß und Erkenntnisekel.
Immer wieder spüren sie, daß ihr Handeln und Fühlen schablonenhaft sind.
Ironie ist – anders als bei den Romantikern – kein schöpferisches Prinzip
mehr, sondern nur ein trauriges, selbstgenügsames Wissen um Anomie und
Müdigkeit. Die Erzählerstimme ist genauso sehr vom Epigonentum infis-
ziert wie die Figuren selber. Das bringt mit sich, daß *Die Epigonen* als
Zeitdokument aufschlußreich ist; aber als Kunstwerk vermag es kaum,
unser Interesse zu beanspruchen. Was Flaubert immer wieder gelang –
nämlich eine Romanwelt heraufzubeschwören, die auf „idées reçues"
basierte, ohne daß der Roman selber dem Abgedroschenen und Klischee-
haften anheimfiel, ist eine künstlerische Gratwanderung, die über Immermanns Kreativität hinausging.[36] Das Ende der *Epigonen* thematisiert den
Versuch, die Mechanisierung der modernen Welt dadurch rückgängig zu
machen, daß eine utopische, vorindustrielle Idylle kreiert wird. Am Schluß
bleibt Nostalgie die einzig vertretbare geistige Lebensform.[37]

Eine ähnliche kulturkritische Absicht durchzieht Immermanns *Münchhausen* (1839), der zwei parallele Romanhandlungen erzählt. Die eine
Handlung schildert die exzentrische Adelswelt des Barons von Schnuck, in
der sich substanzloser Individualismus immer wieder in der endlosen Erfindung von idiotischen Projekten, Plänen, wissenschaftlichen Systemen,
Fiktionen, Spekulationen entlädt. Die zweite Handlung trägt den Namen
Oberhof und behandelt die klaustrophobische Substanz der westfälischen
Bauernwelt, worin der sogenannte Hofschulze über Familie und Gemeinde
unumstößlichen juridischen, wirtschaftlichen und psychologischen Einfluß
ausübt. Die Schnick-Schnack-Schnurr Erzählung wimmelt von literarischen Anspielungen und Witzen[38]; wohingegen die Oberhof-Handlung
von solcher Selbstreflexivität kaum zeugt. In dem Nebeneinander beider

---

[35] Ebda, S. 121.
[36] Siehe Hans Mayer: „Karl Immermanns *Epigonen*", in: Mayer, *Das unglückliche Bewußtsein: zur deutschen Literaturgeschichte von Lenz bis Heine*, Frankfurt am Main 1986, S. 540-562.
[37] Siehe Peter Hasubek: „Karl Immermann, *Die Epigonen*", in: *Romane und Erzählungen zwischen Romantik und Realismus*, hg. v. Paul Michael Lützeler,
Stuttgart 1983, S. 222-226. Michael Minden: „Problems of Realism in Immermann's *Die Epigonen*", in: *Oxford German Studies* 16, 1985, S. 66-80.
[38] Siehe Herman Meyer: *Das Zitat in der Erzählkunst*, Stuttgart 1967, S. 135-154.

Stränge spüren wir eindeutig Immermanns Willen zur kulturkritischen Diagnose.[39] Was er vor allem registriert, ist ein tiefgreifender Paradigmenwechsel: einerseits eine prämoderne Welt substantieller Erfahrung; andererseits eine unstabile Welt schrulliger Subjektivität und metatextueller Unverbindlichkeit. Im dialektischen Verhältnis zwischen beiden Erzählungen versucht Immermann, den Vorgang des Erzählens zu thematisieren und zu hinterfragen – und zwar im Sinne einer kulturkritischen Diagnose der komplexen, uneinheitlichen Mentalität bürgerlichen Lebens. Gerade in diesem erzählerischen Anliegen besteht die Resonanz der epischen Hervorbringungen der jungdeutschen Generation.

[39] Siehe Siegfried Kohlhammer: *Resignation und Revolte: Immermanns „Münchhausen" - Satire und Zeitroman der Restaurations-Epoche*, Stuttgart 1973.

VII. „Alles stinkt und duftet"

(Jeremias Gotthelf)

Albert Bitzius (1797-1854) kam als Pfarrer 1831 nach Lützelflüh im schweizerischen Emmental, wo er bis zu seinem Lebensende blieb. Dort verfaßte er eine Reihe von Romanen und Erzählungen unter dem Pseudonym Jeremias Gotthelf. Der sprechende Name sagt sehr viel aus: denn immer wieder war Gotthelf bemüht, durch seine literarische Produktion als Seelsorger und Hirte zu seiner Gemeinde zu sprechen. Manchmal sind die Verlockungen der didaktischen Schreibweise zu stark; der Prediger siegt über den kreativen Schriftsteller (*Der Bauernspiegel*, 1837; *Wie Uli der Knecht glücklich wird*, 1841; *Uli der Pächter*, 1849). Aber in seinen größten Werken verwandelt sich das ursprüngliche didaktische Unternehmen in eine erstaunlich differenzierte epische Vision. *Anne Bäbi Jowäger* (1843-44) ist eines seiner Meisterwerke. Wie viele von seinen Romanen wurde dieses Werk durch einen spezifischen und didaktischen Anlaß angeregt. Von einem ihm bekannten Medizinprofessor der Berner Sanitätskommission bekam Gotthelf die Einladung, eine Schrift gegen das Kurpfuscherwesen zu verfassen.[1] Er ging auf den Vorschlag ein. Das Resultat ist ein gewaltiger Roman, der immer wieder Zeichen des didaktischen Vorhabens aufweist, der aber letztlich in seiner schieren kreativen Energgie weit über bloß didaktisches Schrifttum hinausgeht.

Der volle Titel lautet: *Wie Anne Bäbi Jowäger haushaltet und wie es ihm mit dem Doktern geht.* Die zweite Hälfte des Titels legt von dem zentralen didaktischen Anliegen – nämlich vom „Doktern" – Zeugnis ab; aber der erste Teil spricht von Allgemeinerem – nämlich vom „Haushalten". Im Zentrum des Romans steht ein Haushalt, nämlich der der Familie Jowäger, der stellvertretenden Charakter hat. Gotthelf entwirft ein Modell des Bauernlebens um die Mitte des 19. Jahrhunderts in der Schweiz. Und dieses Modell strahlt eine Vitalität aus, deren Breitspektrigkeit jeder dogmatischen Einengung spottet. Wie die jeweiligen Figuren in dieser Welt „haushalten" ist letztlich eine Frage der komplexen, vielschichtigen Mentalität, die deren ganze Lebensweise zusammenhält.[2] Und die Mentalität, die so-

---

[1] Zur Genese des Romans – und zu dessen Didaktik – vgl. Klaus Jarchow: *Bauern und Bürger*, Frankfurt am Main 1989, S. 158-169.
[2] Vgl. Werner Hahl: *Jeremias Gotthelf – der „Dichter des Hauses"*, Stuttgart und Weimar 1994.

wohl im Geistigen, in Modalitäten des Glaubens und Aberglaubens, als
auch im Materiellen, in praktischen Tätigkeiten, in immer wiederkehrenden
Handlungen und Aktivitäten beheimatet ist, bildet – jenseits von jeder
urteilsfreudigen Absicht – das zentrale Anliegen von Gotthelfs erstaunlicher narrativer Energie. Eine Unzahl von Momenten tragen dazu bei, die
Einsinnigkeit der didaktischen bzw. pädagogischen Zielsetzung kreativ zu
differenzieren.

Man denkt zum Beispiel an die schiere Freude am Konkreten, die einen
„effet de réel" des schweizerischen Bauernlebens hervorbringt. Wie die
mannigfaltigen erzählerischen Einschübe sehr deutlich machen, ist sich
Gotthelf dessen bewußt, daß er eigentlich für ein Stadtpublikum schreibt,
das über das Landleben informiert werden muß. Seine Freude am
Informieren ist unverkennbar – vor allem dort, wo er weiß, daß es darum
geht, gewisse Vorurteile zu entkräften. Daher die Beschreibung des ·
Jowägerschen Hauses am Anfang des Romans, die im Idyllischen verankert
ist, die aber auf provokative Art und Weise den Misthaufen zu einem ästhetischen Gegenstand macht:

> Hanslis Haus lag nicht mitten im Dorfe, sondern etwas beiseite in einem schö-
> nen Baumgarten, an welchem ein lustiger Bach vorüberhüpfte. Vor dem Hause
> war ein anmutiges Gärtchen mit kleinen Weglein und hohem Kraut, zwischen
> welchem einige Pfingstnägeli und halbdünne andere Nägeli sichtbar waren; dar-
> über weg sah man die Schneeberge gucken über die Vorberge her ins weite Land
> hinein. Hinter dem Hause lag der schöne, appetitliche Misthaufen, das eigentli-
> che Herz des Berner Bauernhofes; ihn umfloß die braune Jauche, gleichsam ein
> Pudding an brauner Sauce (Chokolade crème), und darüber weg sah man den
> blauen Berg, das himmelblaue Börtchen, mit welchem der liebe Gott selbst den
> lützelesten Teil der Schweiz eingefaßt hat. (V,·8 f.) [3]

Auffallend an dieser Beschreibung ist Gotthelfs intensive Wahrnehmung
des Nebeneinanders von Baumgarten, Bach, Gärtchen, Nägeli (Nelken),
Schneebergen – und Misthaufen. Der Passus endet mit dem blauen Berg
(dem Jura), der auf Gottes Geheiß diesen kleinsten (lützelesten) Landesteil
umrandet und somit definiert. Dies ist der Schauplatz von Gotthelfs gewaltiger Epik. Und wenn dieser Ort, wahrlich ein *locus amoenus*, ein Zentrum
hat, so ist es im Misthaufen zu finden, der mit lobenden Epitheta versehen
wird („schön", „appetitlich", „gleichsam ein Pudding"). In dieser Prosa
wird das Materielle aufs reichhaltigste anerkannt. Selten in der deutschsprachigen Prosaliteratur des 19. Jahhunderts ist der „effet de réel" so ausladend

---

[3] Zitiert wird nach folgender Ausgabe: Jeremias Gotthelf: *Sämtliche Werke in 24
Bänden*, hg. v. Rudolf Hunziker und Hans Bloesch, Bd. V und VI (= Anne Bäbi
Jowäger, I und II), bearbeitet von Alfred Ineichen, Erlenbach-Zürich, 1921.

am Werk wie bei Gotthelf. Später, im zweiten Band des *Anne Bäbi Jowäger*, führt Anne Bäbi ihre Schwiegertochter Meyeli in den Speicher des Bauernhofes. Es folgt eine ausführliche Beschreibung des Gebäudes, wobei das Materielle nahtlos in das Sinngefüge der bewohnten Welt aufgeht:

> Der Spycher ist die große Schatzkammer in einem Bauernhause; derowegen steht er meist etwas abgesondert vom Hause, damit, wenn dieses in Brand aufgehe, jener noch zu retten sei, und wenn das Haus angeht, so schreit der Bauer: „Rettit den Spycher, su macht ds angere nit sövli." Er enthält nicht bloß Korn, Fleisch, Schnitze, Kleider, Geld, Vorräte an Tuch und Garn, sondern selbst Schriften und Kleinodien; er möchte fast das Herz eines Bauernwesen zu nennen sein. (VI, 38 f.)

Meyeli zeigt gebührende Achtung vor diesem Ort. Sie weiß, daß sie ein Heiligtum betritt; hinter ihrer (und Gotthelfs) Freude an den Dingen vibriert das Wissen um deren beinahe sakramentale Präsenz. Ein solche Freude an der Richtigkeit materieller Dinge verbindet das Bewußtsein der fiktiven Figur und das des Erzählers in der schönen Lobrede auf ein gutes Bett am Anfang der zweiten Kapitels des zweiten Teils. Meyeli kommt aus denkbar armen Verhältnissen; und das Bett, das ihr in dem Jowägerschen Haus zugeteilt wird, ist für sie eine körperliche Offenbarung:

> Das Bett war so weich und warm, wie es keines noch gesehen; [...] Da war an Federn nicht gespart, und man sah es wohl, daß, je mehr derselben in die Ziehen gingen, desto größere Freude die Bäuerin, welche sie füllte, gehabt haben mußte; das war so von den Betten eins, in dem man bei müden Gliedern den jüngsten Tag bequem verschlafen könnte. [...]
>
> Man glaubt gar nicht, was so ein weiches, warmes Bett für eine Wohltat ist, wenn man an Wind und Wetter gewesen einen lieben langen Tag, und was es für eine Gewalt übt über die, welche in schlechten Betten manche liebe lange Nacht durch geschlottert und von weichen, warmen Betten nur haben reden hören und so ein weiches, warmes Bett ihnen vorkam ungefähr wie ein Vorhof zum Himmel. (VI, 25)

Die Beschreibung moduliert hier von Meyelis Perspektive in die der menschlichen Allgemeinheit („man"), wobei der Erzähler von uns Anerkennung und Zustimmung verlangt.

Immer wieder wird Gotthelfs Prosa von solchen Epiphanien des Materiellen durchzogen. Des öfteren handelt es sich um Momente, in denen Schönheit und Welthaltigkeit zugleich registriert werden. Man denke etwa an die Begegnung zwischen Meyeli und Jakobli, in der sie ihm die Hand gibt: „Die Hand war so lebendig, so etwas hatte er sein Lebtag nie in der Hand gehabt; Leben ganz schallweise strömte aus derselben über ihn [...]." (V, 206). Gotthelf weiß aber auch um die mitunter lustige, mitunter bedrohliche Vitalität des Bauernlebens. Die Szenen, in denen die Zyberlibürische Familie bei den Jowägers Krach schlägt, weil Jakobli nicht bereit ist, ihre Tochter Lisi zu heiraten, sind lustig – aber daneben auch manisch und grotesk.[4] Sie zeugen von Gotthelfs schierer Freude an den mannigfaltigen Verhaltensweisen der menschlichen Existenz.

Eine ähnliche Gebärde erzählerischer Großzügigkeit und Redundanz kennzeichnet des öfteren Gotthelfs Schilderung des menschlichen Innenlebens. Immer wieder vermag er auf differenzierte Weise die Psychologie des Einzelmenschen, der Familie und der Gemeinde zu durchleuchten. Drei Beispiele mögen genügen. Jowägers Magd Mädi ist in Jakobli verliebt. Sie freut sich restlos, wenn aus der von Anne Bäbi geplanten Verlobung Jakoblis mit Lisi nichts wird, denn sie meint, daß er in sie verliebt ist. Von Hänsli muß sie aber hören, daß Jakobli eine andere Frau – Meyeli – will. Gotthelf gibt uns eine seitenlange Schilderung von Mädis Verzweiflung:

> [...] das waren Worte, die ihm in den Ohren surreten, wie noch nie eine Ohrfeige jemand in den Ohren gesurret hat, und da stund es, als ob es einwurzeln wollte im Boden. Es wogte auf und ab in ihm; dann fing es an zu schimpfen, und endlich brach ein unendlicher Jammer in ihm aus; es saß auf dem Dengelstuhl und wußte längs Stück nicht, wo es war [...]. (V, 288)

Mädi ist eine Nebenfigur in diesem Roman. Aber hier, in dieser Krise nimmt sie eine zentrale Stellung ein. Gotthelf erkennt ihr Innenleben völlig an und beschreibt das, was in ihr vorgeht, mit leidenschaftlicher, wehmütiger Intensität. Mädi steht stellvertretend für viele, deren Leben von Liebesschmerz durchzogen wird:

> Ach, der Liebesschmerz ist der einzige Liebhaber so mancher stillen Mädchenseele, und treu bleibet er ihr, wie selten ein anderer Liebhaber, bis in den Tod. Niemandem ist er sichtbar; auf des stillen Mädchens Gesicht erscheint er nicht, der Arbeitsamen Hände lähmt er nicht, der Umsichtigen Augen verlockt er nicht, solange der Tag am Himmel steht und fremde Augen umgehen. Wenn aber in sein stilles Kämmerlein das Mädchen tritt, zur Ruhe es sich legt, des Tages Getümmel verrauschet ist, so taucht leise aus dunkeln Gründen das liebe Weh herauf, klopft ans bange Herz. (V, 292)

Immer wieder wird der Leser von Gotthelfs psychologischem Feingefühl beeindruckt. Der schieren Fülle des Außenlebens entspricht eine Fülle des Innenlebens. Gotthelf weiß genau um die Spannungen, die innerhalb einer Familie entstehen, wenn ein neues Mitglied erscheint. Die Schilderung von

---

[4] Zu Gotthelfs verschiedenen Registern und erzählerischen Tonlagen vgl. Hubert Fritz: *Die Erzählweisen in den Romanen Charles Sealfields und Jeremias Gotthelfs*, Bern 1976, S. 81-103.

Meyelis ersten Tagen bei Jowägers als Schwiegertochter („Sühniswyb") ist
meisterhaft:

> [...] da ist ein gemeinsamer Haushalt, der beschafft sein will durch alle vorhan-
> denen Hände. Kommen nun frische Hände dazu, wo sollen sie angreifen, und
> wer macht ihnen Platz? Wenn böser Wille da ist, so trifft man es nicht, man mag
> es machen wie man will. Greift ein Sühniswyb ungeheißen zu, so heißt es, schon
> am erste Tag hätte es gemacht, wie wenn es da alleine Meister wäre; wartet es
> aber, bis man es heißt, oder frägt es, was es machen solle, so heißt es: Wenn es
> Vrstang hätte, so käme ihm selbst zSinn, was zu machen wäre [...]. (VI, 28)

An den vielen Stellen des Romans, die die tägliche Arbeit des Doktors behandeln, zeigt Gotthelf ein ähnliches Feingefühl, was die Psychologie der
Dorfgemeinschaft angeht. Entweder macht der Arzt zuviel oder er macht
zuwenig. Und vor allem muß er aufpassen, sobald er so etwas wie prophy-
laktische Behandlung vornehmen will, denn „die Menschen sind zu miß-
treu, meinen gleich, es sei dem Arzt nur um die Batzen". (VI, 321)

Gotthelfs psychologischer „effet de réel" erstreckt sich auch auf Institutionen (vor allem auf die Familie und die Kirche) und auf Berufe. Als Meyelis
erstes Kind stirbt, geht der engstirnige, strenggläubige Vikari zu Anne Bäbi
und wirft ihr vor, das Kind zu sehr geliebt und somit ihre Liebe zu Gott
vergessen zu haben. Seine Worte stürzen Anne Bäbi in selbstmörderische
Verzweiflung, von der sie sich nie gänzlich erholt. Im Anschluß an diese
Krise gibt es unzählige Diskussionen zwischen dem alten, liberalen Pfarrer
und dem jungen, freidenkenden Arzt über die Berufe, denen sie beide ange-
hören, und über das Ethos, das ihrer Arbeit zugrunde liegt. Die Diskussion
verläuft sowohl weltanschaulich als auch institutionell: beide Berufe sollten,
auf ihre Art, dem Wohl der Menschheit dienen, und Gotthelf respektiert
beide und erlaubt deren Vertretern, ausführlich über ihre Erfahrungen zu
berichten. Und im fünften Kapitel des zweiten Teiles widmet er sich dem
Beruf der Hebamme. In einer langen, erstaunlich differenzierten Erörterung bespricht er die praktischen, psychologischen, medizinischen Aspekte
der Arbeit der Hebammen. Von der eigentlichen Romanhandlung her be-
dürfte es nur einiger Sätze, um zu schildern, wie Anne Bäbi zur Hebamme
geht, um Rat zu holen, weil Meyelis Gesundheit von der Schwangerschaft
angegriffen worden ist. Aber die Romanhandlung bildet nur einen Strang
im ganzen Geflecht des Romans; für Gotthelf geht es immer wieder um eine
Erörterung der ganzen Mentalität einer bestimmten Kultur. Und er widmet
dem Wirken der Hebammen ein langes, sowohl diskursiv als auch erzählerisch formuliertes Kapitel, in dem er sich mit einer überaus wichtigen Institution auseinandersetzt. Immer wieder verschwindet die strenge Linearität
der Handlungsführung zugunsten einer Breitspektrigkeit narrativen Interesses.

Gerade diese Breitspektrigkeit bringt es mit sich, daß didaktische Momente von einem differenzierten – und differenzierenden – Kunstwillen relativiert werden. Die Schlußszene des Romans ist alles andere als ein *quod erat demonstrandum*. Rudolf, der progressive junge Arzt, erkrankt plötzlich und stirbt. Ihm wird von der ganzen Gemeinde nachgetrauert – und vor allem von den zwei jungen Frauen, die ihn geliebt haben, ohne daß sie sich dessen deutlich bewußt gewesen sind – Meyeli und Sophie, der Tochter des alten Pfarrers. Sophie bittet Meyeli ins Haus, obwohl sie auf sie eifersüchtig gewesen ist:

> Meyeli erschrak fast, wandte sich aber sogleich der Türe zu. Sophie öffnete sie, Meyeli bot die Hand, laut schluchzten beide, Meyeli trat ein, hinter ihm schloß sich die Türe. Als es Abend ward, die Lichter angezündet wurden, viele Leute heimgekehrt waren, kam Jakobli ins Dorf und fragte Meyeli nach. Heimgekehrt war es nicht, und niemand wollte es gesehen haben. (VI, 430)

Das ist eine erstaunliche Schlußkadenz des Romans. Wir erfahren nicht, was sich zwischen den beiden Frauen abspielt. Sie sind beide durch ihre Trauer dem gewohnten Alltag ihres Lebens entrückt worden. Der Schlußakkord des Romans hat mit Didaktik nichts zu tun – sondern vielmehr mit existentiellem Leiden. Gotthelfs Roman endet in einem Erfahrungsbereich, der der Konzilianz und der tröstenden Sinngebung gänzlich entbehrt.

Bis jetzt habe ich versucht zu zeigen, wie sehr die treibenden Energien von Gotthelfs Kreativität immer wieder die Enge seines ursprünglichen didaktischen Unternehmens sprengen. Wie wir gesehen haben, sind diese Energien des öfteren mimetischen Charakters, d.h. sie gehen aus der schieren Fülle der Gotthelfschen Welthaltigkeit hervor. Es gibt aber auch Energien, die eher diskursiven, begrifflichen Charakters sind. Es handelt sich aber dabei immer um eine Reflexiviät, die keineswegs eine Negierung oder Transzendenz des realistischen Kunstwillens bedeutet, sondern vielmehr um eine philosophisch-kognitive Debatte, die die Mentalität der Gotthelfschen Welt definiert und artikuliert. Im Zentrum steht die Frage nach den verschiedenen Modalitäten des Glaubens, die sich im Menschenleben geltend machen. Anne Bäbi ist in ihrem Aberglauben – vor allem in ihrem fast hörigen Angewiesensein auf Kurpfuscher und Quacksalber – eine exzeptionelle Gestalt in der Romanwelt. Aber das Wirken des Glaubens oder Aberglaubens oder Unglaubens läßt sich in sämtlichen Figuren bemerken. Der Erzähler kommentiert an einer Stelle: „Der Glaube ist dem Menschen angeboren; scheint aber Gottes Sonne nicht hinein, so spuckt der Teufel darein" (V, 243). Das Erstaunliche an dem Roman aber ist, daß er weit davon entfernt ist, mit binären, schwarzweißen Kategorien von Gott und Teufel, Gut und Böse, Richtig und Falsch zu argumentieren. Denn, wie der

Erzähler an anderer Stelle vermerkt, ist die Erfahrungswelt des Menschen alles andere als einsinnig; immer wieder muß anerkannt werden, „daß es auf Erden kein System gibt, weder ein geistliches noch ein medizinisches, das absolut genommen einen Kreuzer wert ist, daß auf Erden alles relativ ist, das heißt sich modeln muß nach Natur und Lebensweise, nach Kraft und Schwäche, nach Wärme und Kälte, nach Fleisch und Erdäpfeln, nach Milch und Wein, nach hunderterlei andern Dingen noch" (VI, 197). Diese Relativität geht daraus hervor, daß die eigentliche Lebenserfahrung des Menschen aus einem ständigen Ineinander von zweierlei Texten besteht. Der Erzähler definiert sie folgendermaßen:

> Und wie Gott dem Menschen zwei Augen gegeben hat, so hat er ihm auch zwei Bücher gegeben, das heilige alte Buch, das nicht bloß ein Vikari soll exegisieren können, sondern jeder Christ verstehen, aber auch das wunderbare Buch, das alt ist und doch jeden Tag neu wird [...]. (VI, 63)

Der Erzähler besteht darauf, daß in beiden Büchern gleichzeitig gelesen werden muß, denn „ein Mensch, der nur in einem der Bücher lesen kann, ist gleichsam nur ein halber Mensch" (ebda). Und er fährt fort, indem er eine utopische Möglichkeit aufwirft, daß beide Texte in wechselseitiger Durchdringung und Verquickung dem Menschen präsent sein können:

> Aber wo der Mensch mit beiden Augen in beide Bücher sieht, da nahen sich Himmel und Erde, ist der Himmel offen, Engel Gottes steigen auf und nieder, strömende Offenbarungen Gottes verklären das Leben, heiligen die Zustände, die Bibel gibt dem Leben seine Weihe, das Leben macht die Bibel lebendig. (VI, 64)

Das ist, wie gesagt eine utopische Möglichkeit; die Wirklichkeit aber, die Gotthelf schildert, weicht immer wieder von diesem utopischen Ineinander ab. Denn meistens erleben die Menschen kein Ineinander, sondern vielmehr ein Durcheinander, innerhalb dessen verschiedene, bloß partiell und leidenschaftlich verfochtene Lesungen der verfügbaren Texte miteinander konkurrieren:

> Aber eben das ist das Unglück, daß die Meisten nur in einem lesen, die einen in diesem, die andern in jenem, und meinen doch, sie lesen alles, was zu lesen sei, und dann hat der eine dies gelesen und der andere etwas anderes, und dann zanken sie sich fürchterlich wie Halbblinde, von denen der eine nur die Blumen links gesehen, der andere die rechts, die einen waren rosenrot, die anderen himmelblau, und der eine will, alle Blumen seien himmelblau gewesen, der andere rosenrot, und einer schiltet den andern, einer legt Hand an den andern, beide wähnen sich im heiligen Recht [...]. (VI, 64 f.)

Dieser entscheidende Passus bringt uns, wie mir scheint, ins Zentrum von Gotthelfs Welt. Denn er weiß, wie oft die Menschen bedingt sind in ihren

Wahrnehmungsprozessen, einseitig in ihren Glaubensartikeln, obsessiv in ihrer Lebensführung. Wenn dem so ist, dann besteht die Gefahr, daß das Ineinander von Glauben und praktischem Tun, von Mentalität und Materie zur Verdinglichung der Werte und zum Fanatismus des Handelns ausarten kann. Gerade hier überschneiden sich die ursprüngliche didaktische Absicht und die strotzende Fülle der realistischen Schreibweise, denn gerade das abergläubische Sich-Berufen auf Kurpfuscher, das für Anne Bäbi so charakteristisch ist, ist nichts anderes als eine Verdinglichung des Heilungsprozesses, der menschlichen Suche nach Glück und Erfüllung. Anne Bäbi meint immer alles besser zu wissen: was zur Folge hat, daß sie am Ende gar nichts weiß. Es handelt sich somit um ein gestörtes Verhältnis zu den Äußerlichkeiten und Innerlichkeiten menschlicher Erfahrung. Anne Bäbis obsessive Rechthaberei ist das kontrastierende Gegenstück zur unideologischen, pluralistischen Welthaltigkeit des Gotthelfschen Realismus:

> So sind die Anne Bäbe; was sie gut dünkt, soll andere auch gut dünken, und was sie meinen, das gut sei, soll jeder für sein Glück halten. [...]

> Ja, so ein Anne Bäbi, das den Kaffee heiß trinkt, kann gar nicht begreifen, daß jemand ihn lieber kühler trinkt [...].

> Es liegt aber das Glück nicht in den Dingen, sondern in der Art und Weise, wie sie zu unsern Augen, zu unsern Herzen stimmen; und ein Ding ist einem viel wert, was ein anderer mit keinem Finger anrühren möchte; und mancher wird unglücklich, wo ein anderer sein Glück gefunden hätte [...]. Gar verschieden ist der Geschmack der Menschen, gar wandelbar ist der Geschmack eines jeden Menschen; voll Irrtümer ist die Welt, voll Täuschungen sind die Augen. Es ist daher etwas Grusames, wie es nicht bald etwas Grusames auf Erden gibt, wenn man jemand etwas aufdringen will und oft für sein ganzes Leben, das ihn widert, das er behalten muß, auch wenn täglich sein Ekel an demselben steigt. (VI, 224)

Dieser Passus bietet implizit eine Rechtfertigung des realistischen „effet de réel"; und er demonstriert, inwiefern Gotthelf jene Quadratur des Kreises gelungen ist, die darin besteht, daß er aus einem didaktischen Unternehmen eine undidaktische Leistung zustande bringt. Anne Bäbi ist eine geborene Didaktikerin; der Roman, in dem sie erscheint, richtet sich gegen eigensinnige Didaktik, weil jene Didaktik eine Einengung des Menschseins bedeuten müßte. Das realistische Prinzip wird sozusagen per definitionem zum antididaktischen Moment.

Was Besessenheit und Einseitigkeit angeht, ist der Vikari Anne Bäbi ebenbürtig. Bei ihm handelt es sich nicht nur um Aberglauben, sondern um einen Fanatismus des Glaubens, der geradezu unmenschlich ist. Daher ist es von überragender symbolischer Bedeutung, wenn beide Figuren einander begegnen. Zwei ideologische Mentalitäten kollidieren, und die Folgen sind verheerend. Anne Bäbi verliert den Willen zum Leben wegen des Vorwurfs, den der Vikari an sie richtet:

> Ja seht, Frau, das ist eben die Liebe, die ich meine, welche eine so große Sünde ist; es heißt: „Du sollst den Herrn deinen Gott lieben über alles!", und jetzt habt Ihr das Kind geliebt über alles, und das war eine vermaladeite Abgötterei, denn das ist Abgötterei, wenn man etwas mehr liebt als Gott, und das Kind war Euer Gott. Darum, weil der Herr Euch nicht verstoßen, noch nicht ganz fallen lassen wollte, nahm er Euch das Kind; um Eurer Sünde willen mußte das Kind leiden und sterben, Eure sündliche Liebe ist Ursache seines Todes. (VI, 175 f.)

Mit diesen Worten „erledigt" der Vikari nicht nur Anne Bäbi, sondern auch sich selbst. Denn die Nachricht dessen, was er gesagt und getan hat, verbreitet sich schnell im Dorf, und somit macht er sich in der Gemeinde völlig unbeliebt. Gegen Ende des Romans besucht ein sogenannter Visitator das Dorf, um das Wesen und das Wirken der Kirche zu begutachten. Die Einwohner wollen gegen den Vikari Klage erheben, und der alte Pfarrer muß alles einsetzen, um das zu verhindern. Es gelingt ihm, die Bauern geben nach – aber nur dem Pfarrer zuliebe.

Gegen Ende des Romans erörtert der Erzähler eine andere Form der Ideologie, den „Kommunismus unserer Zeit" (VI, 396 f.). Genauso wie die Religion des Vikaris eine pervertierte Form der Sehnsucht nach transzendentaler Sicherheit ist, ist der Kommunismus laut Gotthelf als pervertierte Ideologie, die dem Humanen gänzlich abhold ist, zu verstehen.

> [...] der Kommunismus [...] ist ein Kind der Verwerfung der sogenannten Glückseligkeitslehre: man solle nicht ans Jenseits denken, sondern seine Pflicht tun, eben weil sie Pflicht sei, man solle geistig sich emanzipieren, ohne zu fragen warum, es sei an sich selbsten schön. (VI, 399)

Somit ist die resolut anti-metaphysische Weltlichkeit des Kommunismus, in Gotthelfs Darstellung, letztlich jeder Weltfreude abhold. Die Materie wird nicht konkret, sondern nur prinzipiell bejaht. Und gleichzeitig wird die Geistigkeit verdinglicht:

> Eine alte Schwachheit der Menschheit ist es, den Höhern sich anzuschließen, in ihrer Herablassung sich geehrt zu fühlen und in gieriger Hast ihre Moden und Meinungen sich anzueignen; diese Schwachheit ist im Grunde nichts als der höchste, aber vom Teufel zur Schwachheit verdrehte Trieb im Menschen, der Trieb nach oben. (II, 443)

Was auch immer man zu Gotthelfs Diagnose des Kommunismus sagen mag, es spricht für seine Kreativität, daß aus der Absicht, eine Schrift gegen das Kurpfuscherwesen zu verfassen, eine romanhafte Abrechnung mit allerlei Formen moderner Ideologie entstand.

Es läßt sich selbstverständlich nicht leugnen, daß Gotthelf selber, als Pfarrer, alles andere als unparteiisch war. Die Tendenz zum Predigen macht sich des öfteren in seinen Werken bemerkbar. Aber letzten Endes könnte man auf die größten seiner erzählerischen Leistungen, zu denen *Anne Bäbi Jowäger* gehört, den Engelsschen Begriff vom „Sieg des Realismus" anwenden, den ich bereits erörtert habe. In seinem berühmten Brief an Miß Harkness zeigt Engels, daß der kreative Realismus der Balzacschen *Comédie Humaine* über die Ideologie ihres Autors triumphiert. Bei Gotthelf dürfte es ähnlich bestellt sein. Der Pfarrer Albert Bitzius vermochte nicht so differenziert zu denken wie der Romanschriftsteller Jeremias Gotthelf. Sein Realismus hinterfragt das Geflecht von geistigem und materiellem Mobiliar, den „Haushalt", worin seine Romanfiguren beheimatet sind. Und daraus entsteht eine unübertroffene Darstellung der Mentalität seiner Zeit, seiner Gegend. Das wußte sein großer Landsmann Gottfried Keller. Keller war von Gotthelfs Konservatismus befremdet; aber immer wieder war er von der unideologischen Welthaltigkeit seiner epischen Produktion überwältigt:

> Er [Gotthelf] sticht mit seiner kräftigen scharfen Schaufel ein gewichtiges Stück Erdboden heraus, ladet es auf seinen literarischen Karren und stürzt denselben mit einem saftigen Schimpfworte vor unseren Füßen um. Da können wir erlesen und untersuchen nach Herzenslust. Gute Ackererde, Gras, Blumen und Unkraut, Kuhmist und Steine, vergrabene köstliche Goldmünzen und alte Schuhe, Scherben und Knochen, alles kommt zutage, stinkt und duftet in friedlicher Eintracht durcheinander.[5]

[5] Gottfried Keller: „Jeremias Gotthelf", in: Keller: *Sämtliche Werke und ausgewählte Briefe*, hg. v. Clemens Heselhaus, München 1958, Bd. III, S. 938.

VIII. Epische Landschaften

(Charles Sealsfield, Karl Gutzkow)

Zwischen etwa 1833 und 1847 wurde ein heute relativ unbekannter deutscher Prosaschriftsteller aufs eifrigste diskutiert – und aufs intensivste gelesen: Charles Sealsfield (Karl Postl).[1] Damals – und auch heute, insofern er überhaupt gelesen wird – war er vor allem dafür bekannt, daß er unvergeßliche Schilderungen von Amerika geschrieben hatte. In dieser Beziehung genügte er Lesererwartungen, die in Richtung Spannung, Abenteuerlichkeit, Exotik gingen. Es fragt sich aber, ob nicht gerade Sealsfields Popularität dazu beigetragen hat, ihn immer als Unterhaltungsschriftsteller abzustempeln – etwa auf dem Niveau eines Karl May. Sehr viele Darstellungen seines Werkes neigen dazu, nur Stoffliches zu kommentieren – sein Amerikabild vor allem – und damit tut man ihm Unrecht. Denn die besondere Leistung Sealsfields besteht darin, daß er so etwas wie Bestseller zu produzieren vermochte, die auch in künstlerischer, formaler Hinsicht von hohem Niveau sind. In der deutschsprachigen Prosaliteratur des 19. Jahrhunderts war es nur Fontane beschieden, Ähnliches zu erreichen (während in der englischen und französischen Literatur es so ist, daß die Klassiker der realistischen Tradition – etwa Dickens, Thackeray, George Eliot und Balzac, Stendhal, Flaubert – zum Bestand der sowohl lesenswerten als auch unterhaltenden Literatur gehören). Immer wieder gestaltet Sealsfield das Aufeinanderprallen, im Zeichen des sozialen Wandels, von grundverschiedenen Kulturen (*Der Legitime und die Republikaner*, 1833; *Der Virey und die Aristokraten*, 1834; *Lebensbilder aus beiden Hemisphären*, 1835-37). Sein Meisterwerk ist *Das Cajütenbuch* (1841), in dem Handlung und Reflexion auf raffinierte und expressive Art miteinander vermengt werden.

Das Cajütenbuch besteht aus vielen spannenden Erzählungen, es ist aber als Ganzes narrativ durchkomponiert – und durchreflektiert. Im thematischen Zentrum steht Amerika bzw. Texas als geradezu epischer Ort – ein Ort, der als gewaltiges Stück Natur und auch als gewagtes politisches Experiment zu Hoffnungen und Ängsten, zu Verheißung und Verzweiflung Anlaß gibt. Es handelt sich somit um einen Ort der Bewährung, sowohl in praktischer als auch in ethischer Hinsicht. *Das Cajütenbuch* besteht aus einem narrativen

---

[1] Vgl. Hartmut Steinecke: *Romanpoetik von Goethe bis Thomas Mann*, München 1987, S. 124.

Rahmen, der mehrere Binnenerzählungen umfaßt. Wir befinden uns in der „Kajüte", im Blockhaus von Kapitän Murky am Mississippi. Die verschiedenen Figuren, die sich dort versammelt haben, diskutieren den Anschluß von Texas an die USA. Innerhalb dieses diskursiven, gedanklichen Kontextes werden Erzählungen zum Besten gegeben, wobei es immer wieder auf den Kampf zwischen menschlicher Kreativität einerseits und der massiven Gegenwart der Natur (der Prärielandschaft, des Meeres, aber auch der Urleidenschaften im Menschen) andererseits ankommt. Die Binnenerzählungen selber – vor allem die großartige „Prärie am Jacinto" – sind spannend; aber wir dürfen nie vergessen, daß es sich um einen eingebetteten Erzählvorgang handelt, daß der erzählerische Akt nicht nur aus unreflektierter Transparenz, aus Handlungen, Taten, Schauplätzen besteht, sondern selbstkommentierend und allgegenwärtig ist. Der Vorgang des Erzählens, Kommentierens, Reflektierens ist ein wesentlicher Teil der textlichen Aussage, denn gerade darin ist das eigentliche Prinzip des Gemeinschaftswillens beheimatet. In einem jungen Land wie Amerika sind die Modalitäten menschlicher Gemeinschaft und Zusammengehörigkeit erst im Entstehen begriffen. Das Gemeinschaftliche ist nicht gegeben, es muß vielmehr kreiert werden. Und an diesem Schöpfungsprozeß (mit dessen politischen und auch theologischen Ober- und Untertönen) ist die Tätigkeit des Erzählens und Zuhörens aufs wesentlichste beteiligt. Man tut Sealsfield somit Unrecht, wenn man den von ihm geschaffenen diskursiven Kontext ausspart zugunsten einer packenden Story. Denn die verschiedenen Figuren in Murkys Blockhaus sind dabei, eine Gemeinschaft durch Erzählung und Diskussion zustande zu bringen. (Ähnliches wird uns viel später im neunzehnten Jahrhundert begegnen, in Theodor Storms Meistererzählung *Der Schimmelreiter*; dort wie hier wird manifest, wie sehr eine menschliche Gesellschaft auf Erzählungen, auf Story und auch auf Historie, mit anderen Worten, auf einer sich artikulierenden narrativen Mentalität basiert.) Das Sealsfieldsche Abenteuer besteht sozusagen sowohl in dem Was (dem Erzählten) als auch in dem Wie (dem Erzählen) der zwischenmenschlichen Zusammengehörigkeit.

Am Anfang des *Cajütenbuchs* schildert Oberst Morse, der aus guter Marylander Familie stammt, wie er nach Texas gekommen ist. Er berichtet, wie er vor einiger Zeit bei der Galveston Bay und Texas Land Compagnie tausend Dollar investiert hatte; auf Grund des Zeugnisses, das er in Händen hatte, sollte er sich in Texas ein Stück Land aussuchen dürfen. Als er dann aber nach Texas kommt, muß er erkennen, daß das Papier nichts wert ist. Er bleibt trotzdem, weil das Land selbst so vielversprechend ist. Dann erzählt er von seiner Konfrontation mit der konkreten resistenten Wirklichkeit, auf der dieses Versprechen basiert. Morse versucht verzweifelt, einen Mustang einzufangen, der ausgerissen ist. Er reitet ihm nach, aber er verirrt sich in der unsäglichen Weite der Prärie. Nach vielen mühsamen Stunden entdeckt er Spuren eines Pferdes, das eindeutig von einem Menschen geritten worden ist; mit Gefühlen unaussprechlicher Dankbarkeit verfolgt er diese Spur, bis er endlich feststellen muß, daß er im Kreise geritten ist, daß er im Teufelskreis sich selber nachgeritten ist. Das gelobte Land wird somit zum verhängnisvollen Land. Sein Ritt führt ihn bis an den Rand des Todes; wie Hans Castorp in dem berühmten Schneekapitel des *Zauberberg*-Romans von Thomas Mann hat er sich im Kreise bewegt, bis er beinahe „umkommt". Das Ineinander von konkreter und bildlicher Erfahrung trägt zu seiner Verwirrung bei, der Ort der Verheißung wird zum Ort der äußersten Bedrohung:

> Ich war, wie ich später erfuhr, in der Jacinto-Prairie, einer der schönsten von Texas, an die siebzig Meilen lang und breit, ein wahres Eden, die auch das mit dem Paradiese gemein hat, daß sie so leicht verführt.[2]

Keine zitatweise angeführten Auszüge aus dieser unvergleichlichen Beschreibung können der Sealsfieldschen Prosa gerecht werden. Die Landschaft selber wird zu dem, was für Stifter die Gebirgswelt in *Bergkristall*, was für Thomas Hardy Egdon Heath in den Wessex-Romanen, was für Joseph Conrad etwa in *The Nigger of the Narcissus* oder *Lord Jim* das Meer ist – zu einem sowohl physisch-realistischen als auch metaphysisch-existentiellen Ort. Die Natur ist sowohl Paradies als auch Hölle, in ihrem von Menschenhänden unberührten und vom Menschen nicht zu domestizierenden Gegebensein, sowohl ein *locus amoenus* als auch ein Ort fast unmenschlicher Bewährungsproben. Am Schluß bleibt dem verzweifelten Morse nichts anderes übrig, als dem Pferd die Zügel schießen zu lassen; das erschöpfte Tier bringt ihn zum nächsten Fluß, zu einer kleinen Hütte, die von Bob Rock bewohnt wird. Bob führt ihn zu einer Siedlung, wo er von Johnny Down gepflegt wird, bis er wieder zu Kräften kommt. Und dann entdeckt Morse endlich, wer sein Lebensretter ist. Bob ist ein Raufbold, dem Alkohol anheimgefallen, der nach katastrophalen Stunden am Spieltisch einen reichen Mann umgebracht hat. Wie Friedrich Mergel in Annette von Droste-Hülshoffs Erzählung *Die Judenbuche* kehrt er immer wieder,

---

[2] Charles Sealsfield: *Das Cajütenbuch*, in Sealsfield (Karl Postl): *Sämtliche Werke*, Bd. 16 u. 17, hg. v. G. Friesen und H. Jantz, Hildesheim und New York 1977, Bd.16, S. 84. Zu den mehrfachen Registern der Sealsfieldschen Prosa vgl. Günter Schnitzler: *Erfahrung und Bild: die dichterische Wirklichkeit des Charles Sealsfield (Karl Postl)*, Freiburg im Breisgau 1988, und Franz Schüppen: *Charles Sealsfield, Karl Postl: ein österreichischer Erzähler der Biedermeierzeit im Spannungsfeld von Alter und Neuer Welt*, Frankfurt am Main und Bern 1981.

in obsessiver Selbstqual, zu dem sogenannten „alten Patriarchen", einer Lebenseiche, zurück, unter der sein Opfer ums Leben gekommen ist. Es handelt sich wieder einmal um ein „Umkommen", in der bereits diskutierten, zweifachen Bedeutung des Wortes, um einen konkreten Ort in der Landschaft, der obendrein als Raum metaphysischer Bewährung aufzufassen ist. Als Bob viel später im Kampf gegen die mexikanische Armee sein Leben verliert, wird ihm von dem Bezirksrichter Alcalde mit folgenden Worten nachgetrauert:

> [...] glühte nicht in diesem Bob bis zu seinem letzten Athemzuge ein gewaltig göttlicher Funke? loderte er nicht mächtig in ihm für Bürgerglück und Nächstenwohl? [3]

Der Boden in Texas ist in mancherlei Hinsicht schicksalsträchtig. Das Schicksal eines Einzelmenschen durchzieht das Läuterungsdrama des Bob Rock. Das andere Schicksal, das auf dem Spiel steht, ist der Kampf um die Selbstbestimmung einer neuen Nation. Denn auf dem zum Teil unwirtli-. chen und zum Teil immens fruchtbaren Boden dieses jungen Territoriums soll der Versuch unternommen werden, eine moderne Demokratie ins Leben zu rufen. Und gerade in dem sozusagen demokratischen Duktus von Erzählung und Diskussion artikuliert sich der implizit politische Sinn jener Zusammenkunft bei Murky, die die Rahmensituation bildet. Als Morse in die Runde um sich blickt, thematisiert er die erzählerische und gemeinschaftsbildende Seinsweise:

> Es ist [...] diese Selbstherrschung, dieses Selbstordnen geselliger Verhältnisse, bürgerlicher Zustände – so wie nur ein Dutzend Amerikaner zusammentreffen – der wahre Nerv, die Lebenswurzel eines gegründet werden sollenden Staates.[4]

Dieses „Selbstordnen geselliger Verhältnisse" ist, wie wir gesehen haben, in dem Vorgang des Erzählens und Zuhörens, des Miteinanderkommunizierendens der Rahmensituation beheimatet. Die Resonanz der Sealfieldschen Kunst geht aus diesem dichten Beziehungsgeflecht hervor und hängt letztlich mit einem sowohl handlungsreichen, spannenden als auch erzählerisch reflektierten Realismus aufs engste zusammen.

Für Sealsfield gehört, wie wir gesehen haben, die schiere Massivität Amerikas zum Wesen des epischen Schauplatzes. Bei Karl Gutzkows gigantischem Roman *Die Ritter vom Geiste* (1850-51) geht es auch um epische Breite – und zwar um den Versuch, die Gesellschaft als synchrone Vielfalt aufzufassen und im sogenannten „Roman des Nebeneinander" zum narra-

---

[3] Sealsfield: *Cajütenbuch*, Bd. 17, S. 105.
[4] Ebda, S. 308.

tiven Ausdruck zu bringen. Gutzkows berühmte Vision des Romans als großzügig konzipierte, sozusagen demokratisch angelegte Form lautet wie folgt:

> Der neue Roman ist der Roman des *Nebeneinanders*. Da liegt die ganze Welt! [...] Da begegnen sich Könige und Bettler! [...] der Dichter baut eine Welt und stellt seine Beleuchtung der der Wirklichkeit gegenüber. Er sieht aus der Perspective des in den Lüften schwebenden Adlers herab. Da ist [...] eine *Weltanschauung*, neu, eigenthümlich [...]. Resultat: Durch diese Behandlung kann die Menschheit aus der Poesie wieder den Glauben und das Vertrauen schöpfen, *daß auch die [...] Erde von einem und demselben Geiste doch noch könne göttlich regiert werden.*[5]

Auf die Möglichkeiten und Grenzen dieser Romanform werde ich später zurückkommen. Aber eines soll hier festgehalten werden: was Gutzkow vorschwebt ist ein panoramischer Überblick über die Strömungen und Gegenströmungen der zeitgenössischen Welt. Nach seiner Konzeption soll der Roman extensiv und inklusiv sein.

Die Ritter vom Geiste spielt in den Jahren 1849-1851, unmittelbar nach der Revolution von 1848. Es handelt sich somit um das intellektuelle, kulturelle und politische Klima eines nachrevolutionären Zeitalters. Gutzkow schrieb in einem Brief an Levin Schücking: „Ich habe sozusagen einen politischen Wilhelm Meister schreiben wollen."[6] Auf die Frage, ob sich das Goethesche Modell auf ein ausgesprochen politisches Thema anwenden läßt, soll später eingegangen werden. Vorerst will ich versuchen, Gutzkows zeitspezifische Diagnose zu umreißen. Gutzkow schildert eine Zeit, in der, im Fahrwasser der kurz zuvor zu Tage getretenen revolutionären Aspirationen, grandiose Hoffnungen auf eine profunde Erneuerung der Menschheit ausführlich artikuliert werden. Manchmal äußert sich die erhoffte Verjüngung der Gesellschaft als beinahe utopische Transponierung und Vergeistigung eines alten bzw. bestehenden Modells sozialer Organisation. Dankmar sagt:

> Ich glaube an die Monarchie als eine in der menschlichen Natur begründeten Staatsform; aber die edle ideelle Monarchie ist die Monarchie der Zukunft, nicht die der Gegenwart.[7]

Später überlegt er sich eine Art synkretistischer Synthese aller möglichen Modelle des Gemeinschaftswesens:

> Er vergegenwärtigte sich die alten Zeiten, wo ganz allein das Christentum die Stelle solcher neuernden Begriffe vertrat, wie sie jetzt die Menschen beherrschen.

---

[5] Vgl. Hartmut Steinecke: *Romanpoetik in Deutschland von Hegel bis Fontane*, Tübingen 1984, S. 113-116, hier S. 114.

[6] Brief vom 5. August 1850.

[7] Karl Gutzkow: *Die Ritter vom Geiste*, 4 Bände, Berlin o.J. (1878?), Bd. I, S. 94.

Er sah die damalige Bildung, die christliche, dem Zufall nicht preisgegeben, sondern in der Obhut eines gegliederten Kastengeistes, den sofort die Verbrüderungen, die Herbergen, die Agapen und die Mönchsorden vertraten.[8]

Es handelt sich mit anderen Worten um eine Zeit politisch-kulturellen Umbruchs, in der alle nach neuen Denkmodellen suchen. Guido Stromer, ein Geistlicher, spricht von dem keimenden Neuen, das er überall spürt. Er bedient sich eines Gedankengerüstes, das auf einer Dialektik von Herkömmlichem und Bahnbrechendem beruht:

> Die Gärung des Geistes kündigt sich nach allen Richtungen an. Kein Feld des menschlichen Wissens gibt es, wo nicht ein alter Glaube neuer Prüfung unterworfen ist. Das religiöse, mir verwandte Gebiet ist mit der Weltlichkeit in eine bisher ungeahnte Beziehung getreten.[9]

Im Kontext eines solchen Umbruchs kann es an Stimmen nicht fehlen, die für eine Rückkehr zu altbewährten Denkmustern plädieren. Probst Gelbsattel spricht in Tönen, die Thomas Manns Naphta im *Zauberberg*-Roman sofort erkennen – und anerkennen – würde, denn er vertritt eine Art säkularisierte Kirche im Dienst einer Vergeistigung sozialer Organisation:

> Ich mache theoretisch für die Kirche nichts, gar nichts, geltend, als einen gewissen Einfluß auf die Stimmung der Gemüter; aber um diesen zu behalten, kann man da ruhig ertragen, daß in diesem politischen Wirrwarr jede höhere geistige Frage als nebensächlich betrachtet wird und die Ministerien, wenn sie's nicht mit innerer Missionswühlerei halten, rein nur noch Triebräder der gedankenlosesten Geschäftsroutine werden? Diese übermäßige Verweltlichung erzeugt eine Isolierung der geistigen und geistlichen Interessen, die so nicht fortdauern kann. Das absolut constitutionelle System ist der Tod der Menschheit.[10]

Da ist ein bestimmtes dialektisches Raffinement zu spüren. Manchmal aber sind die reaktionären Stimmen von einer geradezu brutalen Einfachheit. Justizrat Schlurck meint:

> Es ist alles Windbeutelei mit unserer jetzigen Politik! Kenntnis vom Recht? Gleich Null! Ehrgeiz ist die Achse des ganzen Getriebes. Steck da Einer seine Finger hinein, sie werden ihm bald zerquetscht werden.[...] Eine gute Polizei, das ist Alles, was man vom Allgemeinen verlangen kann.[11]

Man merkt, daß Gutzkows Roman in jenem nachmärzlichen Zeitalter spielt, das voll von ideologisch-politischen Strömungen und Gegenströmungen ist. 1848 hat keinen radikalen Einschnitt gebracht, keine drastische

---

[8] Ebda, S. 199.
[9] Ebda, Bd. II, S. 303.
[10] Ebda, S. 44.
[11] Ebda, Bd. I, S. 66.

Profilierung der kontrastierenden Fronten und Parteien. Es handelt sich um eine Übergangszeit, die an mannigfachen Identitätskrisen leidet. Das hat zur Folge, daß sehr viele Gestalten – vor allem diejenigen, die politisch engagiert sind – unentwegt versuchen, die Symptome und Zeichen der Zeit zu lesen, zu deuten oder umzudeuten. Und das erklärt die massive diskursive Textur des Gutzkowschen Romans. Denn es handelt sich um eine Kultur, in der ständig diskutiert und debattiert wird. Es werden Pläne entworfen, Gruppierungen gebildet, Verbände kreiert – und gerade in diesem Wirrwarr ist Gutzkows unvergleichliches Porträt der Mentalität – genauer gesagt der Mentalitäten – einer labilen Epoche beheimatet.

Die Romanhandlung selber ist ein eher undurchsichtiger Komplex von sich überschneidenden Verwandtschaften, Liebesgeschichten und politischen Intrigen. Gattungsmäßig erinnert Gutzkows Text punktuell an alle möglichen Romanformen der ersten Hälfte des neunzehnten Jahrhunderts – Gesellschaftsroman, Geheimbundroman, Abenteuerroman, Kriminalroman, Räuberroman usw. Figuren aus dem Adel, aus der preußischen Regierung, aus bürgerlichen Schichten tauchen auf und verschwinden. Es lohnt sich kaum, die verschiedenen Handlungsträger zu entwirren, denn meistens handelt es sich um relativ Triviales, Kolportiertes. Aber verschiedene begriffliche und symbolische Zentren lassen sich identifizieren, die den zeitdiagnostischen Charakter des Romans verkörpern. Ein wichtiges Anliegen ist die Thematisierung von Prozessen der Überlieferung, des Vermachens, des Erbens. Solche Requisiten wie etwa verlorene Handschriften, geheime Familienbeziehungen, die aufgedeckt werden, Urkunden, Scheine, Briefe, Porträts, die alle auf dunkle Vergangenheiten hinweisen, gehören seit eh und je zum festen Bestand der Unterhaltungsliteratur. Daß der Roman *Die Ritter vom Geiste* dermaßen auf dieses Mittel zurückgreift, beeinträchtigt seine künstlerische Qualität. Aber wir sollten dabei nicht übersehen, daß gerade solche Überbleibsel aus der Trivialliteratur im Kontext des Gutzkowschen Romans doch noch Träger einer durchaus ernstzunehmenden Thematik sind. Es handelt sich nämlich immer wieder um den Übergang von der Feudalgesellschaft zur bürgerlichen Gesellschaft, somit um Fragen des Besitzes und dessen Überlieferung, um die Rechtfertigung von Besitz mittels (bürgerlicher) Arbeit. Mit diesem Komplex ist eine weitere thematische und begriffliche Konstellation verbunden, die den ganzen Romantext durchzieht: nämlich eine Untersuchung des immerwährenden Bedürfnisses nach Symbolen, Emblemen, Wappen und dergleichen. Dankmar sagt einmal: „Ein Orden muß nicht nur Organisation, sondern auch Symbole haben."[12] Daher die langen Diskussionen über Fragen der Ver-

---

[12] Ebda, Bd. II, S. 196.

einsemblematik – insbesondere über die Verwandlung vom Symbol des Ritterkreuzes, des Johanniterordens, (d.h. von einem theologischen Wappen) in ein vierblättriges Kleeblatt, das ein säkularisiertes Emblem des Zufalls und des Glücks ist. Es ist für den Adel charakteristisch, daß er an einen Lebensstil gewöhnt ist, der mit Emblemen reichlich ausgestattet ist, während der Bürger nur durch seine Leistung, durch seine Arbeit zu Ansehen gelangt. Und das einzige ihm verfügbare – und mit dem Ertrag seiner Arbeit zu verbindende – Symbol ist eben ein prekäres, aber dynamisches: das Geld. Eine wichtige Nebenhandlung dreht sich um Murray und seinen Bruder, die Falschmünzer sind. Murray weiß allzu gut, wie beliebig der Symbolwert des Geldes ist:

> Geld ist das, was gilt. Was kann, was soll mehr gelten, als die Arbeit? Die Arbeit ist schon Geld. Die Arbeit vollendet, ist sogleich Geld. Daß sie warten muß, bis sie durch Zufall Geld wird, ist der schaudervollste, empörendste Mord der Menschheit, den leider täglich unsere Gesetzgeber verüben. Fluch der Gesellschaft, die das Geld nur zum Ausdruck des Bedürfnisses und der Fähigkeit, Bedürfnisse zu befriedigen, gemacht hat! [13]

Ein solcher Passus vermittelt etwas Entscheidendes an der historischen Argumentation des Gutzkowschen Romans, denn die Welt, die er heraufbeschwört, ist eine, die an der Grenze zwischen alten und neuen Wertsystemen, zwischen alter und neuer Emblematik situiert ist. Das wird im Titel selbst angedeutet; die „Ritter vom Geiste" (auf die ich später zu sprechen komme) sind zwar „Ritter", wie aus feudalen Zeiten, aber „Ritter" vom „Geiste", d.h. Ritter, deren Handlungen, Taten und Abenteuer in der modernen Subjektivität beheimatet sind. Man wird an Hegels berühmte Diskussion des modernen Romans erinnert, von der im dritten Kapitel dieser Studie bereits die Rede war.

Die Ritter vom Geiste ist somit, trotz einiger Mängel, eine gigantische mentalitätsgeschichte Collage der kursierenden (und diskursierenden) Wertvorstellungen deutscher Kultur um 1850. Immer wieder ist von Allianzen, Vereinen, Gruppierungen, Gemeinschaften die Rede, denn viele der Figuren sind auf der Suche nach einem erkennbaren und bewohnbaren Gemeinwesen, an das sie glauben können. Die Gesellschaft besteht aus einem komplexen Ineinander von sich überschneidenden, manchmal sich widersprechenden Loyalitäten, und die verschiedenen Bande – der Liebe, der Freundschaft, der Klassenzugehörigkeit, des Berufes, der politischen bzw. ethischen, weltanschaulichen oder religiösen Gesinnung – bilden ein Labyrinth von Begegnungen und zwischenmenschlichen Konfrontationen. Dankmar

---

[13] Ebda, Bd. III, S. 254.

bedauert, daß sehr viele Bindungen, die geschlossen werden, nur kurzlebig
und oberflächlich sind:

> „Warum geht bei uns Alles so in die Irre!" dachte er. „Warum gruppiert man sich
> nur in losen Vereinen ohne Form und dauernde Haltung! [...] So viel Verstand
> und keine Verständigung – !"[14]

Mitunter erhält man den Eindruck, daß dieses Bedürfnis nach Assoziatio-
nen, nach Bündnissen nur in Leerlauf mündet. Aber es ist immerhin ein
Leerlauf, der bemüht ist, die obwaltenden Zustände zu verstehen und womöglich zu gestalten. Von dem Hof wird an einer Stelle Folgendes berichtet:

> Die „Kleinen Zirkel" waren nicht nur die größte Auszeichnung bei Hofe, son-
> dern auch ein Beweis des intimsten Vertrauens. Hier trat nur ein, wer der könig-
> lichen Familie die Bürgschaft der tiefsten Erkenntnis der Zeit gab.[15]

Ausschlaggebend ist, daß diese Zirkel, wie alle anderen Gruppierungen in
diesem Roman, um die „tiefste Erkenntnis der Zeit" bemüht sind.

Am intensivsten um diese Art von zukunftsträchtiger Erkenntnis bemüht
sind die Ritter vom Geiste. An der ursprünglichen Gründung sind fünf
Idealisten beteiligt: Dankmar Wildungen und sein Bruder Siegbert, Max
Leidenfrost, ein Maschinenbauer und Künstler, Louis Armand, ein Handwerker aus Frankreich, und Major von Werdeck. Alle sind, trotz der Diver-
genz ihres Herkommens und Temperaments, engagierte Zeitkritiker, die an
allgemeine Menschenrechte und an die Möglichkeiten gesellschaftlichen
Fortschritts glauben. Gegen Ende des Romans ist der Bund, trotz Bespitze-
lung durch die Polizei, gewachsen, und eine Weihestätte soll errichtet werden. Aber es fragt sich, ob die eigentliche Zielsetzung dieser Ritter aus mehr
als Worten und Symbolen besteht. Gerade das Verschwommene an den ver-
kündeten Grundsätzen und Prinzipien erlaubt einen bedeutenden Zustrom
von Anhängern; unsicher bleibt, ob sich der Bund je auf konkrete politische
Ziele wird einigen können. Manchmal hat man sogar den Eindruck, daß
sich die führenden Mitglieder bewußt jeder praktischen Ausarbeitung ihrer
Ideale widersetzen und sich vielmehr nur auf der prinzipiellen, geistigen
Ebene bewegen wollen. Dankmar sagt zum Beispiel:

> Wer kann die Bürgschaft geben, daß diese oder jene Form der staatlichen, kirch-
> lichen, gesellschaftlichen Gestaltung die allgemein genügende und jeden
> beglückende sein werde? Auf eine zukünftige Schöpfung hin kann kein Bund

---

[14] Ebda, Bd. I, S. 200.
[15] Ebda, S. 331.

zusammentreten, wohl aber bedarf die Zeit einen Bund für den *Geist* dieser Schöpfung.[16]

Gelegentlich spürt man geradezu eine Angst vor konkreten Plänen, vor erreichbaren Vorsätzen – zugunsten einer Utopie des Nicht-Verwirklichten und Nicht-Verwirklichbaren:

> Wir müssen es aufgeben, positive Schöpfungen hervorzurufen, und uns begnügen, nur den Geist, in dem sie erwachsen sollen, zu befördern.[17]

Das hat zur Folge, daß sich der Bund der Ritter gegen Ende des Romans mit dem Entstehen der Weihestätte, immer mehr auf Rituale einigt – und auf konkrete Ausarbeitung der allgemein akzeptierten Ideale verzichtet:

> Um die Stelle, wo einst die Priester Messe gelesen, scharen sich die Männer des geistigen Rütli. Einige besteigen die Stufen. Wovon reden sie? Sie enthüllen Pläne, Zeichungen, Pergamente mit Siegeln. [18]

Gutzkow thematisiert den Idealismus, das Pathos – und wohlgemerkt auch das Weltabgewandte, Unpraktische – an dieser Gruppierung bürgerlicher Idealisten. Sie sind durchaus in der Lage, die Gegenwart als mangelhaft zu kritisieren; was ihnen nicht gelingt – und mit aller Wahrscheinlichkeit nie gelingen wird – ist, diese Wirklichkeit durch eine andere zu ersetzen.

Am Schluß sollte man auf die bereits berührte Frage des künstlerischen Wertes von Gutzkows *Die Ritter vom Geiste* zurückkommen. Peter Hasubek beanstandet, sicherlich zum Teil mit Recht, das Unausgeglichene an Gutzkows Roman:

> Trivialität in Motivik und Sprachform auf der einen Seite, der Anspruch, dem Roman ein neues strukturelles Gepräge und einen bedeutsamen (politischen) Gehalt zu geben, auf der anderen. [19]

Sicherlich ist es so, daß der gewaltige Umfang und die enzyklopädische Mehrsträngigkeit des Gutzkowschen Textes sozusagen mehr verspricht, als er zu leisten vermag. Manchmal wird die Konzeption des „Romans des Nebeneinander" zu einer bloßen Konstatierung der Gleichzeitigkeit. Zwei Beispiele eines typischen erzählerischen Übergangs mögen genügen, um das zu verdeutlichen:

---

[16] Ebda, Bd. II, S. 378.
[17] Ebda, Bd. III, S. 175.
[18] Ebda, Bd. IV, S. 387.
[19] Peter Hasubek: „Karl Gutzkow: *Die Ritter vom Geiste* (1850-51). Gesellschaftsdarstellung im deutschen Roman nach 1848", in: *Romane und Erzählungen des bürgerlichen Realismus*, hg. v. Horst Denkler, Stuttgart 1980, S. 36.

Gegen die stille gemütliche Abendunterhaltung, welcher Siegbert Wildungen in jenem von Rudhard ziemlich despotisch beherrschten Kreise beigewohnt hatte, bildete den auffallendsten Gegensatz die Vorbereitung der glänzenden Soirée, die Pauline von Harder in aller Eile noch für diesen Abend „improvisiert" hatte.[20]

Oder später:

Welch ein Gegensatz zu jenem rauschenden Gewühl der Sinnenlust, der Vergnügungswut und des gedankenlosen Übermaßes der Freude, die dicht daneben befindliche große Willingsche Maschinenfabrik! [21]

Beide Zitate zeugen von einem eher schlaffen Prinzip der bloßen Konstatierung und Aneinanderreihung. Dies widerspricht allerdings dem Vorhaben, das in der Romanvorrede ausgedrückt wird, „aus der Perspektive des in den Lüften schwebenden Adlers herab" zu schauen und dadurch den Glaubenssatz zu rechtfertigen, „daß die Erde von einem und demselben Geist regiert wird." [22] Manchmal gewinnt das Stoffliche sosehr die Oberhand, daß von höherem Sinn, von Vernunft herzlich wenig zu spüren ist.

Herbert Kaiser äußert sich zu dieser Aporie eher kritisch:

Die ungeheure quantitative Ausweitung im Stofflichen, die dem Roman den Charakter eines realistischen Zeitromans gibt, bleibt abstrakte Vielfalt, die nicht darüber hinwegtäuschen kann, daß die Einheit, zu der sie poetisch aufgehoben wird, leer ist. Dieser paradoxe monistische Pluralismus, Gutzkows Glaube an die Macht einer allgemeinen Vernunft über die Heterogenität der modernen Wirklichkeit, bringt einen poetischen Realismus hervor, der sich in seinen letzten Konsequenzen, der völligen Gleichgültigkeit aller Menschen und Werte, selbst (noch) nicht wahrhaben will.[23]

Das ist zweifellos berechtigt. Nur ist es m.E. wichtig, diese Aporie in ihren Implikationen und Auswirkungen zu hinterfragen. Denn es handelt sich, im Grunde genommen, um Spannungen, die dem europäischen Realismus zugrunde liegen. Einerseits besteht – wie etwa bei Dickens, Balzac oder bei Tolstoi (in *Krieg und Frieden*) – der Versuch, möglichst panoramisch – will sagen als schiere Konstatierung des Nebeneinander-Vorhandenseins – der bunten Vielfalt und Pluralität der modernen Gesellschaft erzählerisch Rechnung zu tragen. Andererseits besteht der Wunsch nach interpretatori-

---

[20] *Ritter vom Geiste*, Bd. II, S. 120.
[21] Ebda, S. 217.
[22] Ebda, Bd. I, S. v.
[23] Herbert Kaiser: *Studien zum deutschen Roman nach 1848: Karl Gutzkow, „Die Ritter vom Geiste", Gustav Freytag, „Soll und Haben", Adalbert Stifter, „Der Nachsommer"*, Duisburg 1977, S. 54.

scher Integration – sei es durch metonymische oder sonstige bildliche Überhöhung, durch kommentierende erzählerische Einschübe. Es handelt sich somit um die Dialektik von Prosa und Poesie; und bei Gutzkow entpuppt sich die angestrebte Versöhnung meistens als eine erpreßte. Die geistigen Höhenflüge des Ritterbundes erweisen sich des öfteren keineswegs als tiefschürfende Deutungen des weltlichen Geschehens, sondern als bloßes Gerede, als eine Diskursform unter vielen anderen. Wenn kein Diskurs privilegiert wird, dann herrscht ein Stimmengewirr.[24] Und gerade diese Möglichkeit weist in das zwanzigste Jahrhundert hinein – in die Welt von Hermann Brochs *Die Schlafwandler* (wo die Werttheorie, und sei sie noch so leidenschaftlich propagiert, letzten Endes nur als eine weitere, zeittypische Stimme auf dem bestehenden Jahrmarkt der ideologischen Eitelkeit dasteht), von John Dos Passos' *Manhattan Transfer* und Alfred Döblins *Berlin Alexanderplatz*. Gutzkows stilistische und strukturelle Aporien sind Vorboten kommender Tendenzen innerhalb des modernen Romans.

---

[24] Zu diesem Stimmengewirr vgl. Gerhard Friesen: *The German panoramic Novel of the nineteenth Century*, Bern und Frankfurt am Main, 1972; Rainer Funke: *Beharrung und Umbruch 1830-1860: Karl Gutzkow auf dem Weg in die literarische Moderne*, Frankfurt am Main 1984; Hermann Gierig: *Karl Gutzkow, der Roman des Nebeneinander*, Winterthur 1954; Achim Ricken: *Panorama und Panoramaroman*, Frankfurt am Main [u. a.] 1991.

IX. Zur Anatomie und Aporie eines affirmativen Bestsellers

(Gustav Freytag)

Kein Geringerer als Theodor Fontane bezeichnete Gustav Freytags *Soll und Haben* einmal als „eine Verdeutschung (im vollsten und edelsten Sinne) des neueren englischen Romans."[1] Er war bei weitem nicht der einzige Kritiker von Rang, der Freytags gewaltigem Bestseller seinen Respekt bezeugte. Berthold Auerbach, Julian Schmidt und Wilhelm Dilthey äußerten sich ebenfalls sehr positiv darüber. Auch ohne solche Anerkennung aus hoher Instanz bliebe *Soll und Haben* ein entscheidender Text innerhalb der deutschen Romanproduktion des 19. Jahrhunderts, denn ihm ist durch Jahre hindurch ein erstaunlicher Erfolg beschieden gewesen. 1925, beim Auslaufen des Copyrights, waren über eine halbe Million Exemplare verkauft worden. Um 1960 wurde die Millionengrenze überschritten. In seinem sehr wertvollen Aufsatz über die Rezeption dieses Romans hebt T. E. Carter hervor[2], daß zwei Perioden von jeweils fünfzehn Jahren für besonders hohe Verkaufsziffern sorgten: von 1915 bis 1930 wurden 394 000 Exemplare verkauft, von 1950 bis 1965 406 000. Aus diesen Statistiken geht hervor, daß der Freytagsche Roman zu Zeiten nationaler Bedrohung und Verunsicherung trostspendend zu wirken vermochte. Innerhalb der vier Wände des bürgerlichen Haushalts war *Soll und Haben* als Konfirmations- und Abiturientengeschenk sehr beliebt.

Es fragt sich, warum gerade dieser Romantext nicht nur zur Zeit seines Erscheinens, sondern auch später, durch Jahrzehnte hindurch, von solch erstaunlicher Popularität war. Die Erklärung dafür hat mit bestimmten künstlerischen Eigenschaften des Romantextes zu tun – nicht aber mit künstlerischer Qualität, denn *Soll und Haben* ist in mancherlei Beziehung ein ausgesprochen schlechtes Buch. Fontane hat sich m.E. geirrt, als er von einer vollen und edlen Verdeutschung des englischen Romans sprach, denn Freytag kann mit Thackeray und Trollope, geschweige denn mit Dickens oder George Eliot, nicht in einem Atemzug genannt werden. Was Fontane

---

[1] Theodor Fontane: Rezension in: *Literatur-Blatt des deutschen Kunstblattes*, 26.7.1855, S. 59.
[2] T.E. Carter: „Freytags *Soll und Haben*: a liberal national manifesto as a best-seller", in: *German Life and Letters* 21, 1967-1968, S. 320-329.

aber richtig erahnte, war, daß sich Freytag bestimmte thematische und stilistische Aspekte des englischen Romans angeeignet hatte – eine Vorliebe für spannende, sogar leidenschaftliche Handlungsmomente, für eine bunte Vielfalt an Figuren, die Bereitschaft, relativ unmittelbar, unreflektiert und energisch, ja sogar pathetisch zu erzählen – und daraus einen Romantext kreierte, der immer wieder den Interessen und Erwartungen eines bürgerlichen Publikums zu genügen vermochte. Das alles mag zwar relativ harmlos anmuten. *Soll und Haben* ist aber alles andere als harmlos; denn der Roman ist derart mit bestimmten verhängnisvollen Obsessionen und kulturellpolitischen Stereotypen behaftet, daß sich 1977 eine heftige Diskussion um das Projekt einer Fernsehverfilmung des Romans entfachte. Im Mittelpunkt der Diskussion stand nicht so sehr die geringe künstlerische Qualität des Romans, denn zweitrangige Romane können sich mitunter als Drehbücher sehr gut eignen (man denke etwa an den weltweiten Erfolg von Galsworthys *Forsyte Saga*); was vielmehr bei der Verfilmung von *Soll und Haben* zu Kontroversen führte, war seine politische Tendenz.

Das darf nicht wundernehmen, denn das eigentliche Anliegen des Romans war von allem Anfang an kulturpolitisch belastet. Der Text beginnt mit einem Zitat aus Julian Schmidt: „Der Roman soll das deutsche Volk da suchen, wo es in seiner Tüchtigkeit zu finden ist, nämlich bei seiner Arbeit." Man merkt sofort die werturteilsfreudige Absicht: im Mittelpunkt soll die Tüchtigkeit des deutschen Volkes stehen. Es folgt ein Widmungsschreiben an den Herzog von Sachsen-Coburg-Gotha, das diese Auffassung ethischer und berufstätiger Tüchtigkeit politisch untermauert, denn Freytag erinnert den Herzog an einen Abend, an dem er sich äußerte –

> über die Verwirrung der letzten Jahre, über die Mutlosigkeit und müde Abspannung der Nation, und über den Beruf des Dichters, der gerade in solcher Zeit dem Volke einen Spiegel seiner Tüchtigkeit vorhalten solle zur Freude und Erhebung (9). [3]

Dabei hat es, laut Freytag, der deutsche Dichter schwer, verglichen mit der Situation in anderen Kulturen:

> Nur zu sehr fehlt das Behagen am fremden und eigenen Leben, die Sicherheit fehlt und der frohe Stolz, mit welchem die Schriftsteller anderer Sprachen auf die Vergangenheit und Gegenwart ihres Volkes blicken [...]. (9)

Was für Freytag somit auf dem Spiel steht, ist der künstlerische Versuch, der eigenen Nation Mut und Trost zuzusprechen, damit sie zu ihrer wahren

---

[3] Zitiert wird nach folgender Ausgabe: Gustav Freytag: *Soll und Haben*, Hanser, München und Wien 1977.

Integrität und Identität findet. Hinter diesen breit aufgetragenen, etwas verschwommenen Ambitionen steckt die politische Gesinnung der Nationalliberalen, die gerade um die Mitte des neunzehnten Jahrhunderts die Sache der nationalen Einigung im Sinne der „kleindeutschen" Lösung eifrig vertraten.[4] Für Freytag ist die Tüchtigkeit des deutschen Volkes, die im Zentrum von *Soll und Haben* stehen soll, mit politischen Ambitionen befrachtet. Und diese politischen Ambitionen führen dazu, wie wir sehen werden, daß bestimmte Gruppen und Klassen von Menschen so dargestellt werden, daß sie bestenfalls als marginale Entitäten, wenn nicht gerade als Widersacher, als störende, mitunter feindliche Prinzipien, dastehen. Es handelt sich vor allem um Aristokraten, Juden und Polen.

Gerade dieses engagiert-politische Moment bringt mit sich, daß die Romanhandlung, die hier kurz skizziert werden soll, von einem unverkennbaren Schematisierungswillen durchzogen wird. Anton Wohlfart, Sohn eines preußischen Rechnungsbeamten, wächst in Schlesien auf. Sein Vater hat vor einiger Zeit der Firma T. O. Schröter in Breslau einen Dienst erwiesen, was zur Folge hat, daß die Firma der Familie Wohlfart jedes Jahr zu Weihnachten eine Kiste mit Zucker und Kaffee schickt. Der Duft des Kaffees wird für Anton zu einem prägenden poetischen Erlebnis: er faßt bereits in seinen jungen Jahren den Vorsatz, Kaufmann zu werden, bei Schröter zu arbeiten, um somit poetische und praktische Imperative miteinander zu verbinden.[5] Nach dem Tod seiner Eltern reist er nach Breslau zu der Firma Schröter. Auf dem Wege dorthin verirrt er sich in dem Park des Ritterguts des Barons von Rothsattel, und ist von der Schönheit der Anlage und von der Liebenswürdigkeit der vierzehnjährigen Tochter des Barons, Leonore, bezaubert. Er wird aus seinen Träumereien von dem schnöden Gerede eines jüdischen Bekannten aus der Schule, Veitel Itzig, gerissen, der auch nach Breslau unterwegs ist. Itzig wird bei der Firma Ehrenthal arbeiten; was ihm aber vorschwebt ist keineswegs die Integrität und Poesie des kaufmännischen Lebens, sondern bloß spekulativer finanzieller Erfolg, damit er sich ein aristokratisches Gut aneignen kann.

Der Firma Ehrenthal gelingt es, Baron Rothsattel zu überreden, Geld mittels Pfandbriefen auf sein Gut aufzunehmen. Rothsattel verbraucht beträchtliche Summen dieses flüssigen Geldes in der Stadt und, um die prekä-

---

[4] Vgl. Hartmut Steinecke: „Gustav Freytag: *Soll und Haben* (1855). Weltbild und Wirkung eines deutschen Bestsellers", in: *Romane und Erzählungen des bürgerlichen Realismus*, hg. v. Horst Denkler, Stuttgart 1980, S. 138-152.

[5] Vgl. Edward McInnes: „ ,Die Poesie des Geschäfts': social analysis and polemic in Freytag's Soll und Haben", in: *Formen realistischer Erzählkunst*, (Festschr. für Charlotte Jolles), hg. v. Jörg Thunecke, Nottingham 1979, S. 99-107.

re finanzielle Situation zu retten, läßt er sich auf ein dubioses Holzgeschäft mit Ehrenthal ein. Itzig nutzt jede Gelegenheit, um Rothsattel zu ruinieren. Später muß wieder einmal Land zu flüssigem Kapital gemacht werden; diesmal handelt es sich um den Rothsattelschen Besitz in Polen. Anton kommt bei Schröters gut voran, nachdem er gewisse Spannungen mit einem Kollegen aus reicher adeliger Familie, einem Volontär namens Fink, überwunden hat. Später wandert Fink nach Amerika aus. Die revolutionären Wirren von 1848 lösen kriegerische Turbulenz in Polen aus und legen das wirtschaftliche Leben lahm. Anton weiß, wie wichtig der Handel mit dem Osten für Schröters ist, und er begleitet seinen Chef nach Polen, um einen Warentransport sicherzustellen, was schließlich dank der Intervention der preußischen Armee gelingt. In Polen erfährt Anton von Itzigs Intrigen gegen Rothsattel. Ehrenthals kränklicher, vergeistigter Sohn, ein Privatgelehrter namens Bernhard, versucht, zusammen mit Anton, mit dem er befreundet ist, Rothsattel vor dem Ruin zu retten; aber Itzig vereitelt den Plan. Bernhard stirbt und seine letzte Geste ist die einer vorwurfsvollen Mahnung an seinen Vater. Rothsattel versucht, Selbstmord zu begehen, aber der Schuß ist ungenau – er wird blind, kommt aber mit dem Leben davon.

Anton wird von der Baronin gebeten, ordnend in die Familienverhältnisse einzugreifen. Er zieht wieder einmal nach Polen, um das Gut für die Familie herzurichten. Er muß mancherlei Hindernisse überwinden; die Polen sind faul und hinterlistig; der polnische Kleinadel versucht mittels patriotischer Aufstände, die Deutschen hinauszuekeln. Anton organisiert den deutschen Widerstand. Fink kehrt aus Amerika zurück und kauft das Gut, denn er hofft, Leonore zu heiraten. Itzigs dunkle Geschäfte kommen allmählich ans Licht; auf der Flucht vor der Polizei kommt er ums Leben. Fink heiratet Leonore und Anton heiratet Sabine, Schröters Tochter, und wird als Partner in die neugegründete Firma „T.O. Schröter und Compagnie" aufgenommen.

Diese Zusammenfassung der Handlung mag zugestandenermaßen tendenziös anmuten; aber das läßt sich schlechterdings nicht vermeiden, denn sowohl die Handlung als auch die Erzählweise von *Soll und Haben* werden ständig von einer vordergründigen Parteinahme gekennzeichnet, wie eine kurze Analyse der ersten beiden Kapitel zeigen soll. Der Roman beginnt mit einer liebenswürdigen, leicht ironischen Schilderung von Anton Wohlfarts ersten Jahren. In der Schule zeigt sich, daß er mehrfach begabt ist, aber es wird bald evident, daß ihm nur ein Ziel vorschwebt – nämlich Kaufmann zu werden. Die Weihnachtssendungen der Firma Schröter sind dabei ausschlaggebend; besonders stark wirkt der Duft des Kaffees auf Anton:

[...] sehr angenehm war das Selbstgefühl, mit welchem der würdige Hausherr die erste Tasse dieses Kaffees trank. Das waren Stunden, wo ein poetischer Duft, der so oft durch die Seelen der Kinder zieht, das ganze Haus erfüllte. (13)

Der Vater ist Rechnungsbeamter. Durch diese Sendungen wird er aber – wie sein Sohn – „mit dem geschäftlichen Treiben der großen Welt [verknüpft]" (14); die Exotik des Warenhandels, wobei Erzeugnisse aus aller Welt auf den deutschen Markt kommen, bringt den Duft der weiten Welt in die bescheidene Atmosphäre der bürgerlichen Familie. Kein Wunder also, daß Anton Kaufmann werden will. Und der Erzähler unterstreicht die Tragweite dieses Entschlusses mit einem insistenten pädagogischen Kommentar:

> Man sage nicht, daß unser Leben arm ist an poetischen Stimmungen noch beherrscht die Zauberin Poesie überall das Treiben der Erdgeborenen. Aber ein jeder achte wohl darauf, welche Träume er im heimlichsten Winkel seiner Seele hegt, denn wenn sie erst groß gewachsen sind, werden sie leicht seine Herren, strenge Herren! (14)

Antons Jahre im Gymnasium werden nur flüchtig berichtet – ebenso der Tod seiner Eltern. Das Ende des ersten Kapitels wird, wie die Psychologie des Romanhelden, von Ordnungsliebe gekennzeichnet: der junge Held hat seine Schuljahre absolviert, er weiß, welchen Weg er einschlagen will. Das elterliche Haus wird verkauft, und er ist bereit, in die Hauptstadt, zu der Firma Schröter zu ziehen, und sein Leben als Erwachsener zu beginnen. Auffallend an diesem ersten Kapitel ist, wie wenig psychologisches Interesse der Erzähler für die Prozesse des Heranwachsens zeigt. Die Familie wird nur stichwortartig und andeutungsweise beschrieben. Nur eines ist wichtig: die Hervorhebung der Poesie des Warenhandels. Die Erzählung ist, so könnte man meinen, genauso zielstrebig wie deren Held.[6]

Das zweite Kapitel schildert, wie Anton durch eine bezaubernde Landschaft wandert. Er freut sich über den schönen Tag, und seine Freude wird in einer erzählerischen Schilderung des Natürlichen vermittelt, die in mancherlei Hinsicht an Eichendorff erinnert – ohne aber dessen sprachliche Intensität zu erreichen. Die Adjektive wirken allesamt eher betulich und blaß:

> Es war ein lachender Sommertag; [...] oben in der Luft sang die unermüdliche Lerche. [...] Kleine Bäche von Erlen und Weidengruppen eingefaßt durchrannen lustig die Landschaft; jeder Bach bildete ein Wiesental, das auf beiden Seiten von

---

[6] Vgl. Bernd Bräutigam: „Candide im Comptoir: zur Bedeutung der Poesie in Gustav Freytags *Soll und Haben*", in: GRM 35, 1985, S. 395-411. Russell A. Berman: *The Rise of the modern German Novel: Crisis and Charisma*, Cambridge Mass. und London 1986, S. 79-104.

üppigen Getreidefeldern begrenzt wurde. Von allen Seiten stiegen die hellen Glockentürme der Kirchen aus dem Boden auf [...]. (17 f.)

Es handelt sich um eine Landschaftsschilderung, die von dem Leser nichts verlangt, denn überall sind Klischees operativ. Im zweiten Abschnitt steigert der Erzähler die Poesie der Szene zu einer quasi-epiphanischen Beseelung:

> Alles um ihn glänzte, duftete, wogte wie in elektrischem Feuer in langen Zügen trank er den berauschenden Wohlgeruch, der aus der blühenden Erde aufstieg. Wo er einen Schnitter im Felde traf, rief er ihm zu, daß heut ein guter Tag sei, und einen guten Tag rief jeder Mund dem schmucken Jüngling zurück. Im Getreidefelde neigten sich die Ähren am schwanken Stiel auf ihn zu, sie nickten und grüßten, und in ihrem Schatten schwirrten unzählige Grillen ihren Gesang: Lustig, lustig im Sonnenschein! Auf der Weide saß ein Volk Sperlinge, die kleinen Barone des Feldes flüchteten nicht, als er vor dem Stamm stehenblieb, ja sie beugten die Hälse herunter und schrien ihn an: „Guten Tag, Wandersmann, wohin, wohin?" Und Anton sagte leise: „Nach der großen Stadt, in das Leben." „Gutes Glück", schrien die Sperlinge, „frisch vorwärts!" (18)

Dieser Passus ist von kaum zu überbietender Banalität. Es handelt sich um kolportierte Romantik, um ein Landschaftsbild, das alles daran setzt, schön, poetisch, verklärend zu wirken. Der Endeffekt ist aber der einer Poesie, die sozusagen unter dem Einkaufspreis entstanden ist – in dem Sinne, daß alles plakativ und vordergründig wirkt.

Anton verirrt sich in einem Park, der auf ein herrschaftliches Haus Aussicht gewährt. Er ist von der Szene entzückt; auf dem Balkon erscheinen, frei nach Eichendorff, zwei schöne Frauengestalten, eine Mutter und ihre Tochter, die mit einem Papagei spielen. Falls der Leser nicht gleich mitgerissen wird, wird er von Antons Reaktion zu Verzückung ermahnt: „Dies glänzende Tier steigerte Antons Bewunderung." (20) Plötzlich erscheint die jüngere Gestalt in Antons Nähe; sie reitet auf ihrem Pony durch den Garten. Es folgt ein kurzes Gespräch. Das junge Fräulein bietet dem Besucher Erdbeeren an. Und später fährt sie ihn in einem kleinen Kahn über den Teich – und zurück zur Landstraße. Die Poesie der Szene wird durch die Anwesenheit von Schwänen, die von ihrer Herrin gefüttert werden, noch mehr gesteigert:

> Anton saß ihr selig gegenüber. Er war wie verzaubert. Im Hintergrund das dunkle Grün der Bäume; um ihn die klare Flut, welche leise an dem Schnabel des Kahns rauschte, ihm gegenüber die schlanke Gestalt der Schifferin, die strahlenden blauen Augen, das edle Gesicht gerötet durch ein liebliches Lächeln, und hinter ihnen her das Volk der Schwäne, das weiße Gefolge der Herrin dieser Flut. Es war ein Traum, so lieblich, wie ihn nur die Jugend träumt. (23)

Dem jugendlichen bieder-romantischen Traum wird aber ein schroffes Ende bereitet, denn eine scharfe Stimme entwertet die Idylle der aristokratischen Parkanlage: „Wenn du diesem Baron aufzählst hunderttausend Talerstücke, wird er dir noch nicht geben sein Gut, was er hat geerbt von seinem Vater." (23) Die Stimme gehört Veitel Itzig, einem Schulbekannten Antons, der auch nach der Hauptstadt unterwegs ist. Das Moment brutaler Unterbrechung und Ernüchterung entlädt sich auf mehreren Ebenen. Erstens einmal thematisch: Veitel Itzig sieht in der poetischen Szene nur die prosaische Möglichkeit des Kaufens. Er kennt nur eine Beziehung zu seiner Umwelt, nämlich die des finanziellen Besitzes. Zweitens: die sprachliche Form wirkt nach all den hochgestochen-lyrischen Registern, die Antons und des Erzählers Wahrnehmung der Schönheit der aristokratischen Lebensform dominiert haben, brutal ernüchternd, denn Veitel Itzig spricht ein Deutsch, das in seinem inkorrekten grammatikalischen Satzbau von seiner jüdischen Herkunft zeugt. Bevor der Sprecher hier überhaupt genannt wird, wissen wir, daß es sich um eine anti-poetische, geldgierige – und wohlgemerkt jüdische – Person handelt.

In einem rückblendenden Abschnitt berichtet der Erzähler, wie Anton und Veitel Itzig sich kennengelernt haben. Die infame Stereotypisierung des Juden erreicht hier einen Höhepunkt, denn die explizite Bezeichung Itzigs als Juden geschieht in einem Satze, der von Antons Großzügigkeit seinem jüdischen Mitschüler gegenüber berichtet: „Anton hatte in früherer Zeit Gelegenheit gehabt, durch tapferen Gebrauch seiner Zunge und seiner kleinen Fäuste den Judenknaben vor Mißhandlungen mutwilliger Schüler zu bewahren." (24) Somit steht Anton als edler Deutscher da, dem der widerliche Jude parasitär verbunden ist. Indem sie auf der Landstraße weiterschreiten, redet Itzig unentwegt von den Manövern und Schlichen, die dazu führen sollen, daß er ein solches aristokratisches Gut wie das Rothsattelsche kauft. Er bezeugt seine Dankbarkeit Anton gegenüber, indem er ihm seine Dienste als Makler anbietet; durch Itzig und seinesgleichen soll es möglich werden, daß Anton in den Besitz eines solchen Landgutes kommt: „so will ich dir's schaffen aus alter Freundschaft, und weil du ausgehauen hast die Bocher in der Schule für mich." (26) Wieder einmal verrät sich Itzig durch seine Sprache – durch den falschen Satzbau und durch den jüdischen Ausdruck „Bocher", der „Junge" bedeutet. Seine unangenehm reduktiven Ansichten verkörpern sich in einer Sprache, die aggressiv, störend, anti-poetisch ist.

Bereits nach zwei Kapiteln hat sich die thematische und stilistische Rhetorik von Freytags Roman etabliert. Es handelt sich um verschiedene Daseinsbereiche, die in durchwegs kontrastiver Beziehung zueinander stehen. Das erste Kapitel schildert die Geburt der Poesie aus dem Geist des bürgerlichen Warenhandels. Dort wird das Poetische mit dem Soliden, Integren versöhnt. Die Schönheit der aristokratischen Lebensform wird im zweiten Kapitel hervorgehoben; aber man spürt bereits, daß diese Lebensform in der modernen Welt umlauert und gefährdet ist. Und in der Figur Veitel Itzigs wird das negative Prinzip der Moderne symbolisiert – spekulativer Kapitalismus, Geldgier, prosaischer Ehrgeiz. Stilistisch sind die zwei Kapitel von kaum zu überbietender Vordergründigkeit. Wir wissen sehr früh, sowohl referentiell als auch interpretatorisch, wo wir sind. Die Unterscheidung zwischen schön und unschön, poetisch und prosaisch, solid und unsolid wird uns denkbar einfach gemacht. Daher das Plakative, das Affirmative an Freytags Romantext. Von uns werden keine Subtilitäten, kein sorgfältiges Abwägen, keine Differenzierungen verlangt. Die Erzählung ist von Schablonen, Sterotypen getragen, die nie hinterfragt werden. Die eigentliche Handlung besteht darin, daß das Poetisch-Solide (Anton · Wohlfarts Karriere in der Schröterschen Firma) mit Unsolid-Abenteuerlichem konfrontiert und somit auf die Probe gestellt wird. Die drei unsoliden Bereiche – Jüdisches, Aristokratisches, und (in der zweiten Hälfte des Romans) Polnisches – sorgen für Spannung, für Exkursionen in abenteuerliche, bunte, mitunter melodramatische und leidenschaftliche Erfahrungssphären. Die Exkursionen dürfen ohnehin als Exkursionen genossen und ausgekostet werden – denn wir wissen immer, daß sich das eigentliche Wertzentrum des Romans, jene integre Gesinnung, die nach den Prinzipien von „Soll und Haben" lebt, bewähren wird. Freytags Roman erinnert immer wieder an die Seifenopern weltweiter Fernsehproduktion; denn die spannenden Momente werden von einer unantastbaren, sozusagen gutbürgerlichen, Wertskala in Schach gehalten.

Gerade im Kontext dieser Fragestellung lassen sich m.E. die gravierenden künstlerischen Mängel von *Soll und Haben* bestimmen. Ohne die bewußt und gezielt antisemitische, anti-polnische, pro-deutsche Tendenz des Romans verharmlosen zu wollen, will ich mich primär auf die ästhetische Beschaffenheit des Textes konzentrieren. Wie wir gesehen haben, geht es Freytag vor allem um eine Poetisierung des Biederen; und im Kontext dieses Anliegens braucht er gegensätzliche – d.h. anti-biedere, anti-bürgerliche Elemente, die als kontrastive Komponenten innerhalb der erzählerischen Rhetorik fungieren sollen. Gerade diese Elemente sind im Pathetischen, Melodramatischen beheimatet. Und dabei wird die Frage der ästhetischen Qualität unumgehbar. Denn die Klassiker der realistischen Romantradition Europas – man denke etwa an Dickens oder Balzac – sind zwar ebenfalls ins Pathetische und Melodramatische verliebt. Auch bei ihnen vermengen sich Biederes und Abenteuerlich-Exotisches, lyrische Ergüsse mit konstatierender Prosa. Aber gerade bei Balzac oder Dickens kann man erkennen, daß dieses Ineinander von Sensationellem und Biederem nicht kulinarischer Zuckerguß, nicht nur plakative Verbrämung eines durchweg festgefahrenen Kunstwillens ist, sondern vielmehr den Zwecken differenzierter sozialer Diagnose mittels der Romanform dient. Wohingegen bei Freytag eine fast manichäische Absonderung am Werk ist, eine Zweistiligkeit, die auf affirmative, will sagen vordergründige Art und Weise das Authentische vom Fragwürdigen, das Biedere vom Abenteuerlichen, das Sinnstiftende vom Abwegigen trennt. In diesem vereinfachten Nebeneinander ist letztlich die künstlerische Inadäquatheit von *Soll und Haben* begründet: das Vereinfachende des künstlerischen Prozesses geht in die abscheulichen politischen Vereinfachungen der ideologischen Aussage über.

Dabei darf man aber nicht übersehen, daß es Freytags Roman trotz seiner immensen Schwächen gelingt, das politisch-kulturelle Unbehagen seiner Leser pauschal anzusprechen und zu thematisieren. *Soll und Haben* ist der romanhafte Versuch, einen tiefgreifenden Paradigmenwechsel zu erörtern, der das zeitgenössische Publikum – und wohlgemerkt auch spätere Generationen – bewegte und ängstigte. Auch affirmativer und populärer Lesestoff kann einen historischen Nerv treffen. Es gibt zum Beispiel Momente im Roman, in denen man eindeutig den Willen zur Diagnose gesellschaftlichen Wandels heraushört. In dem vierten Kapitel des dritten Buches bietet der Erzähler einen weit ausholenden Kommentar über die Anforderungen der neuen mechanisierten Landwirtschaft. Er betont die Möglichkeiten einer ungeheuren Steigerung der landwirtschaftlichen Produktivität. Gleichzeitig registriert er die Gefahren, die sich dort (wie auf dem Rothsattelschen Gut) auftun, wo die mechanisierte Fabrikproduktion inadäquat durchdacht ist:

> [...] dreimal wehe dem Landwirt, der übereilt in unverständigem Gelüst die schwarze Kunst des Dampfes über seine Schollen führt, um Kräfte aus ihnen hervorzulocken, die nicht darin leben. [...] In dem Schwunge der Räder, die er vorwitzig in seinem Kreis aufstellte, wird zerrissen, was in seiner Wirtschaft noch unversehrt war, die Kraft seines Bodens verzehrt sich in fruchtlosen Versuchen, seine Gespanne erlahmen an schweren Fabrikfuhren, seine ehrlichen Landarbeiter verwandeln sich in ein schmutziges, hungerndes Proletariat. (400)

Zwar ist in solchen Passagen eine Rhetorik am Werk (man denke etwa an das Pathos des „dreimal wehe dem Landwirt"), die fehl am Platze ist. Was aber an dieser Textstelle beeindruckend ist, ist der Versuch, Wirren, Konflikte und Spannungen zu artikulieren, die aus dem Zusammenprallen von alter, beinahe feudaler Arbeitsorganisation und den Anforderungen moderner, fabrikmäßiger Massenherstellung hervorgehen. Der Untergang der Rothsattelschen Familie wird dadurch symptomatisch – symptomatisch für

wichtige, weiterreichende Prozesse als der Ehrgeiz eines jüdischen Böse-
wichts namens Veitel Itzig.

Eine ähnliche Resonanz sozialkultureller Diagnose läßt sich aus dem Brief
erkennen, den Fink aus Amerika schreibt. Er berichtet von den Greueln
eines entfesselten Kapitalismus:

> Ich bin unter die Räuber und Mörder gegangen. Wenn Du einen harten Kehlab-
> schneider brauchst, wende Dich nur an mich. [...] Wie das Felsstück in der
> Schneemasse, so stecke ich, von allen Seiten eingeengt, in der eisigen Kälte der
> furchtbarsten Spekulationen, welche je großartiger Wuchersinn ausgedacht hat.
> Der Verstorbene hat die Güte gehabt, gerade mich zum Erben seiner Lieblings-
> projekte, der Spekulationen mit Land, zu machen. (424)

Das eigentliche Amerika-Bild ist selbstverständlich pauschal und überdi-
mensional. Finks Erlebnisse tragen aber trotzdem dazu bei, den Stellenwert
der zentralen historisch-kulturellen Krise in *Soll und Haben* zu artikulieren. Überall behandelt der Roman das Heraufkommen neuer Wirtschaftsformen und Produktionsweisen, das von den neuen Energien der kapita-
listischen Marktwirtschaft angefacht wird. Aus seiner Skepsis und Abscheu
der modernen Welt gegenüber macht Freytag kein Hehl. Seiner Diagnose
mangelt jene Differenzierung und Vielschichtigkeit, die etwa bei Keller,
Raabe, Fontane und Thomas Mann zu registrieren ist. *Soll und Haben*
beruht letztlich auf dem gewaltigen literarischen Versuch, die Energien der
modernen Marktwirtschaft dadurch zu domestizieren, daß sie in dem hei-
len Ort der familialen Schröterschen Firma letztlich aufgehoben und ge-
bannt werden. Antons Eindrücke als Neuling geben dem Erzähler die
Möglichkeit, diese Wirtschaftsform zu beschreiben und zu deuten:

> Das Geschäft war ein Warengeschäft, wie sie jetzt immer seltener werden, jetzt,
> wo Eisenbahnen und Telegrafen See und Inland verbinden, wo jeder Kaufmann
> aus den Seestädten durch seine Agenten die Waren tief im Lande verkaufen läßt,
> fast bevor sie im Hafen angelangt sind, so selten, daß unsere Nachkommen diese
> Art des Handels kaum weniger fremdartig finden werden als wir den
> Marktverkehr zu Tombuktu oder in einem Kaffernkral. Und doch hatte dies alte
> weit bekannte Binnengeschäft ein stolzes, ja fürstliches Ansehen, und, was mehr
> wert ist, es war ganz gemacht, feste Gesinnung und ein sicheres Selbstgefühl bei
> seinen Teilhabern zu schaffen. Denn damals war die See weit entfernt, die Kon-
> junkturen waren seltener und größer; so mußte auch der Blick des Kaufmanns
> weiter, seine Spekulation selbständiger sein. Die Bedeutung einer Handlung be-
> ruhte damals auf den Massen der Waren, die sie mit eigenem Gelde gekauft hatte
> und auf eigene Gefahr vorrätig hielt. Auf den Packhöfen am Flusse lag in langen
> Speichern ein großer Teil der fremden Waren aufgestapelt, ein kleinerer Teil in
> den Kellern und Gewölben des alten Hauses selbst, viele Vorräte in Speichern
> und Remisen der Nachbarschaft. Ein großer Teil der Kaufleute in der Provinz
> versorgte sich aus den Magazinen der Handlung mit Kolonialwaren und den

tausend guten Erzeugnissen der Fremde, welche uns ein tägliches Bedürfnis geworden sind. (56)

Auffallend hier ist Freytags Wahrnehmung einer Geschäftsform, die Dynamik und Solidität ausstrahlt, aber gleichzeitig mit der modernen Welt intensiv verknüpft ist, ohne aber der Hastigkeit und Abstraktion moderner Wirtschaftsmethoden anheimzufallen. Das Kontor und die Speicher bilden zusammen einen sakralen Ort, in dessen Geheimnisse Anton eingeweiht wird. Das Ineinander von Familie und Firma wird auf jeder Zeile gezeigt und bejaht. Was etwa von Dickens' *Dombey and Son* über Ludwigs *Zwischen Himmel und Erde* bis hin zu Thomas Manns *Buddenbrooks* immer wieder thematisiert und problematisiert wird, wird von Freytag stabilisiert und verherrlicht. Der Roman endet mit einer Geste von geradezu triumphalem Pathos.

> Schmücke dich, du altes Patrizierhaus, freue dich, du sorgliche Tante, tanzet, ihr fleißigen Hausgeister im dämmerigen Flur, schlage Purzelbäume auf deinem Schreibtisch, du lustiger Gips! Die poetischen Träume, welche der Knabe Anton in seinem Vaterhause unter den Segenswünschen guter Eltern gehegt hat, sind ehrliche Träume gewesen. Ihnen wurde Erfüllung [...]. Was ihn verlockte und störte und im Leben umherwarf, das hat er mit männlichem Gemüt überwunden. Das alte Buch seines Lebens ist zu Ende, und in eurem Geheimbuch, ihr guten Geister des Hauses, wird von jetzt ab „mit Gott" verzeichnet: sein neues Soll und Haben. (836)

Was hier zur Sprache kommt, ist ein integratives Wunschbild, das den desintegrativen Kräften der modernen Marktwirtschaft die Stirn bietet. Und auch in anderen Bereichen wird die Moderne von Freytag resolut beiseitegeschoben. Er versucht zum Beispiel, die Subtilitäten moderner Psychologie und Individualisierung dadurch hintanzuhalten, daß er einen Roman von etwa neunhundert Seiten schreibt, der sich mit der absolut rudimentärsten Psychologie des menschlichen Innenlebens begnügt. In *Soll und Haben* gibt es gute und böse Menschen – aber keine komplexen. (Die einzige Ausnahme wäre möglicherweise Bernhard, der vergeistigte, kränkliche Sohn der Ehrenthalschen Familie, dem, wie Hanno Buddenbrook, das Geschäftsleben äußerst zuwider ist.) Es zeugt von diesem gänzlichen Ausbleiben eines ernstzunehmenden Innenlebens, daß die Juden in dem Roman weder eine kulturelle noch eine religiöse Gemeinde bilden.[7] Innerhalb der krassen Vereinfachung von Freytags immensem Wunschbild fungieren sie, wie die Polen und viele der Aristokraten, bloß als unsolide Kontrastfiguren

---

[7] Siehe Mark Gelber: „Teaching literary antisemitism: Dickens' *Oliver Twist* and Freytag's *Soll und Haben*", in: *Comparative Literature Studies* 16, 1979, S. 1-11.

zur verherrlichten Integrität des deutschen Warengeschäfts und dessen symbolischem Vertreter und Verfechter Anton Wohlfart. Die gewollte Problemlosigkeit, jenes betuliche Ineinander von Poesie und Prosa, womit der Roman schließt, ist etwas, was Freytag von seinen in literarischer Hinsicht wichtigen Vor- und Nachfahren unterscheidet.[8] Die intertextuellen Bezüge – etwa zu Goethes *Wilhelm Meister* oder zum romantischen Roman – zeigen nur, wie plakativ und undifferenziert sein erzählerisches Anliegen war; denn die geflissentlich poetisierte Bürgerlichkeit bildet letztlich das Alpha und Omega eines Textes, der von den Anforderungen und Risiken des modernen Lebens weiß, ihnen aber resolut den Rücken kehrt.

In einem späteren Roman, *Die verlorene Handschrift* (1864) stellt Freytag abermals eine deutsche Institution ins Zentrum – die Universität. In diesem Roman sind die gefährlichen Widersacher des Wertzentrums frivole, leichtlebige, perverse Aristokraten. Am Ende klingt alles harmonisch aus in einer Apothese von Ehe und Beruf und von der sie tragenden geistigen Lebensform, der deutschen Kleinstadt. Selten im europäischen Realismus des neunzehnten Jahrhunderts ist eine solch unbeirrbare Vereinfachung von sozialer Thematik und erzählerischer Rhetorik zur globalen Signatur der Romankunst gemacht worden.

---

[8] Vgl. Michael Schneider: *Geschichte als Gestalt: Formen der Wirklichkeit und Wirklichkeit der Form in Gustav Freytags Roman „Soll und Haben"*, Stuttgart 1980.

X. Melodramen des bürgerlichen Bewußtseins

(Friedrich Spielhagen)

Friedrich Spielhagen ist dafür bekannt, daß er eine zeittypische Romantheorie verfaßt hat. Sie wird oft in der Sekundärliteratur erwähnt, mitunter sogar zitiert – aber meistens mit einem Anflug von Herablassung, und zwar weil die Theorie eher unreflektiert ist und die erzählerische Unreflektiertheit zur Grundsignatur des modernen Romans erhebt. Spielhagen wehrt sich energisch gegen jedwede subjektive, kommentierende, reflexive Darstellung. Für ihn verlangt die vielfältige moderne Gesellschaft nach einer artistischen Vermittlung, die objektiv und extensiv ist, die gegebene Weltfülle mit gebührender Breite und Großzügigkeit verzeichnet. Gleichzeitig ist er sich selbstverständlich bewußt, daß die Bewohner der modernen Gesellschaft – und die fiktiven Charaktere im Roman – über ein reich facettiertes Innenleben verfügen. Spielhagen weiß, daß Romanprotagonisten nicht nur als aktive Instanzen zu definieren sind, sondern auch als Bewußtseinsträger, als Quellen der Wahrnehmung und des Erkennens. Während der Er-Erzähler sich objektiv zu verhalten hat, ist es den Romanfiguren durchaus gestattet, ihrer Subjektivität Ausdruck zu verleihen, mitunter als erzählende Instanzen. Die Theorie ist somit als Rechtfertigung zweier Register konzipiert; das Eigenartige daran ist, daß Spielhagen kaum über ein mögliches Wechselverhältnis zwischen den beiden Modalitäten nachdenkt, über eine Dialektik des Objektiven und des Subjektiven, der dritten und der ersten Person.

Gerade das Inadäquate an der Theorie schlägt sich in der Spielhagenschen Praxis nieder, denn seine Romane werden oft von einer eigenartigen Zweistiligkeit gekennzeichnet. Einerseits sind sie Zeitromane, andererseits Liebes- und Intrigenromane; und manchmal besteht herzlich wenig Kontakt zwischen der Sphäre gesellschaftlichen Chronistentums und der Sphäre grandioser Gefühlsregungen, Liebschaften und Abenteuer. Spielhagen war ein erfolgreicher Schriftsteller, und viele seiner Romane sind als Fortsetzungsromane konzipiert. Wie Balzac und Dickens hatte er eine enge Beziehung zum populären Lesestoff, zur Unterhaltungsliteratur. Ein Desideratum dabei war eine leidenschaftliche, sogar melodramatische Handlung, die sich womöglich immer wieder in crescendi gegen Ende eines Kapitels entladen soll. Dabei spielen solche stürmischen Ereignisse in einer fiktiven Welt, die durchaus wiederkennbar ist. Denn diese Welt strotzt vor

Indizien, die den Eindruck erwecken, daß „die Fakten stimmen", daß der Leser mit einer genauen Mimesis der ihm vertrauten, außerliterarischen Welt konfrontiert wird. Vor allem dort, wo es sich um Intrigen in hohen finanziellen, institutionellen und politischen Kreisen handelt, erlebt der Leser jenen Kitzel des Vertrautwerdens mit der Lebensweise höherer und mitunter exotischer Gesellschaftskreise. All das hat mit der modernen „Seifenoper" im Fernsehen frappante Ähnlichkeiten; in *Dallas* und *Dynasty* ist unentwegt von gewaltigen Leidenschaften in höheren Kreisen die Rede.

Man darf dabei aber nicht vergessen, daß die Resonanz der Dickensschen Romane für die zeitgenössische Leserschaft durchaus vergleichbar war mit den Reaktionen des heutigen Massenpublikums auf eine beliebte Fernsehserie. Dickens neigt zu geradezu melodramatischen Exzessen – und Balzac auch; beide haben eine Vorliebe für schwarzweiße Charakterdarstellung, für unsägliche Bösewichte und für Engel der Reinheit und Unschuld. Und Dickens und Balzac widmen sich detaillierten Beschreibungen der konkreten Umwelt ihrer Figuren, damit die Leser sich vorstellen können, wie es in den jeweiligen Räumlichkeiten aussieht, was für Kleider die Romanfiguren tragen, wie sie essen, Gäste empfangen usw. Und doch gehören Balzac und Dickens zum festen Bestand der „klassischen", d.h. ernstzunehmenden Literatur, während *Dallas* und *Dynasty* – und womöglich auch Spielhagen – nur von soziologischer (und keineswegs ästhetischer) Bedeutung sind. Es fragt sich, warum.

Als Antwort ließe sich einiges anführen. Zwei Faktoren sind besonders bedenkenswert. Erstens: trotz der bunten Mannigfaltigkeit der fiktiven Welt bei Balzac und Dickens gibt es meistens zentrale Bilder, Symbole, räumliche oder begriffliche Konstellationen, die zur durchgehaltenen Einheitlichkeit der künstlerischen Aussage beitragen. Bei Balzac ist es des öfteren das Geld und das ganze damit verbundene Wert- und Tauschsystem, das die ungeheure Dynamik der Gesellschaft – aber auch deren Labilität und Instabilität – hervorbringt. Bei Dickens sind es sehr oft Räume, Schauplätze, Institutionen, die zur wesentlichen Signatur des jeweiligen Romanes werden (das Waisenhaus, der Gerichtshof, das Gefängnis). Es handelt sich ständig um ein komplexes Ineinander von konkreter und metaphorischer Sinngebung. Zweitens: die gewaltige, mitunter fast monströse Vitalität der Figuren geht durchweg aus der fiktiv vermittelten sozialen Wirklichkeit hervor und wird somit zum radikalen, drastischen Ausdruck dessen, was sich im Alltag abspielt. Vautrin oder Uriah Heep sind exzeptionelle Beispiele gesellschaftlicher Schicksale; und, so paradox es klingen mag, gerade das Exzeptionelle kann das Typische in drastischer, einprägsamer Form zum Ausdruck bringen.

Wie mir scheint, erreicht Spielhagen nur punktuell das, was einem Dickens oder Balzac konsequent gelingt. Als Beispiel möchte ich kurz auf den späten Roman *Sturmflut* (1877) hinweisen, und ich greife einige symptomatische Beispiele heraus. Der Roman spielt in den sogenannten Gründerjahren, zu einer Zeit also, in der das neue deutsche Reich einen ungeheueren wirtschaftlichen Aufschwung erlebt, eine Konjunktur, bei der Vermögen über Nacht gemacht – und wohlgemerkt auch verloren – werden. Im Zentrum der wirtschaftlichen Ereignisse steht der Plan einer neuen Eisenbahnlinie, bei der verschiedene Figuren aus verschiedenen Klassen mitwirken. Aus bürgerlichen Kreisen stammt Philipp Schmidt, aus der höheren Politik und Administration Geheimrat Schieler. Die Diskussionen drehen sich ständig um die Finanzierung des Projektes – und auch darum, daß sich das Projekt ein allgemeines gesellschaftliches Ansehen aneignen soll. Philipp Schmidt schreibt an den Geheimrat: „Wir brauchen absolut einen hochadeligen Namen nach oben und nach unten. Sie kennen den insularen Patriotismus nicht: ein Leithammel muß erst vorangesprungen sein, freilich – aber dann folgt die ganze Herde."[1] Schmidt ist sich durchaus der Wichtigkeit einer symbolischen Figur, eines Schutzpatrons bewußt. Und er weiß, daß idealiter ein Aristokrat diese Funktion ausüben soll – sowohl „nach oben", damit die Reichen und Einflußreichen im Lande das Gefühl haben, mit einem Vertreter der besten Familien alliiert zu sein, als auch „nach unten", denn die Beteiligung einer lokalen Adelsfamilie kann womöglich dazu beitragen, daß die Einwohner der Gegend, in der die Eisenbahn gebaut werden soll, sich mit dem gewaltigen Schock der Industrialisierung abfinden. Der am besten geeignete „Leithammel" – um Schmidts zynischen Ausdruck zu gebrauchen – ist Graf Golm, der den verschiedenen Anforderungen bestens genügt, und der sich außerdem, wie seine Partner allzu gut wissen, in finanziellen Schwierigkeiten befindet. Geheimrat Schieler empfiehlt eine pragmatische und gezielte Ehe – und auch, daß sich der Graf für die Modernisierung seiner Güter – und selbstverständlich für das Projekt – einsetzen soll: „Verschaffen Sie uns die Konzession des Osthafens, und die Sundwi-Wissower Eisenbahn-Gesellschaft ist morgen fertig."[2] Wenn der Graf auf diese gewünschte Art und Weise mitmacht, dann wird ihm ein neues Wirkungsfeld verschafft werden: „Eine Stelle im Verwaltungsrat ist Ihnen auch sicher." [3] Spielhagen verfügt über ein sehr beachtenswertes Können, was gerade solche Intrigen angeht; er belauscht gern Gespräche, bei denen sich ein beiläufiges soziales Geplauder in gezielte Manipulation

---

[1] Friedrich Spielhagen: *Sturmflut*, Leipzig 1907, S. 158.
[2] Ebda, S. 155.
[3] Ebda, S. 156.

verwandelt. Er versteht sehr gut, wie intensiv Beziehungen gepflegt – und ausgenutzt – werden können. In dieser Hinsicht erinnert er an Anthony Trollope oder C.P. Snow aus der englischen Romantradition.

In *Sturmflut* werden aber viele Kapitel einer Familien- und Liebeshandlung gewidmet, die von sehr verwickelter Undurchsichtigkeit ist. Man hat das Gefühl, daß es kaum von Belang ist, wer eigentlich in wen verliebt ist, wer wen verraten hat. Das Entscheidende ist, daß die Romanhandlung immer wieder Szenen eines himmelstürmenden Pathos generieren soll. Gerade bei solchen Szenen besteht kaum eine Beziehung zwischen der wollüstig geschilderten emotionalen Üppigkeit und der gesellschaftlichen Welt der Gründerjahre. Nehmen wir zum Beispiel folgenden (kurzen) Auszug einer typischen Szene:

> Valerie war bei den letzten Worten von dem Sofa zu Elses Füßen geglitten, das weinende Gesicht in ihrem Schoß verbergend, ihr die Hände, das Gewand küssend in einem Übermaß von Erregung, das nur zu deutlich verriet, welche furchtbare Qual ihr die grausige Beichte bereitet hatte, von welcher Wonne ihr armes, nach Trost lechzendes Herz jetzt durchflutet war. [4]

Um auf die Schlüsselwörter in dieser Szene hinzuweisen: es handelt sich um ein „Übermaß von Erregung", um eine „furchtbare Qual", eine „grausige Beichte", um gewaltige Gebärden des Gefühls, die alle „nur zu deutlich" sind.

Das unmittelbar darauffolgende Kapitel (V. Buch, 5 Kapitel) beginnt aber mit einer Textstelle, die, wenn ich recht sehe, zum Besten gehört, was Spielhagen je geschrieben hat. Es handelt sich um einen Monolog, in dem eine undefinierte Stimme, die sich konsequent in der Wir-Form ausdrückt, den konkreten Schauplatz Berlins registriert und die dort verkörperten kreativen und destruktiven Energien einer Wirtschaft und einer Kultur, die auf Hochtouren läuft, kommentiert. In den Straßen stürmt es. Und das wahrnehmende Bewußtsein nimmt den Sturm sowohl als ein Naturereignis als auch als symbolische Instanz zur Kenntnis, wobei die Symbolik keineswegs mit Naturvorgängen, sondern mit gesellschaftlichen Tumulten und Instabilitäten zu tun hat. In seiner Romantheorie schreibt Spielhagen, wie wir bereits gesehen haben, der Reflexion keine epische Daseinsberechtigung zu; der Er-Erzähler hat objektiv zu sein, der Ich-Erzähler darf emotional, d.h. als mitempfindende, beteiligte Person auftreten.[5] Da ist eine Arbeitstei-

---

[4] Ebda, S. 466.

[5] Vgl. Günter Rebing: *Der Halbbruder des Dichters: Friedrich Spielhagens Theorie des Romans*, Frankfurt am Main 1972; Andrea Fischbacher-Bosshardt: *Anfänge der modernen Erzählkunst: Untersuchungen zu Friedrich Spielhagens theoretischem und erzählerischem Werk*, Bern 1986.

lung am Werk, die sich eher schematisierend und abtötend auswirken kann. Aber in dieser Textstelle ist der Akt des Beschreibens von dem des Kommentierens, Deutens, Reflektierens schlechterdings untrennbar. In diesem Ineinander von Erzählen und Kommentieren, von subjektiver Konzentration (mittels der persönlichen Wahrnehmung) und von epischer Verallgemeinerung (mittels der Wir-Form) wird das Konkrete auf einer symbolischen Darstellungsebene transparent, wobei umgekehrt das Symbolische im Konkret-Gesellschaftlichen verankert wird. Die Sturmflut wird zur organisierenden Konstellation einer differenzierenden, breitspektrigen epischen Darstellung [6]:

> Auch durch Berlins geradezeilige Straßen sauste heute Abend der Sturm.
> Mag er doch! Was kümmert's uns, die wir hier unten die Trottoirs entlang hasten – eine Unbequemlichkeit mehr! Wir sind an Unbequemlichkeiten jeder Art gewöhnt! Und wenn uns ein Ziegel oder ein Schiefer vor die Füße niederklappert – uns hat er ja nicht getroffen – Gott sei Dank! Und sollte ein Schornstein umgeweht oder ein kleines Haus eingedrückt werden, oder etwas derart – wir werden es ja morgen im Polizeiberichte lesen! Wir haben an wichtigere Dinge zu denken, – wahrhaftig! Der Sturm, der heute durch die Kammerdebatte gebraust ist, wird die Dächer mancher Fabrik auf Aktien noch ganz anders abdecken, manch großes Haus, das heute morgen noch sehr fest zu stehen schien und die Börse beherrschte, bis in seine Grundmauern erschüttern und andere zum schmählichsten Falle bringen. Gleich dieses hier! Es ist eben erst fertig geworden, nachdem der Bau über Jahr und Tag gedauert, Unsummen gekostet, und seine Herrlichkeiten die Bewunderung aller erregt, die zu schauen begnadigt gewesen, und die brennende Neugier der vielen, die sich mit dem Anblick der turmhohen Gerüste begnügen müssen. – Sollte nicht der große Einweihungsball stattfinden, über den sie in den betreffenden Kreisen sich schon seit vierzehn Tagen Wunderdinge erzählt? Freilich! und freilich ein kurioses Zusammentreffen, daß es just heute sein muß, wo der zündende Blitz in das Nachbarhaus geschlagen, das auf demselben hohlen Fundamente steht, aus demselben sündhaft schlechten Material in die Höhe gebracht und, alles in allem, genau derselbe elende Schwindel ist, vom Grunde bis zum Giebel. [7]

Auffallend – und bewundernswürdig – an diesem Passus ist die flexible, vielschichtige Erzählweise. Es handelt sich nämlich um einen Augenblick stark nach innen verlegten Erzählens, das aber eine unverkennbar öffentliche Dimension beibehält. Denn die Stimme, die spricht, artikuliert das Bewußtsein einer Kollektivität, eines „wir", das „an Unbequemlichkeiten jeder Art gewöhnt" ist. „Wir" sind diejenigen, die „die Trottoirs entlang

---

[6] Vgl. Bernd Neumann: „Friedrich Spielhagens *Sturmflut* (1877): Die ‚Gründerjahre' als die ‚Signatur des Jahrhunderts'", in: *Romane und Erzählungen des bürgerlichen Realismus*, hg. v. Horst Denkler, Stuttgart 1980, S. 260-273.

[7] Spielhagen, *Sturmflut*, S. 467 f.

hasten", die die Auswirkungen eines (wie es heute heißen würde) „Bau-
booms" dadurch zur Kenntnis nehmen, daß sie immer an immensen Bau-
stellen vorbeigehen, und „sich mit dem Anblick der turmhohen Gerüste
begnügen müssen". Es ist aufschlußreich, daß gerade das Nachbarhaus vom
Blitz getroffen worden ist. Das Prekäre an diesem Haus ist für die übrigen
Bauten kennzeichnend. Man merkt die umgangssprachliche Deixis, die beinahe theatralische Gebärde des Zeigens („gleich dieses hier"), des räumli-
chen Situierens („wir hier unten") und der zeitlichen Plazierung („morgen",
„heute", „eben erst", „seit vierzehn Tagen"). Man merkt die Aggression, die
Skepsis, die Bereitschaft zu gesellschaftlicher Kritik, ja sogar zur Auflehnung. Und dabei hat dieser Passus etwas Obsessives, Überrhetorisches,
denn man merkt, daß diejenigen „hier unten" letztlich hilflos sind. Sie sind
marginale Figuren, die teils mit Unglauben, teils mit Ressentiment, teils mit
Schadenfreude zusehen müssen, wie sich ihre Stadt um sie herum verwandelt. In einem solchen Textabschnitt, wo sich Wahrnehmung, Emotion und
Reflexion überschneiden, kommt ein mentalitätsbelauschender Realismus
zustande, der sonst im Romanwerk Spielhagens kaum anzutreffen ist. Des
öfteren schwankt er sozusagen zwischen „Held" und „Welt"; [8] hier aber
kommen beide auf expressive Art und Weise zusammen.

---

[8] Vgl. Henrike Lamers: *Held oder Welt? Zum Romanwerk Friedrich Spielhagens*,
Bonn 1971; Ernst Kohn-Bramstedt: *Aristocracy and the Middle Classes in Germany: social types in German literature 1830-1900*, London 1937.

XI. Die Sozialisierung individueller Phantasie

(Gottfried Keller)

In seiner erzählerischen Produktion zeigt Gottfried Keller eine manifeste Vorliebe für zwei Gattungen – die Novelle und den Bildungsroman –, die sehr oft als „typisch deutsch" betrachtet worden sind. Die Novelle wird häufig als straffe, symbolisch konzentrierte Form definiert[1], und der Bildungsroman gilt als verinnerlichte Biographie einer sich entfaltenden, geistig differenzierten Persönlichkeit.[2] Beide Gattungen können somit kaum als zentrale Beispiele des sozialkritischen, realistischen Kunstwillens gelten, obwohl, wie ich in diesem Kapitel zeigen will, sie punktuell – und vor allem in Kellers Händen – zu unserem Verständnis des realistischen Projektes Entscheidendes beitragen können.

Kellers Erzählung *Romeo und Julia auf dem Dorfe*, die im ersten Band der *Leute von Seldwyla* (1856) erscheint, wird von einem intensiven, durchkomponierten Symbolgeflecht getragen, das, zusammen mit dem Titel der Erzählung, der eine dörfliche Version der Shakespeareschen Tragödie verspricht, dazu verleiten kann, daß wir die zentrale Fabel als poetisierte Schilderung des Dorflebens im Zeichen eines ehrwürdigen und erhabenen ästhetischen Musters deuten. Was Keller aber m.E. erreicht, ist keine Ästhetisierung bzw. Poetisierung des seldwylaschen Gemeindelebens; sondern vielmehr dessen narrative Hinterfragung mittels einer intensiv symbolischen erzählerischen Form. Keller war sich jener „Dialektik der Kulturbewegung"[3] durchaus bewußt, dank welcher traditionelle Themen und Gattungsmuster im Kontext des historischen Wandels intertextuell befragt und variiert wurden. Das Shakespearesche Modell wird, wie wir sehen werden, im Zeichen des Realismus des neunzehnten Jahrhunderts

---

[1] Vgl. den kürzlich erschienenen Forschungsbericht zur deutschen Novelle, Siegfried Weing: *The German Novella; two centuries of criticism*, Columbia, S. Carolina 1994.

[2] Zum Bildungsroman siehe Todd Kontje: *The German Bildungsroman: History of a national Genre*, Columbia, S. Carolina 1993.

[3] Keller: *Gesammelte Briefe*, hg. v. von Carl Helbling, Bern 1950-54, Bd. 1, S. 400. Zur bewußten, will sagen thematisierten Historizität von Kellers Schreibweise vgl. Heinrich Richartz: *Literaturkritik als Gesellschaftskritik*, Bonn 1979; Klaus Jeziorkowski: *Literarität und Historismus*, Heidelberg 1979.

umgedeutet.[4] Aus dem Geist einer lyrischen, beinahe metaphysich anmutenden Tragödie wird eine moderne Prosaerzählung menschlicher Determinierung mittels des Sozialisierungsprozesses geboren. Denn Keller zeigt uns immer wieder, nicht trotz, sondern wegen der überall vorhandenen Symbolik, wie sehr die Normen und affektiven Bilder einer bestimmten Gesellschaft mit dem Seelenleben des Individuums untrennbar verwoben sind.

Die Erzählung beginnt mit einem Vorwort:

> Diese Geschichte zu erzählen würde eine müßige Nachahmung sein, wenn sie nicht auf einem wirklichen Vorfall beruhte, zum Beweise, wie tief im Menschenleben jede jener Fabeln wurzelt, auf welche die großen alten Werke gebaut sind. Die Zahl solcher Fabeln ist mäßig; aber stets treten sie in neuem Gewande wieder in die Erscheinung und zwingen alsdann die Hand, sie festzuhalten.(85)[5]

Wir erfahren somit, daß die Handlung auf einem wirklichen Vorfall basiert, wobei sie aber auch an einen bekannten literarischen Stoff erinnert. Die Ähnlichkeit mit einer der großen Fabeln der Weltliteratur (Shakespeares Drama) erlaubt uns, auf das „neue Gewand" zu achten, in dem sich das ästhetische Modell einmal wieder verwirklicht. Die Geschichte, die wir lesen werden, ist eine dörfliche Version des *Romeo and Juliet*-Stoffes. Beide Aspekte des Titels – die Shakespeareschen Anklänge und die provinzielle Umwelt – müssen dabei berücksichtig werden. In einem Brief an Berthold Auerbach verteidigt Keller den Titel seiner Erzählung:

> Erstens ist ja das, was wir selbst schreiben, auch auf Papier gedruckt und gehört von dieser Seite zur papiernen Welt, und zweitens ist ja Shakespeare, obgleich gedruckt, doch nur das Leben selbst und keine unlebendige Reminiszenz. Hätte ich keine Bemerkung über die wirkliche Vorkommenheit der Anekdote und über die Ähnlichkeit mit dem Shakespearischen Stoffe gemacht, so hätte man mich einer gesuchten und dämlichen Wiederholung beschuldigt, während jene kurze Notiz voraus gesagt, die Geschichte dadurch eine berechtigte Pointe erhielt.[6]

Sali und Vrenchen sind, wie wir sehen werden, keine „star-crossed lovers" im Sinne Shakespeares. Ihr Schicksal steht nicht in den Sternen geschrieben.

---

[4] Siehe Jürgen Rothenberg: *Gottfried Keller: Symbolgehalt und Realitätserfassung seines Erzählens*, Heidelberg 1976.

[5] Zitiert wird nach Gottfried Keller: *Sämtliche Werke*, hg. v. Jonas Fränkel, Erlenbach-Zürich und München 1927, Bd. 7. Da *Der grüne Heinrich* mehrere Bände in Anspruch nimmt, wird die Bandnummer zuerst angegeben.

[6] Zitiert nach: *Dichter über ihre Dichtungen: Gottfried Keller*, hg. v. Klaus Jeziorkowski, München 1969, S. 276.

Sowohl sprachlich wie auch psychologisch entbehren sie jener existentiellen und lyrischen Intensität, die ihre Vorbilder bei Shakespeare charakterisiert. Sie sind, mit einem Wort ausgedrückt, viel alltäglicher. Aber ihre Alltäglichkeit ist gerade konstitutiv für jenes „neue Gewand", in das sich der Shakespearesche Stoff kleidet. Denn in der kleinkarierten Welt von Seldwyla und Umgebung wird das menschliche Schicksal nicht von transzendentalen Mächten bestimmt: vielmehr ist es im Bewußtsein von zwei jungen Leuten verankert, das so sehr von den Werten einer bestimmten Gemeinde, einer bestimmten Kultur geprägt ist, daß kein Ausweg mehr möglich ist. Keller versäumt nicht, die soziale und wirtschaftliche Basis des Familienzwistes deutlich zu machen, während bei Shakespeare diese Art von Motivation vollkommen ausbleibt:

> Two households, both alike in dignity,
> In fair Verona, where we lay our scene,
> From ancient grudge break to new mutiny,
> Where civil blood makes civil hands unclean.

Der Familienzwist wird als ein nicht weiter zu ergründendes *Donnée* dargestellt. Hingegen ist bei Keller der auslösende Faktor im Familienzwist wirtschaftlicher Art – und aus diesem gesellschaftsspezifischen Ausgangspunkt folgt alles mit unerbittlicher Logik. Sali und Vrenchen gehen nicht nur an der Fehde zugrunde, die ihre Familien trennt, sondern daran, daß sie weiterhin an jenen Werten hängen, die, in pervertierter Form, für den Zwist verantwortlich sind.

Es ist aufschlußreich, wenn wir uns an den Entstehungsprozeß der Erzählung erinnern. In der *Zürcher Freitagszeitung* vom 3. September 1847 las Keller folgenden Bericht:

> Im Dorfe Altsellerhausen, bei Leipzig, liebten sich ein Jüngling von 19 Jahren und ein Mädchen von 17 Jahren, beide Kinder armer Leute, die aber in einer tödlichen Feindschaft lebten und nicht in eine Vereinigung des Paares willigen wollten. Am 15. August begaben sich die Verliebten in eine Wirtschaft, wo sich arme Leute vergnügen, tanzten daselbst bis nachts 1 Uhr und entfernten sich hierauf. Am Morgen fand man die Leichen beider Liebenden auf dem Felde liegen; sie hatten sich durch den Kopf geschossen. (391)

Nur zweieinhalb Wochen später beschreibt Keller in einer Tagebucheintragung, wie zwei Bauern ihre Felder pflügen:

> Zwei stattliche sonnengebräunte Bauern pflügen mit starken Ochsen auf zwei Äckern, zwischen welchen ein dritter großer brach und verwildert liegt. Während sie die Pflugschar wenden, sprechen sie über den mittleren schönen Acker, wie er nun schon so manches Jahr brach liege, weil der verwahrloste Erbe

desselben sich unstät in der Welt herumtreibe. Frommes und tiefes Bedauern der beiden Männer, welche wieder an die Arbeit gehen und jeder von seiner Seite her der ganzen Länge nach einige Furchen dem verwaisten Acker abpflügt. Indem die Ochsen die Pflüge langsam und still weiter ziehen und die beiden Züge hüben und drüben sich begegnen, setzen die beiden Bauern eintönig ihr Gespräch fort, über den bösen Weltlauf, fahren dabei mit steter Hand den Pflug und tun, jeder als ob er den Frevel des Andern nicht bemerkte. Die Sonne steht einsam und heiß am Himmel. (391)

Während des Winters 1848/49 versucht Keller, diese Szene in Verse umzuschreiben, bringt aber nur sieben Strophen zustande. Am 28. Januar 1849 erwähnt er in einem Brief an Baumgartner „jenes epische Gedicht mit den zwei jungen Leuten und den Bauern, welche pflügen".[7] Obwohl die Erzählung erst sechs Jahr später fertiggeschrieben wird, ist es klar, daß das auslösende Moment im Schaffensprozeß gerade jene Assoziation war, die eine Liebestragödie nach Shakespeareschem Muster mit jenem Bild von den zwei pflügenden Bauern verband. Der Entstehungsprozeß zeigt uns, wie es Keller allmählich gelungen ist, seine Dorftragödie zu motivieren. Und diese Motivierung hat mit dem undurchdringlichen Walten eines rätselhaften Geschicks nichts zu tun, sondern ist vielmehr mit dem Bild eines immer wiederkehrenden Arbeitsprozesses verbunden.[8]

Die eigentliche Handlung beginnt mit der breitangelegten Schilderung von Manz und Marti, den pflügenden Bauern. Die Szene strahlt eine physisch spürbare Integrität aus: an der detaillierten Beschreibung merken wir, wie sehr diese Arbeit von einer traditionellen Ordnungsliebe zeugt. Die zwei Bauern „verkünden auf den ersten Blick den sichern, gutbesorgten Bauersmann"(86). Von Individualität merken wir keine Spur; beide gehen in den zeitlosen Rhythmen des Arbeitsvorgangs auf. Vor diesem archetypischen Bild bezeugt der Erzähler seine Achtung:

> So pflügten beide ruhevoll, und es war schön anzusehen in der stillen goldenen Septembergegend, wenn sie so auf der Höhe aneinander vorbeizogen, still und langsam, und sich mählig voneinander entfernten, immer weiter auseinander, bis beide wie zwei untergehende Gestirne hinter die Wölbung des Hügels hinabgingen und verschwanden. (87)

Die unveränderliche Regelmäßigkeit dieser alltäglichen Tätigkeit erinnert den Erzähler an die Bahn von zwei Gestirnen. Auf dieses Bild werden wir später zurückkommen müssen. Beide Bauern bewegen sich „mit einer gewissen natürlichen Zierlichkeit" (86); aber hinter der symmetrischen

---

[7] Keller: *Briefe*, Bd. I, S. 276.
[8] Siehe Winfried Menninghaus: *Artistische Schrift: Studien zur Kompositionskunst Gottfried Kellers*, Frankfurt am Main 1982.

Ordnung der Szene vibriert etwas Unheimliches und Bedrohliches – wie etwa in der berühmten Schilderung der Zipfelmützen. Dem einen Pflüger hängt der Zipfel nach hinten, dem anderen nach vorne. Wie sie beide auf der Höhe zusammentreffen, schlägt der Wind den einen Zipfel nach vorne und den anderen nach hinten. Als Detail mag das harmlos anmuten. Aber der Erzähler steigert das körperliche Detail zu einem Bild, das in seiner Überhöhung dessen, was physisch möglich ist, beinahe gespenstisch wirkt: „Es gab auch jedesmal einen mittlern Augenblick, wo die schimmernden Mützen aufrecht in der Luft schwankten und wie zwei weiße Flammen gen Himmel züngelten" (86 f.). Die Metaphorik ist aussagekräftig – die Mützen schimmern wie Flammen, und die Szene ist von einem bedrohlichen Element wie elektrisch geladen. Jene Bedrohung ist aber von der Stärke und Schönheit, welche der Kontinuität der bäuerlichen Lebensweise zugrundeliegt, untrennbar. Die zwei pflügenden Bauern sind „wie zwei untergehende Gestirne". Ihr Untergang, der Untergang der Lebensweise, die sie so anschaulich verkörpern, wird sich schicksalsbestimmend auf das Leben ihrer Kinder auswirken. Es gibt keine anderen Gestirne in dieser Erzählung. In dem Satz, mit dem der Erzähler die Anfangsszene seiner Geschichte abrundet, wiederholt er die Anspielung an das „Sternbild" und fügt hinzu: „so gehen die Weberschiffchen des Geschickes aneinander vorbei und ‚was er webt, das weiß kein Weber!'" (96). Das Schicksal wird vom Menschen, von Gemeinden, vor allem von jenen Werten gemacht, die sich so unaufhaltsam bei denjenigen einprägen, die in dieser unentrinnbaren Lebensatmosphäre aufwachsen.

Die Engstirnigkeit, die beim Pflügen so manifest wird, wird in dem Gespräch unterstrichen, das während der Mittagspause stattfindet. Es dreht sich um das brachliegende Feld. Beide Bauern zweifeln kaum ernstlich daran, daß das Feld dem „Schwarzen Geiger" gehört, aber der Geiger kann seinen Anspruch nicht geltend machen, weil ihm die nötigen Papiere fehlen. Manz und Marti sind dankbar, daß die Amtswege sich zu Ungunsten des Geigers auswirken. Er wohnt bei den Heimatlosen, er hat keinen Taufschein, er ist aus der Gemeinde ausgeschlossen. Zwischen dem Schwarzen Geiger und dem verwahrlosten Feld besteht eine sowohl wirtschaftliche als auch symbolische Verbindung. Manz bezeichnet jenes Feld als „verwildert" (89). Es ist ein Territorium, das von der bebauten Ordentlichkeit der benachbarten Felder ausgeschlossen ist. Auf diesem Feld werden Sali und Vrenchen spielen, nachdem ihre Väter mit dem Mittagsmahl fertig sind. Die Kinder werden in einem Niemandsland, auf jenem „wilden Acker", in jener „Wildnis" (91) zwischen den beiden Vätern zusammenkommen. Indem Manz und Marti eine zusätzliche Furche in dem herrenlosen Acker reißen, indem sie sich unerbittlich jenem Konflikt nähern, der sie und ihre Familien zugrunderichten wird, werden Sali und Vrenchen zu den Opfern jener heillosen Besessenheit. In ihrer symbolischen Bedeutung legt diese Szene den Grundstein für jenes entscheidende Symbolgeflecht, das sich durch die ganze Geschichte zieht – „wild", „verwildert", „Verwilderung" sind Schlüsselbegriffe.[9] Jahre später werden sich Sali und Vrenchen an dieser Stelle treffen, und Marti wird sie entdecken. An dieser Stelle werden sie auch dem Schwarzen Geiger begegnen. Sie werden entdecken müssen, daß sie – sowohl im buchstäblichen als auch im metaphorischen Sinne – in einen Bereich gedrängt worden sind, wo allein der Schwarze Geiger ihnen eine mögliche Lebensweise wird anbieten können. Es ist aber eine Lebensweise, in der sie sich unmöglich zurechtfinden können, weil sie sich immer noch nach der Ordnung sehnen, in der sie aufgewachsen und aus der sie später verstoßen worden sind. Die Resonanz des Symbolgeflechts ist unüberhörbar. Die Aussage, die durch jene symbolische Darstellung vermittelt wird, hängt aber mit der gesellschaftsspezifischen Motivierung der Tragödie zusammen.

Auf das Gespräch zwischen Manz und Marti folgt eine Beschreibung der Kinderspiele, jener letzten Idylle, bevor der Sturm über die beiden hereinbricht. Die Schilderung der Kinderspiele ist in ihrer Sachlichkeit und in ihrem Fehlen von Sentimentalität meisterhaft: die Kinder sind lustig, lieb – aber auch grausam. Sie necken einander, sie prahlen und streiten sich; hinter all dem verbirgt sich eine schüchterne Sexualität. Die Unbeholfenheit der körperlichen Attraktion zwischen den beiden drückt sich in dem Spiel aus, wo jeder versucht, die Zähne des Partners zu zählen.

Einige Zeit später wird der herrenlose Acker zum Verkauf angeboten. Es sind nur zwei Käufer, die ernsthaft interessiert sind – Manz und Marti. Die anderen versammeln sich aus purer Neugierde. Der Erzähler kommentiert:

> Die meisten Menschen sind fähig oder bereit, ein in den Lüften umgehendes Unrecht zu verüben, wenn sie mit der Nase darauf stoßen; sowie es aber von einem begangen ist, sind die übrigen froh, daß sie es doch nicht gewesen sind, daß die Versuchung nicht sie betroffen hat, und sie machen nun den Auserwählten zu dem Schlechtigkeitsmesser ihrer Eigenschaften und behandeln ihn mit zarter Scheu als einen Ableiter des Übels, der von den Göttern gezeichnet

---

[9] Zur Symbolik der Erzählung vgl. Mary Gilbert: „Zur Bildlichkeit in Kellers *Romeo und Julia*", in: *WW* 4, 1953-54, S. 354-358; H. D. Irmscher: „Konfiguration und Spiegelung in Gottfried Kellers Erzählungen", in: *Euph* 65, 1971, S. 319-418; Gerhard Kaiser: „Sündenfall, Paradies und himmlisches Jerusalem in Kellers *Romeo und Julia*", in: *Euph* 65, 1971, S. 21-48; Udo Kultermann: „Bildformen in Kellers *Romeo und Julia*", in: *DU* 9, 1956, H.3, S. 86-100; Erika Swales: *Gottfried Keller, the Poetics of Scepticism*, Oxford and Providence 1995.

ist, während ihnen zugleich noch der Mund wässert nach den Vorteilen, die er dabei genossen. (97)

Was sich zwischen Manz und Marti abspielt ist abnormal – und diese Abnormalität wird absurde Ausmaße annehmen. Aber ihre Besessenheit ist kein bloß persönlicher – d.h. idiosynkratischer – Fehler. Ihre Engstirnigkeit hat mit der Solidität und Unabänderlichkeit ihrer Arbeit zu tun: ihr ethischer und rechtlicher Fanatismus geht aus den Werten ihrer Heimatgemeinde hervor. Was Manz und Marti tun, ist eigenartig und außerordentlich: aber das Außerordentliche soll hier als die radikale Verkörperung des Allgemeinen und Kommunalen verstanden werden. Gerade im Sinne dieser Verschmelzung des Besonderen mit dem Typischen haben wir Kellers Äußerung in der Vorrede zum ersten Band der *Leute von Seldwyla* (in dem diese Geschichte erscheint) zu deuten:

> Doch nicht solche Geschichten, wie sie in dem beschriebenen Charakter von Seldwyla liegen, will ich eigentlich in diesem Büchlein erzählen, sondern einige sonderbare Abfällsel, die so zwischendurch passierten, gewissermaßen ausnahmsweise, und doch auch gerade nur zu Seldwyla vor sich gehen konnten. (6)

Die Erzählungen behandeln keine alltägliche Erfahrung, sie berichten nicht das, was gang und gäbe ist. Diese Geschichten drehen sich vielmehr um Einzelfälle, um Ausnahmen, die aber den Werten und dem Charakter der Seldwyler Gemeinde geradezu typischen Ausdruck verleihen. Eine solche Auffassung des Besonderen als Paradigma des Typischen ist von der Theorie und der Praxis des europäischen Realismus immer wieder hervorgehoben worden.

Manz kauft das Feld, und sofort beginnt die gerichtliche Auseinandersetzung mit Marti. Jeder fühlt sich „in seiner wunderlichen Ehre gekränkt" (102), „der beschränkteste Rechtssinn der Welt" (102) sucht beide Bauern heim, und Manz wird von einem „wunderbare[n] Sinn für Symmetrie und parallele Linien" (102) besessen. Wir werden an die Anfangsszene erinnert – an die Symmetrie der pflügenden Bauern. Der Erzähler macht aus seiner Ablehnung der Bauern kein Hehl, aber er vergißt nicht, sein kritisches Augenmerk auf jene Seldwyler zu richten, die von dem grotesken Übereifer der beiden Bauern profitieren. Wieder einmal merken wir, daß das Vergehen von Manz und Marti in dem Gesamtkontext der Gemeinde verwurzelt ist. Der Untergang der Väter wirkt sich katastrophal auf die Kinder aus. Beide leiden nicht nur körperlich, sondern auch seelisch an dem Unglück. Immer wieder betont der Erzähler, daß ihr Leiden an dem Fehlen der alltäglichen Ordnung akut ist. Beide Väter versuchen, in zunehmenden Geldnöten durch Fischen ihre Familien zu ernähren. Das Fischen ist „eine Hauptbeschäftigung der Seldwyler, nachdem sie falliert hatten" (115). Der

Erzähler schildert die merkwürdigen Originale, die am Bach fischen. Immer wieder zeugt ihr eigenartiges, wenn nicht absurdes Aussehen von dem gesellschaftlichen Abstieg: viele haben die schäbigen Überreste ihrer ehemaligen sozialen Würde beibehalten: „der eine in einem langen braunen Bürgerrock, die bloßen Füße im Wasser, der andere in einem spitzen blauen Frack [...] weiterhin angelte gar einer im zerrissenen großblumigen Schlafrock" (115). Durch diese Beschreibung wird veranschaulicht, daß dieses abnormale Verhalten keineswegs nur das Ergebnis persönlicher Exzentrizität oder seelischer Gestörtheit ist – sondern daß der gesellschaftliche Untergang dafür mit verantwortlich ist. Das Abnormale geht aus der Interaktion von privaten und sozialen Faktoren hervor.

Der bittere Kampf zwischen Manz und Marti bricht aus, als die beiden wieder einmal in Konkurrenz geraten: beide sind groteske Außenseiter, die jetzt auf das Fischen angewiesen sind. Beide Väter – „die verwilderten Männer" – ringen miteinander auf der kleinen Brücke am Fluß. Das groteske und entehrende Spektakel erinnert an jenes andere groteske Spektakel in den Seldwyler Geschichten – an das Wettrennen, das den Höhepunkt der *Drei gerechten Kammacher* bildet. Dort wie hier geht das Abnormale aus einer radikalen Verzerrung der Werte, Erwartungen und Aspirationen des bürgerlichen Bewußtseins hervor.

Der Streit bringt Sali und Vrenchen wieder zusammen. Sali sucht Vrenchen am folgenden Tag auf. Als sie miteinander spazieren gehen, unterstreicht der Erzähler den symbolischen Wert der Rückkehr zu dieser Stelle. Ihre Bewegungen vollziehen sich – sowohl buchstäblich als auch metaphorisch – im Banne jener ursprünglichen Rhythmen des Pflügens:

> sie legten zwei und dreimal den Hin- und Herweg zurück, still, glückselig und ruhig, so daß dieses einige Paar nun auch einem Sternbilde glich, welches über die sonnige Rundung der Anhöhe und hinter derselben niederging, wie einst die sichergehenden Pflugzüge ihrer Väter. (129)

Die Väter sind jetzt verwildert: aber diese Verwilderung kann jene sozialen und kulturellen Werte, die sich so tief bei den Kindern eingeprägt haben, nicht verscheuchen. Jene Ordentlichkeit findet jetzt ihr Gegenbild: „Als sie aber einsmals die Augen von den blauen Kornblumen aufschlugen, an denen sie gehaftet, sahen sie plötzlich einen andern dunklen Stern vor sich hergehen" (129). Das junge Paar wird, da es die Bewegungen der pflügenden Bauern ausführt, zu einem „Sternbild" – genauso wie ihre Väter damals für sie Leit- und Sternbild waren. Der andere, dunkle Stern ist der „schwarze Geiger". In diesem Konnex von heiterem und dunklem Sternbild spielt sich die Tragödie der Liebenden ab. Der Geiger hat etwas Unheimliches an sich: Sali und Vrenchen folgen ihm „wie in einem seltsamen Bann" (130); sie gehen hinter diesem „unheimlichen Gesellen" (130) her, und sie kommen zu jenem Steinhaufen, der den Untergang von Manz und Marti symbolisiert. Die Steine sind jetzt mit „feuerroten" Blumen bedeckt: der Geiger springt hinauf, und von dieser Warte aus redet er die beiden jungen Leute an. Die Farben (schwarz und rot), das groteske Aussehen des Mannes, der unverkennbare Symbolwert seines Erscheinens zu diesem Zeitpunkt an dieser Stelle – das alles scheint auf das Hereinspielen von unheimlichen, ja dämonischen Kräften hinzuweisen. [10] Aber wir dürfen nicht vergessen, daß das Unheimliche aus dem Zusammenwirken von sozial-psychologischen Faktoren entstehen kann – wie es bei der Fischerszene der Fall war. Als der Geiger spricht, bekommen wir keine Märchengestalt zu hören. Alles, was er sagt, hat mit dem an ihm begangenen sozialen und wirtschaftlichen Unrecht zu tun (und es darf nicht übersehen werden, daß in diesem Moment die legitimen Erben der drei Felder der Eingangsszene vereinigt sind):

> Da haben sie vor Jahren ausgeschrieben, daß ein Stück Geld für den Erben dieses Ackers bereit liege; ich habe mich zwanzigmal gemeldet, aber ich habe keinen Taufschein und keinen Heimatschein, und meine Freunde, die Heimatlosen, die meine Geburt gesehen, haben kein gültiges Zeugnis, und so ist die Frist längst verlaufen und ich bin um den blutigen Pfennig gekommen, mit dem ich hätte auswandern können! (131)

Der Geiger wohnt am Rande der Gesellschaft. Er wartet in hilfloser Abhängigkeit auf jene Anerkennung, die ihm nie zuteil werden wird. Er hat kein Geld, kein Land, kein Heimatrecht. Er ist und bleibt ein Außenseiter, der dem Marginalen seiner sozialen Stellung verhaftet bleibt. Er ist ebensowenig Vertreter eines alternativen Bewußtseins wie die Fischer am Bach es waren. Das Unheimliche an seiner Person ist undenkbar ohne jene Ordnung, die über ihn die Verbannung verhängt hat. Wie bei Fontanes *Effi Briest*, mit dessen Thematisierung des Spukhaften, mit der gespensterhaften Gestalt des Chinesen, geht auch bei Keller das Unheimliche aus dem sozialisierten Innenleben der Charaktere hervor. Es ist bemerkenswert, daß ein entscheidender Text der europäischen Kultur, der fast gleichzeitig mit *Romeo und Julia auf dem Dorfe* entstanden ist, mit einem berühmten Satz beginnt, der auch das Vorhandensein des Unheimlichen thematisiert: „Ein Gespenst geht um in Europa". Das ist bekanntlich der Anfang von Marx' und Engels' *Kommunistischem Manifest*. Und auch hier handelt es sich um Bedrohliches, Ungeheuerliches, das von diesseitigen, will sagen gesellschaftlichen, Impulsen hervorgebracht wird.

---

[10] Vgl. Hildegard Fife: „Keller's dark fiddler", in: *German Life & Letters* 16, 1962-63, S. 117-127; Louis Wiesmann: *Gottfried Keller*, Frauenfeld und Stuttgart 1967, S. 68 ff.

Für Sali und Vreni ist jene Umwelt, in der sie aufgewachsen sind, keine bloß kontingente Version des bürgerlichen Alltags: diese Umwelt ist die Welt der (bürgerlichen) Ordnung schlechthin. Für sie gibt es keine Alternative zu dieser Lebensweise, und aus dem Grund gehen sie in den Tod.[11] Sie können in einem Niemandsland nicht leben. Ihr Bewußtsein – das ja mit ihrem bürgerlichen Gewissen gleichbedeutend ist – verbietet es ihnen. Ihre Liebe – bietet trotz ihrer leidenschaftlichen Intensität – letztlich keine Alternative zur sozialen Integration, denn diese Liebe ist durchdrungen von alltäglichen Aspirationen – Ehe, Beruf, Ansehen. Es ist, wie mir scheint, das Meisterhafte an Kellers Erzählung, daß der Erzähler das Bescheidene an Sali und Vrenchen nie aus den Augen verliert. Das mag mit sich bringen, daß die Tragödie, verglichen mit Shakespeare, uns kleinkariert anmutet. Aber gerade jenes Kleinkarierte – mit anderen Worten: jene soziale Typisierung – ist für das „neue Gewand" charakteristisch, in dem hier und jetzt die große Fabel auftritt.

Die Begegnung von Sali und Vrenchen hat katastrophale Folgen. Marti entdeckt sie, Sali trifft ihn mit einem Stein. Infolge dieser Verletzung wird er schwachsinnig und verbringt sein restliches Leben in einer Anstalt. Vrenchen begleitet ihn „ auf diesem letzten Gange zu dem lebendigen Begräbnis"(141). Wir werden an die Kinderspiele in der Anfangsszene erinnert: die Kinder fangen eine Fliege, sperren sie in den Kopf der zerstörten Puppe ein, und begraben sie. Wieder einmal erkennen wir sofort die fast klaustrophobische Dichte des Symbolgeflechts: jene erste Szene mit dem Pflügen, mit dem verwilderten Acker, mit jenem Gespräch über den „Schwarzen Geiger" enthält *in nuce* die Keime alles Kommenden.

Martis Verletzung macht es noch unvermeidlicher, daß die Liebenden auseinandergehen. Vrenchen sagt:

> [...] doch kann ich dich nie bekommen, auch wenn alles andere nicht wäre, bloß weil du meinen Vater geschlagen und um den Verstand gebracht hast! Dies würde immer ein schlechter Grundstein unserer Ehe sein und wir werden beide nie sorglos werden, nie! (144)

Zwei Aspekte sind hervorzuheben. Erstens: daß ihre Liebe für sie völlig unvorstellbar ist ohne die Ehe; zweitens, daß die Unmöglichkeit jener Ehe

---

[11] Hans Richter gibt eine sehr aufschlußreiche Analyse der sozialkritischen Aussage in Kellers *Romeo und Julia Gottfried Kellers frühe Novellen*, Berlin 1960, S.117 ff. Nur läuft er m.E. mitunter Gefahr, aus den Liebenden Märtyrerfiguren zu machen, die radikal andere Werte verkörpern als die der Sedwyler Gemeinde. Und das scheint mir Kellers unsentimentale Sachlichkeit zu verkennen.

nicht nur von der äußerlichen Konvention herrührt, sondern davon, daß diese Konvention zu einer psychologisch verankerten Triebfeder geworden ist. Niemand hat von Salis Tat erfahren: das junge Paar hat nichts von den Klatschweibern in Seldwyla zu befürchten. Aber *sie* wissen, was vorgefallen ist: und jenes Wissen wird dafür sorgen, daß sie nie glücklich verheiratet werden sein können. Für sie wird die bürgerliche Ehe zu einer *fata morgana*, zu einem Wunschtraum. Es gehört zu den grausamsten Ironien dieser Erzählung, daß jener Wunschtraum das Bild von zutiefst alltäglichem Glück beinhaltet. In Vrenchens Traum kommen die Liebenden zusammen „so glücklich, sauber geschmückt" (145). „Sauber" ist geradezu ein Schlüsselbegriff mit all seinen Untertönen von Tüchtigkeit und Reinlichkeit.

Solche Implikationen vibrieren durch die letzten Stunden, die die Liebenden miteinander verbringen. Vrenchens Kleider sind „frisch und sauber" (150), und das braune gekräuselte Haar „war sehr wohl geordnet und die sonst so wilden Löckchen lagen nun fein und lieblich um den Kopf"(151). Von Wildheit keine Spur: die Leidenschaft ist von der Sittlichkeit schlechterdings untrennbar. Vrenchen hat all ihr Hab und Gut verkauft. Der Bäuerin, die das Bett abholen kommt, erzählt sie eine erfundene Geschichte, die mit einem Happy End schließt. Nun ist diese Erzählung aber kein Märchen: sie ist vielmehr ein Wunschtraum von bürgerlichem Glück. Sali hat, so heißt es, in einer Lotterie Geld gewonnen: er und Vrenchen werden beide von jetzt an als Wohlhabende in der Stadt wohnen.[12] Die wenigen letzten Stunden, die die Liebenden zusammen verbringen, werden eindeutig von ihrem Bedürfnis nach bürgerlicher Integrität und Ordnung getragen. Und das Bescheidene ihrer Gefühlswelt – etwa in der Szene, wo sie sich gegenseitig mit Pfefferkuchen beschenken und begeistert die Sprüche lesen – wird vom Erzähler immer wieder hervorgehoben. Ihre Liebe zueinander ist leidenschaftlich; vor allem in der Szene im Paradiesgärtlein dürfen sie ihren Gefühlen Ausdruck verschaffen. Aber das Angebot einer freien – will sagen unbürgerlichen – Existenz ist ihnen inakzeptabel. Sie distanzieren sich von dem wilden, ausgelassenen Umzug des schwarzen Geigers. Und in einer der entscheidendsten Aussagen der ganzen Erzählung sagt Sali: „Diesen sind wir entflohen, [...] aber wie entfliehen wir uns selbst" (181). In seiner schlichten Frage, die ein seltenes Moment der Selbstreflexion beinhaltet – „Wie meiden wir uns?" – vibriert die ganze sozialisierte Tragik von Kellers Erzählung. Sie mündet zwar in einen Liebestod; aber Sali und Vrenchen sind keine Wagnerschen Figuren, die über die

---

[12] Vgl. T. M. Holmes: „‚Romeo und Julia auf dem Dorfe': the idyll of possessive individualism", in: *Gottfried Keller 1819-1890*, hg. v. John L. Flood und Martin Swales, Stuttgart 1991, S. 71-73.

Schranken des normalen Lebens hinausgehen wollen. Sie gehen vielmehr zugrunde, weil sie diese Schranken anerkennen, weil sie kein anderes Selbst, kein anderes „wir" kennen, als das, was ihr sozialisiertes Bewußtsein ihnen vermittelt.[13] *Romeo und Julia auf dem Dorfe* zeigt, daß künstlerische bzw. artistische Sinngebung dazu dienen kann, die Dichte sozial-psychologischer Motivation aufzudecken. Und gerade dieses Ineinander von gesellschaftlicher und ästhetischer Fragestellung durchzieht m.E. sowohl in thematischer als auch in struktureller Hinsicht die zweite Fassung des *Grünen Heinrich*, der ich mich jetzt zuwende.

Der grüne Heinrich (1879-80) ist zum Teil der Tradition des deutschsprachigen Bildungsromans (oder, um an Hartmut Steineckes Terminus zu erinnern, des Individualromans deutschen Gepräges[14]) verpflichtet, denn der Protagonist Heinrich Lee trachtet nach emotionaler, kognitiver und geistiger Bereicherung und Differenzierung des eigenen Selbst. Diese Suche ist zum Teil mit – um an ein berühmtes Keller-Wort zu erinnern – der erhofften „Reichsunmittelbarkeit der Poesie"[15] verbunden. Aber solche Wunschbilder des Triumphs der Poesie entpuppen sich letzten Endes als illusionär, denn *Der grüne Heinrich* ist alles andere als ein ungetrübter Lobgesang auf die gehegte und priviligierte Innerlichkeit des Romanhelden. Denn Keller erzählt auch von einem Prozeß menschlichen Versagens, was eigentlich kaum in den Erfahrungsbereich des traditionellen Bildungsromans hineinpaßt.[16] Heinrich Lee ist kein verkanntes Künstlergenie im Sinne der europäischen Romantik. Er versagt vielmehr an der eigenen Talentlosigkeit. Daß er schließlich auf seine Laufbahn als Kunstmaler verzichtet, zeugt nicht so sehr von edelmütiger Selbstaufopferung oder weiser Entsagung, sondern von herber Ernüchterung. Er wird zu einem „ziemlich melancholische[n] und einsilbige[n] Amtsmann" (6. 308). Daran merken wir, daß eine thematische Konstante des europäischen Realismus – nämlich jener Prozeß der Desillusionierung, infolge dessen sich der Romanheld den bestehenden sozialen Verhältnissen anpaßt – in Kellers Roman ihren gewaltigen Niederschlag findet. Und somit berühren wir jenes Moment der Inauthentizität, das für Lionel Trilling den Grundton des realistischen Romans angibt; denn

---

[13] Siehe die meisterhafte Analyse von Walter Silz: *Realism and Reality*, North Carolina 1954, S. 79 ff.; und Hanspeter Gsell: *Einsamkeit, Idylle und Utopie*, Bern 1976, S. 40 f.

[14] Vgl. Hartmut Steinecke: *Romanpoetik von Goethe bis Thomas Mann*, München 1987, S. 72-75.

[15] Keller: *Briefe*, Bd. III, S. 57.

[16] Vgl. Hartmut Laufhütte: *Wirklichkeit und Kunst in Kellers Roman „Der grüne Heinrich"*, Bonn 1969.

der realistische Roman handelt unablässig von der Allgegenwart des gesell-schaftlichen Momentes im Bereich menschlicher Wahrnehmung und Akti-vität:

> *Little Dorrit*, Dickens great portrayal of what he regards as the total inauthenti-city of England, has for its hero a man who says of himself „I have no will".
> Balzac and Stendhal passionately demonstrated the social inauthenticity which baffles and defeats the will of their young protagonists. By the time Flaubert wrote *L'Education Sentimentale* the defeat could be taken for granted [...]. Love, friendship, art, and politics – all are hollow.[17]

Die zweite Fassung des *Grünen Heinrich* erschien nur neun Jahre nach Flauberts *L'Education Sentimentale*. Was vom europäischen Realismus immer wieder untersucht wird – nämlich jene psychologischen Prozesse der Anpassung, der Sozialisation[18] –, wird zu einem wesentlichen Moment in der künstlerischen Ökonomie des *Grünen Heinrich*.

Dadurch, daß zwei Romanstrategien im *Grünen Heinrich* zusammenkom-men[19] – nämlich der Bildungsroman und der realistische Roman – erreicht Keller ein Ineinander von Reflexion und Mimesis. *Der grüne Heinrich* wird m.E. von der Dialektik dieser beiden Romandiskurse getragen, wobei die psychologische und narrative Reflektiertheit und Differenziertheit des Bildungsromans letztlich mit einer kritischen Erörterung der Möglichkei-ten zeichnerischer und sprachlicher Mimesis verwoben wird. Das Entschei-dende am *Grünen Heinrich* ist, daß die künstlerischen Ambitionen des Romanhelden thematisiert und kritisch hinterfragt werden. Dabei sind wir uns ständig dessen bewußt, daß Heinrich Lee als Künstler in zweifacher Hinsicht präsent ist. Er ist angehender, aber letzten Endes erfolgloser Kunstmaler; er ist aber auch als verbaler Künstler, d.h. als Erzähler, tätig. Somit wird seine eigene Leistung – der Text, den wir lesen – auch themati-siert.

Im folgenden werde ich zu zeigen versuchen, daß gerade diese Intensität der psychologischen und diskursiven Reflexion und der erzählerischen und

---

[17] Lionel Trilling: *Sincerity and Authenticity*, London 1974, S. 132.
[18] Vgl. Gerhard Kaiser und Friedrich A. Kittler: *Dichtung als Sozialisationsspiel*, Göttingen 1978. Eine konventionelle Deutung des Romans im Kontext des poetischen Realismus wird von Hans Meier geboten mit seiner Studie *Gottfried Kellers „Der grüne Heinrich": Betrachtungen zum Roman des poeti-schen Realismus*, Zürich 1977.
[19] Vgl. Friedrich Hildt: *Gottfried Keller: literarische Verheißung und Kritik der bürgerlichen Gesellschaft im Romanwerk*, Bonn 1978 und Bernhard Spies: *Be-hauptete Synthesis: Gottfried Kellers Roman „Der grüne Heinrich"*, Bonn 1978.

strukturellen Reflektiertheit dazu dient, die Möglichkeiten des realistischen Romans transparent zu machen. Das Reflexionsniveau zeugt m.E. keineswegs von einer Transzendenz des Gesellschaftlichen, sondern vielmehr von einem Wissen, daß das, was die Menschen als Wirklichkeit erleben und erfahren, kein bloßes Aggregat von objektiven, d.h. unvermittelten, Tatsachen ist, sondern von unzähligen Akten des Deutens, des Verstehens, der Reflexion abhängt. Somit überschneiden sich künstlerisches Medium, außerliterarisches Leben, textuelle Aussage und außertextuelle Erfahrungsbereiche; der gemeinsame Nenner ist der Vorgang der Reflexion, wobei der Mensch letztlich nicht nur im Faktischen, sondern auch im Bildlichen lebt. Mit anderen Worten: der Mensch ist nur dann im Bereich des Tatsächlichen beheimatet, wenn Fakten durch Bilder verfügbar und sinnvoll gemacht werden.

Aus der Vielschichtigkeit dieser Thematisierung der Kunst, dieses unter mimetischer Signatur Sich-selber-Reflektierens des Romandiskurses, scheinen mir drei wichtige Aspekte hervorzugehen, die ich hier thesenartig festhalten möchte:

Erstens: Immer wieder erörtert Kellers Roman Fragen der Kunst als gesellschaftlicher Produktion, des Kunstobjektes als marktbedingter Ware. Eine solche Thematik ergibt sich selbstverständlich von alleine aus der Romanhandlung selbst, denn Heinrich Lee als handelnde Figur hat immer gegen den öffentlichen Geschmack zu kämpfen, sofern er sich als Künstler behaupten will. Das wirtschaftliche Moment wird somit ständig berücksichtigt. Zudem kommt Heinrich mit Kreisen in Berührung, in denen Kunst vermarktet wird. Man denkt sofort an die Szenen, in denen Heinrich seine Bilder an den Trödler verkaufen muß. Dazu kommt die großartige Beschreibung von Habersaats fabrikmäßigem Betrieb, in dem Landschaftsbilder am laufenden Band hergestellt werden. Was dabei zum Ausdruck kommt, ist eine explizite Thematisierung der gesellschaftlichen Bedingung künstlerischer Produktion. [20]

Zweitens: In *Der grüne Heinrich* werden des öfteren Fragen aufgeworfen, die mit den sozialen Bedürfnissen nach fiktiver, bildlicher Selbstreflexion zu tun haben. Ich denke in erster Linie an die zwei großen Volksfestszenen – an die *Wilhelm Tell*-Aufführung auf dem Lande und an die Fiktion des Nürnberger Zunftwesens, die in München zum Mittelpunkt des fastnächtlichen Stadtlebens wird.[21] In beiden Fällen handelt es sich um Fiktionen, an

---

[20] Vgl. Gerhard Kaiser: *Gottfried Keller, das gedichtete Leben*, Frankfurt am Main 1981, S. 189-202.
[21] Zur Darstellung des Gemeinschaftswesens siehe Brigitte Hauschild: *Geselligkeitsformen und Erzählstruktur*, Frankfurt am Main 1981.

denen sich eine ganze Gemeinde beteiligt. In beiden Fällen berufen sie sich auf Bilder aus der Vergangenheit, die mit Auffassungen überlieferter Glaubensbekenntnisse zu tun haben. Vor allem geht es Keller darum, zu zeigen, daß soziale Zusammengehörigkeit durch ein Sich-Berufen auf Ritual, Symbolik und auf Fiktion zustandekommt. Kunst ist somit keineswegs ein bloßer Luxus, den sich eine bestimmte gesellschaftliche Gruppierung leisten kann oder nicht – sie ist vielmehr unentbehrlich. Eine Gemeinschaft, die keine Kunst hervorbringt, die nie in der Lage ist, mittels Fiktionen ihre eigene Seinsweise zu explizieren und zu untersuchen, steht total verarmt da. Nicht, daß Keller dabei übersieht, daß es zwischen den jeweiligen Fiktionen sehr wohl Unterschiede gibt. Die Münchener Szenen strahlen etwas Fragwürdiges und Hohles aus, wobei die Alltagswirklichkeit mit pseudo-artistischer Glasur überzogen wird; wohingegen die Szenen aus dem *Tell*-Spiel, und seien sie noch so unbeholfen, von dem echten Versuch zeugen, die Kontinuität der Gemeinschaft durch eine symbolische Repräsentation zu vermitteln. Keller weiß, daß es gültige und ungültige Symbole gibt. Er weiß auch, daß eine jede soziale Gruppe solche Akte der Selbststilisierung und Selbstsymbolisierung braucht. Daß München sich ausgerechnet auf den Symbolwert des mittelalterlichen Nürnberg beruft, verweist auf Kellers erstaunlichen kulturhistorischen Scharfblick. Man muß nämlich bedenken, daß Keller mit der Umarbeitung seines Romanes gerade zu der Zeit beschäftigt war, als Richard Wagner *Die Meistersinger von Nürnberg* schrieb. Wagners Oper – wie die Münchener Karnevalsszene im *Grünen Heinrich* bietet sie eine Verherrlichung Nürnbergs – ist von großer kulturpolitischer Bedeutung. In diesem Kontext ist es wichtig, an die Argumentation des amerikanischen Historikers Mack Walker zu erinnern, von der bereits die Rede war, vor allem an seinen Schlüsselbegriff der „Hometowns". Um die „heimatstädtisch" historische und emblematische Ausstrahlung Nürnbergs weiß Keller im *Grünen Heinrich*, und er integriert dieses Phänomen in seinen Roman, weil es ein Paradebeispiel für jene Vorgänge gemeinschaftlicher Selbstsymbolisierung ist, die in den Themenkreis eines reflektierten und sich reflektierenden Realismus hineingehören.[22]

Drittens: Mir scheint, daß die ganze Kunstproblematik im *Grünen Heinrich* mit bestimmten Stellen im Romantext zusammenhängt, in denen philosophische und religiöse Fragen aufgeworfen werden. In verschiedenen Etappen von Heinrichs Schullaufbahn spielt die Religion – oder zumindest

---

[22] Vgl. Jürgen Rothenberg: *Gottfried Keller: Symbolgehalt und Realitätserfahrung seines Erzählens*, Heidelberg 1976, und Laurenz Steinlin: *Gottfried Kellers materialistische Sinnbildkunst*, Bern 1986.

der Religionsunterrrricht – eine entscheidende Rolle. Heinrich registriert des öfteren, daß die Kirche eine ausgesprochen weltliche Institution ist. Aber er beschäftigt sich auch mit Fragen nach der Art und nach dem Stellenwert religiösen Glaubens. Immer läuft die religiöse Fragestellung auf philosophische Fragen hinaus – etwa auf das Verhältnis zwischen Geist und Materie. Als Künstler und als Mensch oszilliert Heinrich zwischen einer Anerkennung der Materie an sich und einem Bedürfnis, durch die Aktivität des menschlichen Geistes die Materie zu formen und zu beherrschen. Wiederum handelt es sich um eine Debatte, die den Gedankenkreis der abendländischen Mimesistradition umkreist, um die philosophischen Grundsätze des künstlerischen Nachahmungswillens. Und jene philosophische Frage nach dem Ort menschlicher Geistigkeit in der materiellen Welt durchzieht auch Heinrichs erotische Erfahrung: Anna und Judith verkörpern als Gegensatzpaar nicht nur zwei Versionen menschlicher Sexualität, sondern auch die Grundtheoreme der Auseinandersetzung zwischen Geist und Materie.[23]

Im Zentrum des komplexen Geflechts der Reflexivität in diesem Roman steht Heinrich selbst als erzählende Instanz. Keller zeigt immer wieder, daß das erlebende Ich an der bestehenden Wirklichkeit als Liebhaber, als Künstler, als Sohn scheitert. In der Schlußphase seines Lebens ist der erlebende Heinrich einsilbig und melancholisch; aber das erzählende Selbst ist alles andere als einsilbig und melancholisch. Die Erzählung ist, schlicht und einfach, ein Triumph. Im Laufe seines Lebens neigt Heinrich immer mehr dazu, Phantasie und Wirklichkeit, die Anforderungen der Einbildungskraft und jene der praktischen Lebenssphäre voneinander zu trennen. Dadurch werden beide Bereiche beeinträchtigt: die Einbildungskraft verliert jeden Halt in den konkreten Formen weltlicher Erfahrung; die Wirklichkeit wird zu einer Kategorie bloßer Materialität herabgesetzt. Diese immer krasser werdende Dissonanz richtet den erlebenden Heinrich, was menschliche Erfüllung angeht, zugrunde. Aber Heinrich weiß als sprachliche Instanz dieser Dialektik von Phantasie und Faktizität vermittelnd gerecht zu werden. Das *Was* seines Berichtes ist die Erzählung vom Auseinanderklaffen beider Prinzipien; das *Wie* zeugt von deren Ineinander. Heinrich schildert, beschreibt, kommentiert, reflektiert. Wir freuen uns an der Welthaltigkeit und an der kritischen Intelligenz seiner Erzählung; in der Vielschichtigkeit dessen, was er schreibt, werden die Möglichkeiten des literarischen Realismus nicht nur verkörpert, sondern auch durchdacht und kommentiert.

---

[23] Vgl. Gert Sautermeister: „Gottfried Keller: *Der grüne Heinrich*, in: *Romane und Erzählungen des bürgerlichen Realismus*, hg. v. Horst Denkler, Stuttgart 1980, S. 94-100.

Dieser erzählerischen Leistung möchte ich mich jetzt im Detail zuwenden. Es scheint mir vor allem wichtig hervorzuheben, daß die Erzählung hinsichtlich Deutung und Wertung des von Heinrich Erlebten von erstaunlicher Differenziertheit und Intelligenz ist. Immer wieder stoßen wir auf Bilder oder Wendungen, die eine komplexe zwischenmenschliche Situation blitzartig beleuchten. Heinrichs Verhältnis zu seiner Mutter ist von Schuld – und von Schulden – gekennzeichnet.[24] Was aber in der erzählerischen Darstellung der Mutter zum Ausdruck kommt, ist das Bild einer Frau, deren soziale und finanzielle Erfahrung sie immer unerbittlicher in eine Sackgasse der Entbehrung hineinzwängt. Heinrich berichtet am Anfang seiner Erzählung von den Mahlzeiten, die sie serviert:

> Die Speisen meiner Mutter [...] ermangelten sozusagen aller und jeder Besonderheit. Ihre Suppe war nicht fett und nicht mager, der Kaffee nicht stark und nicht schwach, sie verwendete kein Salzkorn zuviel und keines hat je gefehlt. [...] Diese nüchterne Mittelstraße langweilte mich. (3, 38 f.)

Später, als sich die Mutter weigert, mit ihrem Sohn zu den Verwandten zu fahren, lesen wir: „Die Mutter blieb wieder zurück in entsagender Unbeweglichkeit und Selbstbeschränkung" (4, 68). Viel später, in einem Kapitel mit der Überschrift „Lebensarten", schildert der Erzähler den Lebenswandel der Mutter, wobei die beinahe groteske Selbstverneinung hervorgehoben wird:

> Das weiße Stadtbrot, das bislang in ihrem Hause gegolten, hatte sie auch abgeschafft und bezog alle acht Tage ein billigeres rauhes Brot, welches sie so sparsam aß, daß es zuletzt steinhart wurde; aber zufrieden dasselbe bewältigend, schwelgte sie ordentlich in ihrer freiwilligen Askese. (6, 27)

Diese Stellen scheinen mir unvergeßlich zu sein. Der Text zeichnet das ausdrucksvolle Porträt eines bestimmten, gesellschaftlich geprägten Einzelschicksals. Es wirken wirtschaftliche, kulturelle, klassenspezifische, psychologische Faktoren mit. Das Endergebnis ist das Bild einer Frau, das von den Klassikern des europäischen Realismus, etwa von Balzac oder Dickens, nie übertroffen worden ist. Dabei wird Kellers Text dadurch bereichert, daß er aus einem persönlichen, psychologischen Kontext hervorgeht; denn er wird unverkennbar von den Ängsten, von den Geltungsbedürfnissen, von den Verdrängungen und von der erstrebten Überlegenheit des Heinrich Lee getragen und gespeist. Manchmal moduliert das nüchterne, ja sachliche Register in ein weicheres, teilnahmsvolleres, wobei wir darauf aufmerksam

---

[24] Vgl. Gerhard Kaiser: *Keller*, S. 39-65 und Adolf Muschg: *Gottfried Keller*, München 1977, S. 466-480.

gemacht werden, wie sehr die Mutter zwei miteinander kaum zu vereinbarenden Imperativen ausgesetzt ist – nämlich der Liebe einerseits und dem Finanziellen andererseits. Unsere Einsicht in das Wesen der Frau Lee ist, um an Brecht zu erinnern, ein komplexes Sehen und, wohlgemerkt, auch ein komplexes Fühlen.

Solche Momente differenzierter Wertung durchziehen Heinrichs Erzählung. Als Beispiel könnte man die zwei großen Liebesbeziehungen nehmen – zu Anna und Judith. Einige Leser haben den Schematismus beanstandet, der darin besteht, daß die eine Figur Geistigkeit und Jungfräulichkeit symbolisiert, während die andere die Welt prangender Sinnlichkeit verkörpert. Aber dieser Geist/Körper-Schematismus wird immer wieder von erzählerischen Bemerkungen unterbrochen, die von einer differenzierenden Haltung zeugen. Man denke an den ersten Kuß, den Heinrich von Anna bekommt: „Ich hatte mich schon zu ihr geneigt und wir küßten uns ebenso feierlich als ungeschickt" (4, 44). Oder an die Schilderungen von Annas Tod: „Ich sah alles wohl und empfand beinahe eine Art glücklichen Stolzes, in einer so traurigen Lage zu sein und eine so poetisch schöne tote Jugendgeliebte vor mir zu sehen"(5, 77). Oder an die ungeschickten, halb schuldigen, halb kindlichen Bezeugungen sexueller Anziehung zwischen Heinrich und Judith:

> Unsere Hände bewegten sich manchmal unwillkürlich nach den Schultern oder den Hüften des anderen, um sich darum zu legen, tappten aber auf halbem Wege in der Luft und endigten mit einem zaghaften abgebrochenen Wangenstreicheln, so daß wir närrischerweise zwei jungen Katzen glichen, welche mit den Pfötchen nacheinander auslangen, elektrisch zitternd und unschlüssig, ob sie spielen oder sich zerzausen sollten. (5, 72)

Solche Wendungen wie „ebenso feierlich als ungeschickt", „eine so poetisch schöne tote Jugendgeliebte", „so daß wir närrischerweise zwei jungen Katzen glichen", sind in der rückblickenden, wertenden Schau des Erzählers begründet; sie drücken Ehrlichkeit und Skepsis, eine Mischung von Teilnahme und Strenge aus. Heinrichs erzählerischer Akt ist weder reduktiv noch selbstlobend, weder ein bloßer Tatsachenbericht noch eine verinnerlichte Künstlerbiographie. Dank der Differenziertheit des erzählerischen Duktus werden wir als Leser an mannigfaltigen Prozessen der Wahrnehmung und Reflexion beteiligt.

Das Zentrum dieser komplexen Abrechnung mit menschlicher Erfahrung ist selbstverständlich die Figur des jugendlichen Heinrich Lee und dessen Lebenswandel. Immer wieder fragen wir uns, ob dieser junge Mensch durch die ihn umgebende Gesellschaft geprägt ist oder ob er letztlich über ein Quantum an ethischer Autonomie verfügt.[25] Der Text verbietet uns leichtfertige Urteile und verlangt von uns ein Wissen um den komplexen Konnex menschlichen Wollens und Handelns. Heinrichs Abrechnung mit sich selbst ist geradezu beispielhaft in ihrer Strenge und Vielschichtigkeit. Ich denke zum Beispiel an das Kapitel, in dem geschildert wird, wie Heinrich nach der Katastrophe seiner Entlassung von der Schule zu seinen Verwandten aufs Land fährt. Das Kapitel selber heißt, frei nach dem Vorbild Rousseaus, „Flucht zur Mutter Natur". Als Heinrich Lee am ersten Abend seines dortigen Aufenthaltes einschläft, lesen wir: „die kühle, erfrischende Luft atmend, schlief ich sozusagen an der Brust der gewaltigen Natur ein" (3, 201). Der Einschub „sozusagen" ist überaus charakteristisch. Darin schwingt eine Skepsis mit, die gegen damalige pubertäre und jetzige literarische Schablonen gerichtet ist. Knapp zwei Seiten später betont der Erzähler die Kluft zwischen ihm und seinen Verwandten auf dem Lande: „ich putzte mich, nicht ohne Ziererei, halb einfach ländlich, halb komödiantisch heraus" (3, 205). Diese Beispiele vergegenwärtigen uns den deutlichen Abstand zwischen der erzählenden Instanz und dem erlebenden Ich, einen Abstand, der sich in einer sprachlichen – manchmal sogar bildlichen – Gebärde der Ironie, ja mitunter der Ablehnung, ausdrückt. In manchen Passagen ist es aber so, daß das erzählende, rückblickende Ich alles andere als distanziert ist, ja daß die damalige Verwundbarkeit im Verlauf der Jahre an Intensität und Unmittelbarkeit nichts eingebüßt hat. Man denkt etwa an Heinrichs Bruch mit Römer. Als Heinrich Römers Brief bekommt, weiß er von seiner eigenen, untilgbaren Schuld. Unvergeßlich ist die Schilderung jener tiefgehenden Unsicherheit, die sich darin ausdrückt, daß er bis zum Augenblick des Schreibaktes immer noch nicht weiß, wohin er den Brief stecken soll.

> Den unheimlichen Brief wagte ich nicht zu verbrennen und fürchtete mich, ihn aufzubewahren; bald begrub ich ihn unter entlegenem Gerümpel, bald zog ich ihn hervor und legte ihn zu meinen liebsten Papieren, und noch jetzt, so oft ich ihn finde, verändere ich seinen Ort und bringe ihn anderswo hin, so daß er auf steter Wanderschaft ist. (5, 60)

Zusammenfassend läßt sich sagen, daß die ethische und kognitive Abrechnung des älteren, rückblickenden, schreibenden Ich mit dem jüngeren, „grünen" Selbst von einer Strenge und Resonanz ist, die selten, wenn überhaupt, in der ganzen Geschichte des europäischen Ich-Romans überboten worden ist. Die erzählerische Reflexion führt zu einem differenzierten Verständnis des Prozesses menschlicher Sozialisation und deren psycholo-

---

[25] Vgl. Kellers Brief an Vieweg vom 3.5.1850.

gischer, sozialer, kognitiver Aspekte, die im europäischen Realismus beinah einmalig dasteht.

Ein wesentlicher Teil des dem Roman innewohnenden Reflexionsprozesses ist jene breitangelegte Thematisierung der künstlerischen Aneignung konkreter Wirklichkeit, die daraus hervorgeht, daß Heinrich Lee immer wieder versucht, als Maler ein adäquates und ausdrucksvolles Bild von seiner Umwelt zu geben. Und immer wieder erfahren wir, wie das Bild zustandekommt, wie es aussieht und wie überzeugend und wahrhaftig das Endergebnis ist. Meistens scheitern diese artistischen Versuche; aber Keller hebt nicht nur die Tatsache des Scheiterns, sondern dessen Art und Weise hervor. Als Leser werden wir wiederholt dazu eingeladen, über die Modalitäten möglicher Vermittlung zwischen Phantasie und konkreter Gegenständlichkeit nachzudenken. Zwei Beispiele sollen genügen:

> Ich erfand einige Landschaften, worin ich alle poetischen Motive reichlich zusammenhäufte, und ging von diesen auf solche über, in denen ein einzelnes vorherrschte, zu welchem ich immer den gleichen Wanderer in Beziehung brachte, mit welchem ich, halb bewußt, mein eigenes Wesen ausdrückte. (3, 196)

> Kaum hatte ich eine halbe Stunde gezeichnet und ein paar Äste mit dem einförmigen Nadelwerke bekleidet, so versank ich in eine tiefe Zerstreuung und strichelte gedankenlos daneben, wie wenn man die Feder probiert. An diese Kritzelei setzte sich nach und nach ein unendliches Gewebe von Federstrichen, [...] bis das Unwesen wie ein ungeheures graues Spinnennetz den größten Teil der Fläche bedeckte. (5, 299 f.)

Solche Beispiele könnte man in Hülle und Fülle anführen. Das sind Textstellen, in denen Keller das ganze Problem von Heinrichs geistiger Einsicht und künstlerischer Kreativität erörtert. Wir kennen aus der Geschichte des europäischen Realismus unzählige Beispiele des thematisierten Konfliktes zwischen praktischer gesellschaftlicher Tätigkeit einerseits und dem inneren Potential des Protagonisten andererseits. Man denke etwa an Stendhals *Le Rouge et le Noir*, Dickens' *David Copperfield* und Thomas Hardys *Jude the Obscure*. Keines dieser Werke vermag aber der kognitiven und philosophischen Tragweite dieser Thematik in der Weise gerecht zu werden, wie es bei Keller der Fall ist.[26] Zwei Aspekte jener durchgehaltenen erzählerischen Reflexion im *Grünen Heinrich* scheinen mir besonders wichtig.

Erstens: es geht immer wieder um das Wechselspiel von Subjektivität und Objektivität. Gelegentlich ist Heinrich von dem Ehrgeiz beseelt, Tatsächliches in detaillierter Genauigkeit wiederzugeben, manchmal will er sich selbst, seine Reaktionen, seine Stimmung, seine Kunstfertigkeit in den Vor-

---

[26] Gerhard Kaiser (*Keller*, S. 33) weist darauf hin, daß die reflexive Dimension des Kellerschen Romans in *David Copperfield* kaum anzutreffen ist.

dergrund stellen. Was implizit zum Ausdruck kommt, ist ein Wissen darum, daß Kunst aus der dialektischen Durchdringung von subjektiven und objektiven Imperativen hervorgeht – und nicht aus der Alleinherrschaft von einem der beiden Pole.

Zweitens: es wird immer wieder implizit angedeutet, daß der individuelle Versuch, als Künstler eine angemessene Ausdrucksmöglichkeit zu finden, von bestimmten, sozial verbürgten Konventionen und Erwartungen abhängig ist. Kein Künstler arbeitet in einem stilistischen und gattungsmäßigen Vakuum; und eine Änderung des öffentlichen Geschmacks geht aus dem Konflikt zweier Prinzipien hervor: einerseits aus dem Bedürfnis seitens des Publikums nach erkennbarer Wirklichkeitsnähe, andererseits aus dem Verlangen nach Neuigkeit, d.h. nach einer neuen, mittels einer artistischen Neuentwicklung zustandekommenden Sehweise.

Mit diesen Passagen intensiver Reflexion über den Stellenwert der Kunst in der modernen Gesellschaft erreicht Keller keine bloße Ästhetisierung der Wirklichkeit; vielmehr wird unsere Kategorie der Wirklichkeit im Hinblick auf das Moment subjektiver und kreativer Wahrnehmung hinterfragt. Daraus resultiert eine differenzierte Reflexion über das zentrale ethische und menschliche Problem, um das sich der ganze Text dreht – nämlich jene Frage nach den Modalitäten des Verhältnisses zwischen Subjekt und Wirklichkeit – wobei wohlgemerkt auch der Romantext, den wir gerade lesen, als Wiedergabe und Verkörperung jener Problematik sich selber thematisiert.

In diesem komplexen Prozeß von Wiedergabe und Reflexion ist m.E. der entscheidende Beitrag zum europäischen Realismus zu finden, den Gottfried Keller in seinem *Grünen Heinrich* leistet. Eine weitere Kategorie textlicher Beispiele soll das illustrieren. Es gibt in dem Roman einige Szenen, deren breite, weit ausholende erzählerische Gebärde der behäbigen Beschreibung scheinbar von einer gewissen Redundanz zeugt. Da sind Szenen, in denen ein Schauplatz, eine soziale Situation, eine menschliche Unterkunft oder Lebensweise beschrieben werden, ohne aber daß diese evozierten Details für Heinrichs psychologisches, ethisches oder künstlerisches Wachstum von manifester Relevanz wären. Es geht m.a.W. nicht um krisenhafte Begegnungen, nicht um Kreuzwege menschlicher Schicksalshaftigkeit, nicht um symbolische Konkretisierung thematischer Konnexe. Wir haben es vielmehr mit jener vertrauten Kategorie der Welthaltigkeit innerhalb der realistischen Schreibweise zu tun, mit dem „effet de réel" im Sinne Roland Barthes[27], wobei der realistische Roman dem redundanten

---

[27] Roland Barthes: „L'effet de réel", in: *Littérature et réalité*, hg. v. Gerard Genette und Tzvetan Todorov, Paris 1982, S. 81–90.

Bereich des konkret Gegebenen tiefen Respekt zollt. Redundanz heißt Überflüssigkeit. Und es ist vielleicht nicht so überraschend, wenn Keller, der als Lyriker vom „goldenen Überfluß der Welt" zu singen vermochte, auch einen ähnlichen Gesang als Romanschriftsteller anstimmt.

Die beiden umfangreichsten Textstellen, die von diesem Überflußprinzip zeugen, sind die Schilderungen der zwei miteinander kontrastierenden Volksfeste – des *Tell*-Spiels auf dem Lande und der Münchener Karnevalsszene, auf die ich bereits hingewiesen habe, und die ich nicht näher erörtern möchte. Ich möchte vielmehr Heinrichs Schilderung von Frau Margret und ihrer Domäne hervorheben. Der Erzähler beschreibt den Trödelkram, der in ihrem eigentümlichen Laden zu sehen ist:

> Die Wände waren mit alten Seidengewändern, gewirkten Stoffen und Teppichen aller Art behangen. Rostige Waffen und Gerätschaften, schwarze zerrissene Ölgemälde bekleideten die Eingangspfosten und verbreiteten sich zu beiden Seiten an der Außenseite des Hauses. (3, 59)

Inmitten dieses Durcheinanders sitzt Margret, „die originellste Frau der Welt" (3, 60); sie ist „die Seele des Geschäftes" (3, 59), und sie hat einen genauen Überblick über alles, was im Geschäft läuft: „von ihr aus gingen alle Befehle und Anordnungen, ungeachtet sie sich nie von ihrem Platze bewegte und man sie noch weniger je auf einer Straße gesehen hatte" (3, 59 f.). Wir erfahren von ihrer erstaunlichen Rechenkunst. Sie hat nur vier Ziffern gelernt – eins, fünf, zehn und hundert – wohlgemerkt, alle römisch. Und doch ist sie imstande, mit diesem winzigen Bestand an Ziffern, die komplizierteste Buchhaltung durchzuführen.

Die Schilderung der Lebensweise der Frau Margret beginnt mit physischen Details, erstreckt sich dann, wie wir gesehen haben, auf die wirtschaftliche Lebensführung und endet im geistigen Raum. Frau Margret sammelt Bräuche und Lebensgewohnheiten.

> Mit neugieriger Liebe erfaßte sie alles und nahm es als bare Münze, was ihrer wogenden Phantasie dargeboten wurde, und sie bekleidete es alsbald mit den sinnlich greifbaren Formen der Volkstümlichkeit, [...]. Alle die Götter und Götzen der alten und jetzigen heidnischen Völker beschäftigten sie durch ihre Geschichte und ihr äußeres Aussehen in den Abbildungen, hauptsächlich auch daher, daß sie dieselben für wirkliche lebendige Wesen hielt [...]. (3, 63 f.)

Frau Margret hat ständig Gesellschaft um sich:

> Mit Ausnahme einiger weniger heuchlerischer Schmarotzer hatten sonst alle ein aufrichtiges Bedürfnis, sich durch Gespräche und Belehrungen über das, was ihnen nicht alltäglich war, zu erwärmen und besonders in betreff des Religiösen und Wunderbaren eine gewürztere Nahrung zu suchen, als die öffentlichen Kulturzustände ihnen darboten. (3, 65)

Jetzt sind wir zu den „öffentlichen Kulturzuständen" gelangt. Um der Tragweite der Persönlichkeit Frau Margrets gerecht zu werden, hat der Erzähler verschiedene Existenzbereiche erörtern müssen. Denn die Bedeutung dieser Figur läßt sich nicht einengen. Zugestandenermaßen ist sie ja ein Original, aber ein Original, das auf einmalige und prägnante Weise das bestätigt und beansprucht, was bei den beschreibenden Passagen in Heinrichs Erzählung immer wieder der Fall ist. Um der Resonanz menschlicher Handlungs- und Seinsweisen gerecht zu werden, muß die schreibende Instanz Faktisches, Wirtschaftliches, Psychologisches und auch Geistiges berücksichtigen. Und somit zollt der Erzähler der reichhaltigen, vielschichtigen Redundanz der Wirklichkeit seinen realistischen Tribut.

Als zweites Beispiel dieses erstaunlichen narrativen Könnens im Hinblick auf soziale Bildlichkeit sei an jene Szene erinnert, in der sich Heinrich anläßlich der bevorstehenden Reise nach München von den Hausgenossen seiner Mutter verabschiedet. Es handelt sich um einen Spenglermeister, einen Mechanikus und um einen Beamten. Für eine adäquate Schilderung der eigentlichen Abschiedsszene zwischen dem jungen Lee und diesen drei Figuren hätte Keller höchstens eine Handvoll Sätze gebraucht. Der Romantext aber gibt uns eine expansive Zusammenfassung des sozio-psychologischen Charakters der drei Hausgenossen. Dadurch entstehen drei Porträts geradezu mustergültiger Prägnanz und diagnostischen Feingefühls. Für die erzählerische Instanz, die sich in solchen Stellen ausdrückt, ist es zu einem unleugbaren Wissen um das Menschenschicksal geworden, daß die wirtschaftliche und klassenspezifische Existenz eines jeden Menschen von dessen Humanität (oder möglicherweise Inhumanität) schlechterdings untrennbar ist. Ich zitiere einige Sätze, die für viele stellvertretend sind. Über den Beamten lesen wir folgendes:

> Den Posten, den er bekleidete, verfluchte er unablässig, obgleich er ihm jahrelang nachgelaufen war und fast kniefällig darum angehalten hatte. Er nannte sich ein Opfer „enttäuschter Grundsätze" und besuchte nur solche Gesellschaften, wo seine Vorgesetzten geschmäht wurden, und er verbreitete dort die Meinung, daß er nicht an bessere Stellen befördert werde, weil er den Rücken nicht zu beugen verstehe. [...] Trotz aller Unzufriedenheit hing er aber wie eine Klette an seinem Posten und wäre mit Feuerhaken nicht von demselben loßzureißen gewesen. (5, 142 f.)

Solche Darstellungen menschlicher Existenzweisen, die sowohl individuelle als auch gesellschaftstypische Resonanz haben, sind für den europäischen Realismus geradezu charakteristisch. Ähnliche Porträts gibt es in Hülle und Fülle bei Dickens oder Balzac. Wenn sie aber im Kellerschen Roman mit noch größerer Tragweite vibrieren, dann, so scheint mir, wegen jener Reflektiertheit, die aus der Kellerschen Erzählperspektive hervorgeht: daß

Heinrich als erlebendes Ich und Heinrich als erzählendes Ich im Romantext nebeneinander bestehen, bürgt für das Ineinander von geleisteter und besprochener Mimesis. [28]

Somit möchte ich die Ansicht vertreten, daß im *Grünen Heinrich* das Medium der Reflexion außerliterarische Wirklichkeit und Romanfiktion miteinander verbindet; denn es überschneiden sich die Reflexion der Romanfigur, die Reflexion der erzählenden Instanz, die Reflexion des Lesers – und zwar im Dienst eines sozio-psychologischen Vollzugs gesellschaftlicher Normen und gleichzeitig im Dienste einer kritischen Durchleuchtung gerade jener gemeinschaftsstiftenden Sozialisationsprozesse. Die faktische Wirklichkeit ist somit nicht immer so faktisch, wie man gemeinhin annimmt. Der europäische Realismus hat ja selbstverständlich immer gewußt, daß der Einzelmensch nie als rein privates, autonomes Wesen, als unsozialisiertes, intaktes Selbst existieren kann; denn die menschliche Subjektivität ist von den objektiv bestehenden sozialen Verhältnissen unabdingbar geprägt. Stendhal, Balzac, Flaubert, Jane Austen, Thackeray, Dickens, George Eliot waren sich dessen bewußt. Aber niemand außer Keller hat den eigentlichen Vorgang des Sozialisiertwerdens, gerade jenes unaufhaltsame Wechselspiel von gesellschaftlicher Faktizität und psychologischem, religiösem, philosophischem Innenleben besser verstanden und zum Gegenstand narrativen Erzählens und narrativer Reflexion gemacht. Die Reflexion ist das Medium jener Sozialisation – und auch deren literarischer Hinterfragung.

Zum Schluß eine letzte Illustration jener These des Sich-Überschneidens von ästhetischem Medium und sozialer Wirklichkeit. Es handelt sich nämlich um die sowohl ästhetische als auch wirtschaftliche Aktivität des Phantasierens, des Spekulierens. Eine jede Fiktion ist per definitionem ein spekulativer Entwurf. Aber auch in der praktischen Härte des Geschäftslebens wird spekuliert. An einer Stelle in dem übrigens vielsagend betitelten Kapitel „Lebensarten" denkt Heinrich über den Unterschied zwischen Substantialität und Insubstantialität nach. Er bezieht sich auf den explosiven Erfolg einer Pflanze, *revalenta arabica* genannt[29]:

> Was ist Erwerb und was ist Arbeit? fragte ich mich [...]. Ein Spekulant gerät auf
> die Idee der Revalenta arabica (so nennt er es wenigstens) und bebaut dieselbe
> mit aller Umsicht und Ausdauer; sie gewinnt eine ungeheure Ausdehnung und
> gelingt glänzend; tausende Menschen werden in Bewegung gesetzt und

---

[28] Vgl. Dominik Müller: *Wiederlesen und Weiterschreiben: Gottfried Kellers Neugestaltung des „grünen Heinrich"*, Bern 1988.
[29] Vgl. Gerhard Kaiser: *Keller*, S. 221f.

Gottfried Keller

Hunderttausende, vielleicht Millionen gewonnen, obgleich jedermann sagt: Es ist ein Schwindel! [...] (6, 37 f.)
So wird aber Revalenta arabica gemacht in noch vielen Dingen, nur mit dem Unterschiede, daß es nicht immer unschädliches Bohnenmehl ist, aber mit der nämlich rätselhaften Vermischung von Arbeit und Täuschung, innerer Hohlheit und äußerem Erfolg, Unsinn und weisem Betriebe, bis der Herbstwind der Zeit alles hinwegfegt. (6, 40)

Das ist eine geradezu erstaunliche Textstelle, die die Argumentation eines Jean Baudrillard oder Hans Christoph Binswanger vorwegnimmt.[30] Wenn im wirtschaftlichen Bereich Menschen von einer Fiktion leben können, so heißt das, daß eine Fiktion zu einer gesellschaftlich operativen Wirklichkeit werden kann. Somit überschneiden sich das Medium des literarischen Kunstwerkes und das Medium extra-literarischer Wirklichkeit.[31] Beiden Sphären ist das Bedürfnis nach Bildern gemeinsam, nach den Produkten reflexiver Einbildungskraft. Mimesis erweist sich somit nicht als eine bloße Reduplikation der Außenwelt in einem anderen Medium (d.h. Sprache), sondern als das Aufdecken jenes reflexiven und kreativen Prozesses, durch den sich der Mensch, *homo significans*, in der Welt zurechtfindet.

[30] Vgl. Jean Baudrillard: *Selected Writings*, Cambridge 1988; Hans Christoph Binswanger: „Geld und Wirtschaft im Verständnis des Merkantilismus", in: *Studien zur Entwicklung der ökonomischen Theorie II*, hg. v. Fritz Neumark, Bd. II, Berlin 1982, S.93-129 und ders.: *Geld und Magie: Deutung und Kritik der modernen Wirtschaft anhand von Goethes „Faust"*, Stuttgart 1985; Jochen Hörisch: *Gott, Geld und Glück: zur Logik der Liebe in den Bildungsromanen Goethes, Kellers und Thomas Manns*, Frankfurt am Main 1983; John Vernon: *Money and fiction: literary realism in the nineteenth and twentieth centuries*, Ithaca und London 1984.
[31] Vgl. Gerhard Kaiser: „Ökonomische Thematik und Gattungsanleihen bei Balzac, Thackeray und Keller", in: *Erzählforschung*, hg. v. Eberhard Lämmert, Stuttgart 1982, S. 435-456.

XII. Erzählmodus und sozialer Wandel

(Wilhelm Raabe)

Im Zentrum von Raabes Erzählwerk steht die Frage des soziogeschichtlichen Wandels, und in seinen besten Hervorbringungen beschäftigt er sich mit dem Niederschlag in der Seele des Einzelmenschen gerade dieser Prozesse. Immer wieder erfindet er Figuren, die mit dem Unterschied zwischen der Welt, in der sie aufgewachsen sind, und der Welt, in der sie als Erwachsene leben müssen, konfrontiert werden.[1] Oft manifestiert sich dieser Unterschied als Konflikt zwischen Poesie (der Welt der Kindheit) und Prosa (der Einöde des Erwachsenseins). Eine solche Thematik ist auf den ersten Anhieb aussagekräftig; aber Raabe entgeht nicht immer den Gefahren der Sentimentalität. In der späten Prosa (*Horacker*, 1876; *Alte Nester*, 1880; *Im Alten Eisen*, 1887; *Stopfkuchen*, 1891; *Die Akten des Vogelsangs*, 1895) jedoch dient die sowohl sozio-psychologische als auch erzählerische Modalität des Sich-Erinnerns einer differenzierten Abrechnung mit der Industrialisierung und Modernisierung Deutschlands. Von dieser Verquickung des Historischen mit dem Psychologischen ist *Pfisters Mühle* (1884) ein Musterbeispiel.

Ebert Pfister, der Erzähler, ist frisch verheiratet. Er verbringt mit seiner Frau Emmy einen letzten Sommer in der Wassermühle, die seinem Vater gehört hat. Als Müller hat er kaum etwas verdient; die Mühle war vielmehr ein Vergnügungsort, eine Wirtschaft, die von Besuchern aus der benachbarten Stadt – vor allem Studenten – stark frequentiert wird. Stromaufwärts liegt eine Fabrik, Krickerode, die Zuckerrüben verarbeitet. Die zunehmende Produktion dort verpestet sowohl das Wasser als auch die Luft. Eberts Freund Adam Asche, ein Chemiker, hilft dem Vater in seinem Prozeß gegen das Krickerodesche Unternehmen und analysiert das Ausmaß der Verschmutzung. Vater Pfister gewinnt, aber sein Sieg bringt ihm nur bescheidenen Schadenersatz; und obendrein muß er einsehen, daß Krickerode lediglich das Symptom eines profunden und unaufhaltsamen Wandels ist. Er weiß auch, daß sehr viele der jungen Leute, die ihm wichtig sind – Ebert selbst, Asche, Albertine Lippoldes, die mutige Tochter eines liebenswürdigen, poetischen, aber sehr oft betrunkenen Versagers – in der modernen Welt, vor allem in Berlin, glücklich sind. Nach dem Tod Vater Pfisters wird

---

[1] Vgl. Regina Schmid-Stotz: *Von Finkenrode nach Altershausen*, Bern 1984.

die Mühle verkauft, sie soll abgerissen werden und einer Fabrik Platz machen. Ebert kümmert sich um die praktische Durchführung des Verkaufs; während ihres Aufenthaltes erzählt er seiner Frau einiges aus der Geschichte der Mühle; er schreibt einen Bericht über diesen letzten Sommer; und das daraus hervorgehende „Sommerferienheft" ist der Text, den wir lesen.

Der eigentliche Erfahrungsbereich von *Pfisters Mühle* mag zwar begrenzt sein; aber wiederholt wird hervorgehoben, daß die verzeichneten Prozesse für allgemeine Prozesse gesellschaftlichen Wandels symptomatisch sind. Ebert spricht von seinem Vater wie folgt:

> Er war immer gut, friedlich und vergnügt mit eben dieser Welt ausgekommen, sowohl als Müller wie als Schenkwirt, und hatte jetzt also sein ganzes freundliches, braves Wesen umzuwenden, ehe er seinerseits in den großen Kampf eintrat und im Wirbel des Übergangs der deutschen Nation aus einem Bauernvolk in einen Industriestaat seine Mülleraxt mit bitterm Grimm von der Wand herunter langte. (119 f.) [2]

Diese historische Thematik wird nicht nur in den eigentlichen Ereignissen, sondern auch – und eigentlich primär – von dem erzählerischen Kommentar zum Ausdruck gebracht. Ebert schreibt an einer Stelle:

> Und wie der Junge aus Pfisters Mühle, so war auch das ganze deutsche Volk ein anderes geworden; denn die Jahre achtzehnhundertsechsundsechzig und -siebenzig waren ebenfalls gewesen und man zählte, rechnete und wog Soll und Haben mit ziemlich dickem, heißem Kopfe so gegen die Mitte der Siebenziger heran. (42)

Das „Sommerferienheft" wird somit zur Bestandsaufnahme des allgemeinen Zustands der Nation. Adam Asche ist in mancherlei Hinsicht das Sprachrohr der modernen Welt. Er sympathisiert sehr mit Vater Pfister, aber er ist restlos überzeugt, daß der Fortschritt der Wissenschaft und Technologie nicht mehr aufzuhalten ist, obwohl, wie er selber zugibt: „die Wissenschaft in ihrer Verbindung mit der Industrie nicht zum besten duftet." (62) Er macht aus seiner Bereitschaft, „irgendeinen Wasserlauf im idyllischen grünen Deutschen Reich so bald als möglich und so infam als möglich zu verunreinigen" (69), kein Hehl. Und charakteristischerweise wünscht er, daß Pfisters und Lippoldes und er bei der Krickerodeschen Fabrik Aktien gekauft hätten. Sogar Doktor Richei, der im Auftrag von Vater Pfister den Prozeß gegen die Fabrik führt, ist ähnlicher Meinung – und Emmy sekundiert den Rechtsanwalt: „weshalb hat denn dein armer

---

[2] Zitiert wird nach folgender Ausgabe: Wilhelm Raabe: *Pfisters Mühle*, Reclam, Stuttgart 1980.

Papa nicht mit auf die große Fabrik unterschrieben, da alles ihm doch so bequem lag [...]?" (123)

Solche Passagen – und es sind dergleichen viele – thematisieren den Zusammenprall von Alt und Neu. Einige Figuren im Roman trauern dem Hinscheiden der vorindustriellen Welt nach – man denke etwa an Christine, Doktor Lippoldes, an Emmys Vater, dessen Lieblingsort der Friedhof ist. Aber Emmy ist der Nostalgie gegenüber ausgesprochen skeptisch – wie Adam Asche auch. Raabes Roman insistiert häufig darauf, daß sich niemand dem Prozeß sozialen Wandels entziehen kann.[3] Immer wieder sind Momente am Werk, die der undifferenzierten Verherrlichung der „guten alten Zeit" entgegenwirken.[4] Nehmen wir die Mühle selbst als Beispiel. Auf den ersten Blick könnte man meinen, daß die Geschichte der Mühle paradigmatisch sei für die brutale Verwandlung einer beinahe feudalen, agrarischen Gesellschaft in eine industrielle. Aber selbst in Eberts Jugendzeit war die Mühle ihrem ursprünglichen Zweck entfremdet. Der *locus amoenus*, die Idylle war bereits damals ästhetisiert. Ebert schreibt von seinem Vater:

> Ein weißlicher Müller und ein weiser Mann war er; aber alles auf einmal konnte auch er nicht bedenken und das einander Ausschließende miteinander in Gleichklang bringen. So trug denn auch er sein Teil der Schuld, daß der augenblicklich letzte Pfister nicht mehr als Müller auf Pfisters Mühle sitzt. (18)

Daraus geht zweierlei hervor: Erstens, weil der Vater kein Müller mehr war, sondern ein Gastwirt, bei dem sehr viele Studenten verkehren, trägt er dazu bei, daß sein eigener Sohn später studiert und nie ernsthaft daran denken wird, die Mühle zu übernehmen. Zweitens, wenn der Vater Müller geblieben wäre, hätte er dem Gestank der Zuckerfabrik besser widerstehen können. Damit soll die Tragik des Pfisterschen Überholtseins keineswegs herabgesetzt werden. Die vereinfachende Gegenüberstellung aber, die die intakte dörfliche Idylle gegen die moderne, entfremdete, spezialisierte Wirtschaft ausspielen möchte, erweist sich nicht als stichhaltig. Bereits in Eberts Jugendjahren war die Mühle als Mühle überholt. Kein Zeitalter ist je sozusagen mit sich selbst identisch. Das dialektische Ineinander von Alt und Neu bringt immer ein asynchrones Moment mit sich. Gerade dieses Asynchrone fällt bei der Beschreibung der Fabrik Schmurky und Kompanie auf, in der Adam arbeitet. Die Fabrik, die ja ein Inbegriff der neuen Technologie ist, legitimiert sich als gotische Burg: „so fand ich Schmurky und Kompanie

---

[3] Vgl. Uwe Helot: *Isolation und Identität: die Bedeutung des Idyllischen in der Epik Wilhelm Raabes*, Frankfurt am Main und Bern 1980, insbesondere S. 75-81 und S. 183-187.

[4] Vgl. Keith Bullivant: „Wilhelm Raabe and the European novel", in: *Orbis Litterarum*, 31 (1976), S. 263-281.

doch sofort und mich, grade wie bei Krickerode, vor gotischen Toren und Mauern, hinter denen sich ganz etwas anderes tummelte als Ritter, Knappen, Edelfräulein, Falkoniere und Streitrosse."(132)

Raabe weist immer wieder darauf hin, daß für viele der Figuren das Leben im Dorf alles andere als erfüllend ist. Adam Asche und Ebert Pfister siedeln sich nach ihrem Studium in Berlin an. Albertine Lippoldes pflegt ihren alten betrunkenen Vater, aber sie kann es kaum erwarten, bis sie das Dorf verlassen kann. Man hat das Gefühl, daß für sie etwaige Auffassungen von der Intimität, Integrität und Authentizität des Dorflebens nur euphemistische Verbrämungen des Klaustrophobischen sind.

Albertines Retter ist Adam Asche. Er ist eine der komplexesten Figuren im Roman. Einerseits ist er ein unternehmungslustiger Naturwissenschaftler und Geschäftsmann. Im Namen des Fortschritts ist er durchaus bereit, die Landschaft zu verpesten. Seine ursprüngliche Ausbildung aber ist humanistisch, er behält seine Liebe zur klassischen Philologie – und auch zu denjenigen Figuren (wie etwa Pfister Vater und Sohn), die Schwierigkeiten haben, sich in der modernen Welt zurechtzufinden. Er macht für den Vater eine chemische Analyse des verunreinigten Wassers. Er kann sachlich sein bis zur Brutalität – er pfändet die Taschenuhr, die ihm Vater Pfister schenkt, weil er weiß, daß er davon nie wird Gebrauch machen können. Andererseits zeigt er sich feinfühlend und taktvoll; er ist zum Beispiel gerührt vom Geschenk der Axt, obwohl der eigentliche Gegenstand ihm viel weniger nützlich ist als die Uhr. Und gegen Ende des Romans sagt er Ebert, daß er neben seiner Arbeit als Chemiker in einer Fabrik, deren Abwasser die Spree verschmutzen, gedenkt, sein Altgriechisch aufzufrischen, um Homer in der Originalsprache lesen zu können:

> Es ist eben nicht das Ganze des Daseins, alle Abende aus der Wäsche von alten Hosen, Unterröcken, Ballroben, Theatergarderobe und den Monturstücken ganzer Garderegimenter zu der besten Frau und zum Tee nach Hause zu gehen. Da habe ich mir denn das Griechische ein bißchen wieder aufgefärbt und lese so zwischendurch den Homer, ohne übrigens dir hierdurch das abgetragene Zitat von seiner unaustilgbaren Sonne über uns aus dem Desinfektionskessel heben zu wollen. (187 f.)

Der Schlußsatz bezieht sich intertextuell auf die letzte Zeile von Schillers Gedicht „Der Spaziergang". Asche ist somit der moderne Geschäftsmann, der immer wieder von seiner klassischen Bildung zehrt.

Adam bleibt trotzdem eine schillernde Gestalt. Wie Ebert zitiert er sehr gern aus den kanonischen Texten der abendländischen Literatur. Das mag wohl bewundernswürdig sein; aber man fragt sich mitunter, ob diese Zitierwut letztlich nicht ein Ausdruck bürgerlicher Selbststilisierung ist – etwa im Sinne des Nietzscheschen „Bildungsphilisters". Raabes Analyse der modernen Kultur ist von erstaunlicher Stringenz und Differenziertheit; und sie schlägt sich nicht nur thematisch nieder, wie wir bereits gesehen haben, sondern auch stilistisch-strukturell, in der Erzählhaltung, der ich mich jetzt zuwenden will.

Eberts Erzählung besteht aus geschriebenen und gesprochenen Registern.[5] Immer wieder blenden wir zum Schreibakt selber, zur Situation, in der der Bericht entsteht, zurück. Ebert schildert die Geschichte der Mühle; aber sein Schreiben wird von Emmy immer wieder unterbrochen. Sie ist nicht nur eine passive Zuhörerin. Wie der Text an einigen Stellen explizit macht, ist sie sich dessen bewußt, daß Ebert allzu leicht den Verlockungen der Nostalgie anheimfällt. Sie ist eine praktische, lebenslustige junge Frau, die ihren Mann aus dem Bann des Vergangenen reißt. Sie kommt aus Berlin, und sie besteht darauf, daß die Gegenwart anerkannt werden muß. Sie ist ein energisches, attraktives Wesen, und man sollte ihre Intelligenz nicht unterschätzen. Sie weiß, daß Ebert und ihr in Friedhöfe verliebter Vater „richtig Vögel aus einem Nest" (124) sind; daher beschwört sie immer wieder die bevorstehende Rückkehr nach Berlin:

> O, wie konntest du nur so sein und denken, daß ich es nicht ganz genau weiß, wie gut und lieb wir das jetzt hier haben in deiner Mühle und wie traurig das ist, daß wir es hier nie so wieder haben können! [...] Und es ist auch ganz recht von dir, daß du jetzt im letzten Augenblick noch einmal alles aufschreibst, was du in ihr erlebt hast, und ich freue mich schon auf den Winter in der Stadt, wo du es mir hoffentlich im Zusammenhang vorlesen wirst, wenn auch Herr und Frau Asche dabei sein werden [..]. (36)

Einmal in seinen Erinnerungen erwähnt Ebert eine Reise, die er nach Berlin macht. Emmy unterbricht ihn im Berliner Dialekt:

> „Jott sei Dank, da sind wir denn eigentlich!" seufzte Emmy mit echtestem Berliner Akzent und erinnerte mich dadurch aufs hübscheste und vergnüglichste, daß ich nicht ohne Erfolg auf die Suche nach Abenteuern, Wundern und verzauberten Prinzessinnen von meines Vaters Haus ausgezogen sei. (130)

Hier spricht Ebert davon, daß sein Leben in Berlin auch von Poesie, Zauber, von Märchenhaftem durchzogen ist. Aber manchmal neigt er dazu, die moderne Welt der Unpoesie zu beschuldigen. Und da leistet Emmy energischen Widerstand:

---

[5] Vgl. Eduard Klopfenstein: *Erzähler und Leser bei Wilhelm Raabe*, Bern 1969; Wieland Zirbs: *Strukturen des Erzählens: Studien zum Spätwerk Wilhelm Raabes*, Frankfurt am Main und Bern 1986.

O Herz, liebster, bester Mann, ich kann ja nichts dafür; aber ich freue mich so sehr, so unendlich auf unsere eigenen vier Wände und deine Stube und meinen Platz am Fenster neben deinem Tische! [...] Ich konnte ja wirklich nichts dafür und habe mir gewiß selber Vorwürfe genug gemacht, wenn ich in den letzten Wochen nicht alles gleich so mitsehen, und mitwissen und mitfühlen konnte wie du [...] in deiner verzauberten Mühle, die dir gar nicht mehr gehörte [...]. Und ich will es dir auch so behaglich bei dir und mir machen, daß du doch denken sollst, das Beste habest du doch mitgebracht nach Berlin von Pfisters Mühle. (170 f.)

Emmy hat recht. Und bis er am Ende seiner Berichterstattung ankommt, hat Ebert das eingesehen.

In seinem Bericht taucht immer wieder eine Frage auf – „Wo bleiben alle die Bilder?" Eberts Verliebtsein in Bilder drückt ein nostalgisches Wissen um die verlorenen Schauplätze der Kindheit aus – und das Bedürfnis, sie in den Blättern des Sommerferienheftes festzuhalten. Die Gefahr besteht, daß die Gegenwart als prosaisches „Säkulum" abgewertet wird zugunsten einer fixierten Heraufbeschwörung der Vergangenheit, die allein poetische Bilder hervorzubringen vermag. Diese sowohl psychologisch als auch textlich undifferenzierte Einstellung wird von einer Erinnerung aus der jüngsten Vergangenheit weggefegt. Ebert erinnert sich, daß während ihrer Hochzeitsreise Emmy im Laufe eines Galeriebesuches plötzlich das unüberwindliche Bedürfnis nach Eiskrem verspürte. Emmys weltliche – ausgesprochen gegenwartsbezogene – Anwandlung ist aber keineswegs eine Verscheuchung der (poetischen, sprich artistischen) Bilder; denn die Freude seiner jungen Frau am Tun und Treiben der modernen Welt bringt ein Bild zustande, das für immer haften bleibt:

Es bleibt, jedenfalls noch für längere Zeit, eines der hübschesten Bilder meines Lebensbilderbuches, sie in unsern Flitterwochen glücklich, lächelnd, tänzelnd am Arm zu haben, sie aus den heiligen, aber kühlen Hallen der bildenden Kunst in den warmen Sonnenschein der menschenwimmelnden Straße und in die nächste elegante Konditorei zu führen, sie dort zierlich Eis essen zu sehen und das Hin- und Herwogen der Tagesmoden draußen in den glänzenden Riesenspiegelscheiben mit den Bildern in ihrer Modezeitung zu Hause vergleichen zu hören. (31)

Eberts insistente Frage „Wo bleiben alle die Bilder?" thematisiert den Prozeß und die Modalität seines eigenen erzählerischen Aktes.[6] Um was für ein

---

[6] Zur Reflektivität, die Raabe von seinen Lesern verlangt, siehe Horst Denkler: *Wilhelm Raabe: Legende - Leben - Literatur*, Tübingen 1989; Ulf Eisele: *Der Dichter und sein Detektiv: Raabes „Stopfkuchen" und die Frage des Realismus*, Tübingen 1979, insbesondere S. 35-74; Leo Lensing: *Narrative Structure and the reader in Wilhelm Raabe's „Im alten Eisen"*, Bern 1977; Eckhardt Meyer-Krentler: *„Unterm Strich": literarischer Markt, Trivialität und Romankunst in Raabes „Der Lar"*, Paderborn und München 1986.

Schreiben handelt es sich? Ebert beginnt mit einer Vielfalt von Anklängen an Wielands *Oberon*, Anklänge, die eine poetische, ja sogar märchenhafte Welt – die des exotischen Orients – heraufbeschwören. Ebert stellt fest, daß der Orient jetzt durch Bilder, Konsularberichte, Zeitungsartikel bekannt sei, und es handele sich somit um eine Welt, die alle Wahrzeichen der modernen Welt aufweise – Eisenbahnschienen, Telegraphenstangen usw. Immer wieder bezieht sich Ebert auf die Literatur – Shakespeare, Goethe, Schiller, Dante, Leopardi usw. –, um eine Art Schutzwall gegen die moderne Gesellschaft zu errichten. Aber jene Welt kann auch poetisch sein. Der Roman schließt mit einer Schilderung von der Pfisterschen Rückkehr nach Berlin. Ebert hebt in seinem Bericht immer wieder die schier befremdende Größe der Hauptstadt hervor; aber diesmal weicht seine trübselige Stimmung einer heiteren Schilderung jener sowohl konkreten als auch metaphorischen Heimkehr, die Emmy zelebriert, als sie ihre Berliner Wohnung betritt: „Sie war wieder bei sich zu Hause und in meinem Hause (wenn es auch nur eine moderne, unstete Mietswohnung war) ganz meine Frau, mein Weib, mein Glück und Behagen."(171) In jener Heimat holt er sein Sommerferienheft hervor. Er überlegt sich, ob er den Text nicht revidieren soll, damit etwas Einheitliches, Literarisches entsteht. Das würde aber mit sich bringen, daß Emmys Einschübe herausediert werden müßten:

> Nun könnte ich mich selber literarisch zusammennehmen, auf meinen eigenen Stil achten, meine Frau und alle übrigen mit ihren Bemerkungen aus dem Spiel lassen [...].
> Und es fällt mir nicht ein – es fällt mir nicht im Traume ein! Ich werde auch jetzt nur Bilder, die einst Leben, Licht, Form und Farbe hatten, mir im Nachträumen solange als möglich festhalten! (172)

Er weigert sich schlicht und einfach, das zu tun. Sein Text beginnt, wie wir gesehen haben, mit literarischen Anspielungen, mit einer Geste der Trauer um eine entschwundene Welt. Aber bald hört der Bericht auf, denn es entsteht eine durch drei Kreuze markierte Lücke. Die Unterbrechung kommt zustande, weil Emmy die Schreibarbeit ihres Mannes stört, indem sie auf das schöne Wetter hinweist und Ebert ermuntert, bei ihr zu sitzen – „Was schreibst du denn da eigentlich so eifrig, Mäuschen?" (7) Ebert gibt nach: „mir blieb wirklich nichts übrig, als unter meine unmotivierte Stilübung dahin drei Kleckse zu machen, wo im Druck vielleicht einmal drei Kreuze stehen" (7). Wie aus den Schlußseiten des Manuskriptes hervorgeht, wird sein Sommerferienheft in nur leicht revidierter Form veröffentlicht – im gedruckten Text werden die Kleckse in Kreuze verwandelt. Der endgültige Text, den wir zu lesen bekommen, erkennt sowohl die Gegenwart des Schreibaktes als auch die durch den Akt der Erinnerung heraufbeschworene Vergangenheit. Weder psychologisch noch erzähltechnisch wird die Gegenwart herausediert. Der publizierte Bericht zeugt immer wieder von dem etwas chaotischen Prozeß seines Entstehens:

> Wie ist das Gekritzel zusammengekommen? Die Buchstaben, die Kleckse, die Gedankenstriche und Ausrufungszeichen müssen selber ihr blaues Wunder in der Dunkelheit der Truhe unter meinem Schreibtisch in der großen Stadt Berlin haben! Das wurde unterm Dach geschrieben, das unterm Busch auf der Wiese; auf diese Seite fiel der helle, heiße Julisonnenschein, hier ist die Schrift ineinander geflossen und trägt, solange das Papier halten will, die Spuren, daß das Ding mit Not aus einem plötzlichen Regenschauer in Emmys Handkörbchen gerettet wurde. (158)

Eberts Erzählung wird vom Register des Indirekten, des Konversationellen durchzogen; in diesem Register beruht die menschliche und gesellschaftliche Resonanz von Raabes Romantext.

Jeffrey Sammons weist darauf hin[7], daß Raabe offensichtlich bemüht war, das Drama der wirklichen Ereignisse, die seinem Roman zugrundelagen, herunterzuschrauben. Es gab tatsächlich einen Prozeß zwischen einem Müller und einer benachbarten Zuckerfabrik. In dem Prozeß mußte die Fabrik tausend Mark Schadenersatz zahlen – und nicht hundert wie im Raabeschen Text. Im Prozeß war der Anwalt ein leidenschaftlicher Gegner der industriellen Verschmutzung, während bei Raabe Doktor Richei eine eher zaghafte Figur ist. Raabe berichtet nirgends, wie der Prozeß eigentlich verläuft. Der Sinn dieser bewußten Entdramatisierung der Ereignisse geht daraus hervor, daß Raabe die scharfen Kanten des Konflikts verwischen will. Ihm geht es vielmehr um den schmerzhaften Prozeß, der dort entsteht, wo sich Menschen in den mannigfaltigen Manifestationen gesellschaftlichen Wandels zurechtfinden müssen. Die grandiose Kulisse öffentlicher Historie erscheint nur im Hintergrund.[8] Im Vordergrund stehen psychologische, soziale, wirtschaftliche, sprachliche Momente. *Pfisters Mühle* kreist um die Suche nach einer erkennbaren und bewohnbaren Gemeinschaft – eine Thematik, die, in Raymond Williams' Darstellung[9], dem realistischen englischen Roman des 19. Jahrhunderts zugrunde liegt. Die Subjektivität der Romanfigur überschneidet sich somit immer wieder mit den Anforderun-

---

[7] Jeffrey L. Sammons: *Wilhelm Raabe: the fiction of the alternative community*, Princeton 1987, S. 273-275; vgl. Sammons: Raabe, *„Pfisters Mühle"*, London 1988, S. 34-37.

[8] Vgl. Irmgard Roebling: *Wilhelm Raabes doppelte Buchführung: Paradigma einer Spaltung*, Tübingen 1988, insbesondere S. 201-219.

[9] Raymond Williams: *The English novel from Dickens to Lawrence*, London 1970.

gen einer sich ändernden gesellschaftlichen Lebensform. Die mannigfaltigen Reaktionen, die Inneres und Äußeres intensiv miteinander verbinden,
erzeugen letztlich jenes komplexe Geflecht, jenen „Roman des
Nebeneinander", der für Barker Fairley[10] die entscheidende Leistung der
Raabeschen Romankunst ist. Raabes Romanfiguren sind fast immer
gesprächig; und ihre Reden sind nie intim belauschte, unterschwellige
Bewußtseinsvorgänge; sie sind vielmehr bemüht, sich selbst zu artikulieren,
vor allem dadurch, daß sie auf das von ihnen intensiv erfahrene Ineinander
von Vergangenheit und Gegenwart reagieren. Bei Raabe wird die
Innerlichkeit veräußerlicht; was er uns zu bieten hat, ist somit nicht so sehr
ein erzählerischer Realismus, der mit konkreten Tatsachen und Ereignissen
zu tun hat, sondern vielmehr ein Realismus, der in Gemütsverfassungen
und mentalen Vorgängen und in deren erzählerischem Nachvollzug beheimatet ist.[11]

[10] Barker Fairley: *Wilhelm Raabe: an introduction to his novels*, Oxford 1961,
insbesondere S. 200-221.
[11] Vgl. Nancy A. Kaiser: „Reading Raabe's realism: *Die Akten des Vogelsangs*",
Germanic Review 59, 1984, S. 2-9; vgl. auch Horst Denkler: „Wilhelm Raabes
Pfisters Mühle (1884): zur Aktualität eines alten Themas und vom Nutzen
offener Strukturen", in: *Romane und Erzählungen des bürgerlichen Realismus*,
hg. v. Horst Denkler, Stuttgart 1980, S. 293-309.

XIII. Die Erzählweisen menschlicher Gesellschaftsbildung

(Theodor Storm)

Die deutsche Erzählprosa des neunzehnten und zwanzigsten Jahrhunderts ist erstaunlich reich an sogenannter „Heimatliteratur". Es handelt sich dabei um Erzählungen und Romane, die das einfache Landleben, die Dorfgemeinschaft, die Natur zum Gegenstand haben. Es ist eine Tradition, die wegen der Blut-und-Boden Ideologie der Nazizeit in Mißkredit geraten ist; aber es fragt sich letztlich, ob solche pauschalen Werturteile zu rechtfertigen sind. Zugestanden: einige Schriftsteller dieser Tradition neigen mitunter zur Sentimentalität (Rosegger) und zum Pathos des Erdverbundenen (Ganghofer); aber es darf nicht übersehen werden, daß andere Autoren Fiktionen hervorgebracht haben, die weit davon entfernt sind, eskapistisch bzw. bravplakativ zu sein. Berthold Auerbachs *Schwarzwälder Dorfgeschichten* bieten mitunter eine kritische Befragung der ländlichen Gemeinschaft, was kaum Wunder nehmen darf, wenn man bedenkt, daß Auerbach neben den Dorfgeschichten zwei Romane geschrieben hat, die die Probleme jüdischer Geistigkeit und gesellschaftlicher Assimilation aufs eindringlichste gestalten und erörtern (*Spinoza: ein Denkerleben*, 1837; *Dichter und Kaufmann: ein Lebensgemälde aus der Zeit Moses Mendelssohns*, 1840). Auerbach ist bei weitem kein ideologischer Verkünder schlicht-bäuerlicher Tugenden und Wertvorstellungen. Adalbert Stifter schreibt immer wieder über das Dorfleben in seiner Heimat im böhmischen Wald. Sein Versuch, eine letztlich unentfremdete Welt und unentfremdete Existenzen heraufzubeschwören, wird aber häufig von Gegenströmungen und Aporien der Problematik menschlicher Individuation durchzogen und destabilisiert. In Prosa von erstaunlicher Gravitas und Intensität versucht Stifter, die bescheidenen Dinge und Verhältnisse der ländlichen Welt zu einem grandiosen Sinnangebot zusammenzufügen. Die Dinge werden somit beinahe zu Instanzen, Instanzen der ontologischen Integrität, und verlieren somit ihre alltägliche gesellschaftsbezogene Resonanz. Was mitunter als ein „effet de réel" anmutet, entpuppt sich als eine Rhetorik des Seins. Und somit sprengt Stifter sowohl in seinen Erzählungen als auch in seinen Romanen den Rahmen der sogenannten Heimatliteratur – und wohlgemerkt auch der gesellschaftlichen Kontextualisierung, die dem erzählerischen Realismus zugrunde liegt. Etwas Ähnliches trifft m.E. auf Annette von Droste-Hülshoffs *Die Judenbuche* (1842) zu. Obwohl diese hervorragende Erzählung eine skeptischkritische Analyse der Sitten einer Dorfgemeinde in Westfalen gibt, liegt das eigentliche Zentrum der Drosteschen Thematik nicht so sehr im Gesellschaftlich-Kulturellen als im metaphysischen Konnex von Schuld und Sühne. *Die Judenbuche* bietet einiges, was realistisch anmutet; die Erzählung endet aber in Themenbereichen, die über das Realistische hinausgehen.

Von allen Schriftstellern deutscher Sprache, die sich mit dem thematischen Anliegen der Heimatliteratur beschäftigen, und die diese Tradition in ein differenziertes realistisches Unternehmen zu verwandeln vermocht haben, ist Theodor Storm nebst Gotthelf weitaus der wichtigste. Sein Erzählwerk ist von seiner nordfriesischen Heimat Husum schlechterdings untrennbar. Er bevorzugt die kurze Form der Novelle, und immer wieder schreibt er der menschlichen Erfahrung des Zeitlichen eine entscheidende Rolle zu. Er ist ein Meister der Erinnerungsnovelle, die oft mit komplexen Formen des erzählerischen Rahmens operiert, wobei aus einer zeitlichen Ebene heraus von einer anderen Zeitperiode erzählt wird. Gelegentlich entsteht dabei eine Thematisierung der Historie, die den Konflikt der feudalen Welt mit dem Zustandekommen eines frühen bürgerlichen Ethos behandelt. Oft bleiben aber seine Novellen letztlich im Privaten beheimatet, und die Thematik der Zeit kann resignativ oder verklärend – aber letzten Endes enthistorisierend – wirken. Daher sein Ruhm als Stimmungskünstler, als lyrischer, sprich elegischer, Novellist. Aber sein letztes Werk *Der Schimmelreiter* (1888) ist ein Meisterwerk, in dem die charakeristische Stormsche Thematik der Vergänglichkeit von einer intensiven Befragung menschlicher Gemeinschaftsbildung und kulturgeschichtlichen Wandels durchzogen wird. Wieder einmal handelt es sich um einen komplexen, sich ständig thematisierenden Akt des Erzählens; im Zentrum dieses selbstreflexiven Erzählungsvorgangs steht die Einsicht, daß Geschichte aus Geschichten besteht, daß eine Gemeinschaft dadurch entsteht, sich bestätigt und sich weiterentwickelt, daß sie von einem Fundus immer wieder neu zu erzählender Geschichten zehrt.

Der Schimmelreiter beginnt mit einem auktorialen Vorwort, das von der ersten Begegnung mit dem Erzählstoff im Hause der Großmutter berichtet. Es handelte sich damals um die Lektüre eines Zeitschriftenheftes. Seitdem hat sich der Autor verzweifelt bemüht, das Heft wieder zu finden – aber umsonst. Das hat zur Folge, daß die „Wahrheit der Tatsachen" (634)[1] nicht etabliert werden kann. Die Geschichte lebt aber trotzdem weiter, denn der Schreiber hat sie „niemals aus dem Gedächtnis" (634) verloren. Man könn-

---

[1] Zitiert wird nach folgender Ausgabe: Theodor Storm: *Novellen 1881-1888*, hg. v. Karl Ernst Laage, Deutscher Klassiker Verlag, Frankfurt am Main 1988.

te das etwa folgendermaßen umschreiben: die Wahrheit der Geschichte hat keineswegs mit ihrer nachprüfbaren Genauigkeit zu tun, sondern vielmehr mit deren interpretatorischer Resonanz: im Akt des Erzählens und des Rezipierens, im Prozeß narrativer Überlieferung und Transformation bewahrheitet sich der Erzählstoff immer wieder von neuem.

Somit beginnt die Haupterzählung; wir befinden uns „im dritten Jahrzehnt unseres Jahrhunderts", der Erzähler reitet bei stürmischem Wetter auf einem nordfriesischen Deich gegen ein Dorf zu. In dem Unwetter, das um ihn tobt, meint er, daß er eine gespenstische Gestalt auf einem Schimmel zweimal sieht – und zwar aus unmittelbarer Nähe. Er reitet weiter und kommt in einem Wirtshaus an, wo der Deichgraf und die Gevollmächtigten Wache halten, falls bei dem heftigen Sturm die Deiche einen Schaden erhalten. Der Erzähler erwähnt seine gespensterhafte Begegnung; und der Dorfschulmeister erzählt dann die Geschichte des Hauke Haien, der in der Mitte des achtzehnten Jahrhunderts lebte und ein bedeutender aber umstrittener Deichgraf war. Der Stormsche Text besteht zu etwa neunzig Prozent aus der Erzählung des Schulmeisters. Es ist eine spannende Erzählung; aber trotz unserer Faszination verlieren wir die Rahmensituation nie aus den Augen. Wir vergessen nicht wo, wie und von wem erzählt wird. Manchmal schaltet der Schulmeister seinen eigenen Kommentar ein, manchmal blenden wir zur Szene in dem Wirtshaus zurück. Der eigentliche Katalysator des Aktes der Wieder-Erzählung der Geschichte Hauke Haiens ist eine gespensterhafte Begegnung. Was aber der Schulmeister erzählt, ist alles andere als gespenstisch. Denn seinem Bericht liegt ein progressives, gesellschaftliches Anliegen zugrunde; für ihn ist Hauke ein begabter Mann, der seiner Zeit voraus war und der gegen den abergläubischen Konservatismus der Gemeinschaft zu kämpfen hatte. Hauke ist längst gestorben. Aber die eigentliche Thematik seines Lebens existiert weiter, denn sie ist ein Stück der vielschichtigen Mentalitätsgeschichte des Dorfwesens. Der Schulmeister thematisiert sein interpretatorisches Unternehmen, indem er von seinem Stoff sagt: „es ist viel Aberglaube dazwischen und eine Kunst, es ohne diesen zu erzählen" (639). Von ihm selbst und auch von den Zuhörern im Wirtshaus erfahren wir, daß es andere Versionen der Geschichte gibt: Antje Vollmers, die Wirtschafterin des Deichgrafen, wüßte einen anderen Bericht zum Besten zu geben. Der Deichgraf sagt vom Schulmeister: „Er gehört zu den Aufklärern" (755). Und am Ende seiner Erzählung zieht der Schulmeister eine unverkennbar tendenziöse Bilanz aus seinem Bericht:

> [...] denn so ist es, Herr: dem Sokrates gaben sie ein Gift zu trinken, und unsern Herrn Christus schlugen sie an das Kreuz! Das geht in den letzten Zeiten nicht mehr so leicht; aber – einen Gewaltmenschen oder einen bösen stiernackigen Pfaffen zum Heiligen, oder einen tüchtigen Kerl, nur weil er uns um Kopfes-

länge überwachsen war, zum Spuk und Nachtgespenst zu machen – das geht noch alle Tage. (754)

Für den Schulmeister ist der Akt des Erzählens ein Akt narrativer Wiedergutmachung, deren sozialkritische Resonanz an Brisanz nichts verloren hat. Denn die Legende, die sich um Hauke Haien gebildet hat, „war derzeit, und ist auch jetzt noch das Geschwätz des ganzen Marschdorfes, sobald nur um Allerheiligen die Spinnräder zu schnurren anfangen" (695). Die Geschichte ist somit nicht erledigt: sie belebt sich vielmehr in jedem einzelnen Akt des Erzählens und Zuhörens.

In Anbetracht der interpretatorischen Perspektive, von der aus der Schulmeister erzählt, ist es keineswegs überraschend, wenn er immer wieder gesellschaftliche Momente hervorhebt. Für ihn ist Hauke jemand, der ein schweres Amt inne hatte, das „verantwortliche Amt, die Gemeinde vor unseres Herrgottes Meer zu schützen" (741). Und dem Funktionieren des Amtes wird viel narratives Interesse gewidmet. Storm hat sich, wie wir wissen, über die Geschichte und Traditionen des Deichbaus intensiv informiert. Er benutzt technische Vokabeln in seinem Text und fügt sogar ein kleines Lexikon der unvertrauten Wörter für „binnenländische Leser" bei. Somit – allein durch den Wortschatz – erreicht er einen „effet de réel", der durch seine handwerkliche Ausführlichkeit überzeugend wirkt. Auch die administrativen und politischen Aspekte von Haukes Beruf werden präzis geschildert. Hauke und seine Frau Elke sind beide „geborene Rechner" (657). Sie glauben an die Vernunft und, was die Verpflichtungen des Deichgrafen der Gemeinde gegenüber angeht, an eine neue, mathematisch genau ausgedachte Konstruktion des Deiches. Dabei geraten sie mit der Gemeinde in Konflikt, aber bei der Versammlung der Deichgevollmächtigten gelingt es Hauke, sich durchzusetzen. Die Szene ist knapp, aber meisterhaft gestaltet. Am Schluß muß Hauke die Aufsicht über verschiedene Etappen des Projekts mit einem Verwandten eines der älteren Deichgevollmächtigten teilen:

> So wurde denn über die beiden Feldmesser verhandelt und endlich beschlossen, ihnen gemeinschaftlich des Werk zu übertragen. Ähnlich ging es bei den Sturzkarren, bei der Strohlieferung und allem andern, und Hauke kam spät und fast erschöpft auf seinem Wallach, den er noch derzeit ritt, zu Hause an. (709)

Immer wieder spüren wir die Allgegenwart der Gemeinde mit ihren Institutionen und Konventionen. Hauke vertritt konsequent die Notwendigkeit einer Modernisierung des Deichwesens und stößt somit immer wieder auf Widerstände.

Der Schulmeister schildert auch ausführlich, wie Hauke gegen finanzielle und klassenbezogene Hindernisse zu kämpfen hat. Hauke ist nicht mittel-

los; er erbt von seinem Vater, aber lang nicht genügend, um den traditionellen, standesgemäßen Erwartungen in bezug auf das Amt des Deichgrafen
entsprechen zu können. Da hilft ihm Elke, die Tochter des alten Deichgrafen. Sie verloben sich heimlich. Als ihr Vater stirbt, muß Elke das vorge-
schriebene Leichenmahl im Familienhaus veranstalten. Am Ende der Mahlzeit werden die Tonpfeifen verteilt und eine Diskussion entsteht wegen der
Deichgrafnachfolge. Der Pastor und der Oberdeichgraf meinen, daß Hauke
der geeignetste Mann wäre; aber es fehlt ihm an Vermögen. Da schaltet sich
Elke ein, gibt ihre heimliche Verlobung bekannt, und sagt dann: „Ich werde
vor der Hochzeit meinem Bräutigam die Güter übertragen. Ich habe auch
meinen kleinen Stolz, ich will den reichsten Mann im Dorf heiraten." (687)

Wiederholt hören wir von Arbeits-, Klassen- und Vermögensverhältnissen
im Dorf. Da sind einerseits die Tagelöhner – darunter Ole Peters, Haukes
großer Rivale –, andererseits die reichen Marschbauern, und, vor allem in
Bezug auf das Deichwesen, die verschiedenen Amts- und Würdenträger der
Gevollmächtigtenversammlung. Dem Leser bleibt immer bewußt, daß der
Schulmeister nicht nur *von* diesen Strukturen und Ständen spricht, sondern
auch *zu* ihnen. Denn die erzählerische Rahmensituation besteht aus einem
Hörerkreis, der sich wegen der aus dem Unwetter hervorgehenden Gefähr-
dung des Deiches im Wirtshaus versammelt hat. Das Institutionelle ist somit in Storms *Schimmelreiter* allgegenwärtig, sowohl in der Binnenerzäh-
lung als auch in der Rahmensituation.

Aus der Perspektive des Schulmeisters ist es klar, daß Hauke immer wieder
gegen Unwissen, Kleinlichkeit, Konservatismus zu kämpfen hat. All diese
Hindernisse konsolidieren sich in der Macht des Aberglaubens. Aus
Furcht, aus Eifersucht, aus Trägheit des Geistes bekämpfen die Dorfbewoh-
ner Hauke wegen seiner fehlenden Bereitschaft, ihre traditionellen Verhaltensweisen, ihre Konventionen, Ängste, Rituale zu respektieren. Er weigert
sich, dem Aberglauben nachzugeben, der erfordert, daß bei der Errichtung
eines neuen Deichs etwas Lebendiges eingemauert werden soll. Die Dorf-
bewohner rächen sich dadurch, daß sie Hauke zu einer unheimlichen Gestalt, zu einem Ungeheuer stilisieren. In einem Gespräch der Tagelöhner,
das mitunter an die chorartigen Szenen in Thomas Hardys Wessex-Romanen erinnert, wird von dem Gerippe eines ertrunkenen Pferdes gesprochen,
das im Mondlicht gespensterhaft schimmert. Als Hauke unmittelbar darauf
einen Schimmel kauft, werden er und sein Pferd dämonisiert. Der Feind des
Aberglaubens wird dadurch bekämpft, daß er in das Geflecht des Aberglaubens integriert wird.

Und doch ist es so, daß, trotz der insistenten Deutungen des Schulmeisters,
die alle darauf hinauslaufen, Hauke zu rechtfertigen und die Dorfgemein-

schaft als größtenteils furchtsam und kleinlich abzutun, wir einen anderen, konträren Subtext aus Storms Text heraushören können. Hauke und Elke sind, wie wir bereits festgestellt haben, „geborene Rechner". Aber manchmal laufen ihre Rechnungen fehl, weil sie Unabwägbares außer acht lassen. Zunächst einmal denkt man an die Thematik ökologischer Prozesse. In einem Wutanfall tötet Hauke die Katze der alten Trin' Jans. Die Folgen sind schwerwiegender, als man auf den ersten Blick erkennt; denn ohne die Katze bekommen die Ratten freien Lauf – und fressen die Enten. Es ist aufschlußreich, daß später der neue Deich von Mäusen unterminiert wird. Trotz sämtlicher in sich stimmiger Kalkulationen ist es die Unberechenbarkeit der Natur, die letzten Endes dem Deichgrafen einen Strich durch die Rechnung macht. Das soll nun selbstverständlich nicht heißen, daß wir des Schulmeisters Erzählung gegen den Strich lesen sollten; es deutet aber darauf hin, daß Haukes Ungeduld und Inflexibilität es ihm unmöglich machen, das komplexe psychische und semiotische Leben der Gemeinde anzuerkennen. Das, was er als bloß reaktionären Aberglauben abzutun geneigt ist, mag eine gewisse Berechtigung haben. Es entbehrt nicht einer bitteren tragischen Ironie, daß gerade der Opfertod Haukes und seiner Familie doch noch den alten Aberglauben erfüllt, daß der neue Deich die Preisgabe von etwas Lebendigem verlangt.

Aus diesem Grunde ist die Lebensgeschichte und die Legende von Hauke Haien immer noch eine wirksame Komponente des erzählerischen Gutes der Gemeinde. Der Schulmeister hat seine Version; aber es gibt, wie wir gesehen haben, auch andere, die erzählt werden könnten. Letzten Endes sorgt die selbstreflexive Rahmensituation für das Zustandekommen erzählerischer Mehrschichtigkeit.[2]

Fassen wir zusammen: der Erzähler, der im dritten Jahrzehnt des neunzehnten Jahrhunderts zum Wirtshaus reitet, bekommt den gespenstischen Schimmelreiter zweimal zu sehen – und das, wohlgemerkt, bevor er die Erzählung vom Leben Hauke Haiens gehört hat. Das könnte die Legende bestätigen, derzufolge das Gespenst des Schimmelreiters immer wieder erscheint, sobald ein Deich gefährdet ist. Einige der Zuhörer im Wirtshaus behaupten, den Schimmelreiter gesehen zu haben: „wir beide haben es gesehen, Hans Nickels und ich: der Schimmelreiter hat sich in den Bruch gestürzt." (678) Und am Ende des Textes wird bestätigt, daß in der Nacht der Deich doch an einer Stelle gebrochen ist. Der Erzähler bleibt unparteiisch; er sagt nur: „Das muß beschlafen werden" (755). Und am folgenden

---

[2] Vgl. die hervorragende Analyse von John M. Ellis, in: Ellis: *Narration in the German Novelle*, Cambridge 1974, S. 155-168.

Morgen reitet er über den Hauke-Haien-Deich zur Stadt hinunter. Von dem Lebenswerk des Schimmelreiters ist ein objektives Monument geblieben: der Deich, der immer noch Schutz gewährt, ist ein konkretes, praktisches Werk, das sich oft bewährt hat. Am Ende fragen wir uns, ob wir eine Gespenstergeschichte gelesen haben – oder die Lebensbeschreibung eines fortschrittlichen Reformers, der mit seinem Leben für seine neue Vision hat zahlen müssen. Innerhalb der Gemeinde wird die Geschichte, die den Zusammenprall von alt und neu drastisch thematisiert, immer wieder erzählt. Der Wahrheitsgehalt der Geschichte hat mit faktischer, reportagemäßiger Richtigkeit nichts zu tun, sondern mit deren symbolischen Resonanzen. Storms Text heißt schließlich nicht „Hauke Haien", nicht „Der Deichgraf", sondern „Der Schimmelreiter" und benennt somit den historischen Nerv gemeinschaftlicher Sinngebung. Der Realismus von Theodor Storms größtem Werk ist von seiner narrativen – sprich symbolischen – Selbstreflexivität schlechterdings untrennbar.[3]

---

[3] Zu Theodor Storms sozialkritischer Energie vgl. Hartmut Vinçon: *Theodor Storm* (Slg. Metzler) Stuttgart 1973.

XIV. Zur Diagnose des „Gesellschafts-Etwas"

(Theodor Fontane)

Theodor Fontane ist der einzige deutsche Romanschriftsteller des neunzehnten Jahrhunderts, der mit den großen europäischen Realisten in einem Atem zu nennen ist. Er ist in die Literaturgeschichte in ähnlicher Weise als der literarische Chronist des gründerzeitlichen Berlin eingegangen, wie Dickens vom viktorianischen London schlechterdings untrennbar ist. Fontane kam spät zu seinem eigentlichen Metier. Seine literarischen Lehrjahre hat er als Journalist und Autor von Reisebeschreibungen absolviert; er war in der sprachlichen Erfassung von konkreten Schauplätzen, von Städten und Landschaften geschult. Als sein eigenes Land zu einem einheitlichen Nationalstaat wurde und ihm somit den nötigen „realistischen" Erfahrungsbereich bereitstellte, verfügte er bereits über die sprachliche und literarische Modalität, die bloß auf die zündende Thematik wartete. Fontane weiß wie kein zweiter Romanschriftsteller seiner Generation, der überall vorhandenen Gesellschaftlichkeit der Gründerjahre erzählerisch nachzugehen. Somit sind die Voraussetzungen für einen Realismus europäischen Formats gegeben.

In der Wertung von Fontanes Romanen hat es jedoch an Stimmen nicht gefehlt, die hervorgehoben haben, daß er in mancher Hinsicht hinter seinen großen europäischen Vorbildern zurückstehe. Die Bedenken, die geäußert werden, haben alle mit der „Halbheit" Fontanes zu tun. Dieser Vorwurf ist nicht neu – schon Lukács hat diesen Aspekt herausgegriffen. Ich zitiere Beispiele, die aus der Zeit nach 1945 stammen. In seiner berühmten Studie „Mimesis: dargestellte Wirklichkeit in der abendländischen Literatur" beschäftigt sich Erich Auerbach sehr wenig mit deutschen Texten. Auch Fontane wird übergangen – und zwar mit folgender Begründung: „Nur bei dem schon bejahrten Fontane, und auch bei ihm nur in seinen letzten und schönsten Romanen, die nach 1890 entstanden, zeigen sich Ansätze zu echter Zeitrealistik. Sie kommen nicht zu voller Entfaltung, weil sein Ton doch nicht über den halben Ernst eines liebenswürdigen, teils optimistischen, teils resignierten Geplauders hinausgeht."[1] Auffallend an dieser Aussage ist die Betonung des Partiellen und „Halben"; es scheint, als werde laut Auer-

---

[1] Erich Auerbach: *Mimesis: dargestellte Wirklichkeit in der abendländischen Literatur*, Bern 1946, S. 461.

bach Fontanes Romanwerk von dem Fluch des „teils...teils" beeinträchtigt. Roy Pascal schreibt in seiner Studie *The German Novel* folgendes: „he (Fontane) looks away from characters tortured by desperate needs, and slips evasively away from conflicts when they grow too harsh. That is why, even in his greatest novel (*Effi Briest*) he fails to reach the stature of Flaubert or Tolstoy."[2] Ähnliche Urteile hören wir von J. P. Stern; er erörtert die Moralität der Trägheit in *Effi Briest* und meint, Effi sei bloß ein Opfer: „[...] merely a victim, an example of that ‚morality of inertia' which consists in *not* making moral decision. It may well be true that such an attitude ‚constitutes a large part of the normal life of mankind': but by confining himself to it the novelist misses the finest and most powerful effects his art can yield."[3] Man fragt sich, was jene „stärksten Wirkungen" sind – und nach welchen Kriterien von „stark" oder „schwach" gemessen wird. Für alle diese Kritiker ist der Fontanesche Realismus etwas Kleinkariertes: als sei in der Metropole Berlin die Luft der deutschen Kleinstaaterei immer noch zu spüren.[4] Dieser Meinung möchte ich entschieden entgegentreten. Sowohl Pascal als auch Stern berufen sich auf *Effi Briest* (1895) als charakteristisches Beispiel der Fontaneschen Halbheit. Ich werde mich auch auf diesen Text konzentrieren – nicht zuletzt, weil er m.E. eine der größten Leistungen des europäischen Realismus überhaupt ist.

Die Werturteile, die ich soeben zitiert habe, heben zwei Aspekte hervor: einmal, daß die eigentliche Lebenserfahrung von Fontanes Figuren sehr begrenzt sei; und zweitens, daß ihr Urheber – Fontane selber – die Furchtsamkeit seiner Personen teilt, weil er als Erzählerinstanz taktvoll und zurückhaltend bleibt. Es scheint fast, als ob Halbheit die Signatur seiner Persönlichkeit sei. Die Briefe sind in dieser Hinsicht aufschlußreiche Dokumente. Es ist auffallend, daß er manchmal imstande ist, eindeutige – und äußerst sozialkritische – Bemerkungen zu machen. Ich denke zum Beispiel an jene Aussagen über den Kleinadel, in denen er aus seinem Abscheu kein Hehl macht; er schreibt, daß „diese Form verschwinden muß [...], daß man mit ihr nicht leben kann".[5] An anderer Stelle bekundet er unverhohlen seine Sympathie mit der Arbeiterklasse:

> „[...] die neue, bessere Welt fängt erst beim vierten Stand an. [...] Das, was die Arbeiter denken, sprechen, schreiben hat das Denken, Sprechen und Schreiben

[2] Roy Pascal: *The German Novel*, Manchester 1956, S. 214.
[3] J. P. Stern: *Re-Interpretations*, London 1964, S. 331 f.
[4] Siehe Ulrike Hass: *Theodor Fontane: bürgerlicher Realismus in Deutschland am Beispiel seiner Berliner Gesellschaftsromane*, Bonn 1979.
[5] Fontane: *Briefe an Georg Friedländer*, hg. v. Kurt Schreinert, Heidelberg 1954, S. 133.

der altregierenden Klassen tatsächlich überholt. Alles ist viel echter, wahrer, lebensvoller. Sie, die Arbeiter, packen alles neu an, haben nicht bloß neue Ziele sondern auch neue *Wege*."[6]

In Anbetracht solcher Gesinnungen würde man meinen, daß Fontane den bestehenden Regeln der bürgerlichen Gesellschaft gegenüber äußerst skeptisch sei. Dem ist aber nicht so. Denn es kommt immer wieder vor, daß Fontane den status quo mit Nachdruck verteidigt – fast im Sinne des Hofrats N N in der *L.P.-Novelle*: „Alles ist Übereinkommen und Gewohnheit. Das Gegenteil wäre grade ebenso gut."[7] Solche Auffassungen scheinen die Beliebigkeit sozialer Normen zu rechtfertigen – und zwar mit der Begründung, daß eine jede Ordnung, und sei sie noch so repressiv, besser sei als keine Ordnung. Aber Fontane ist kein philiströser Konformist; von seinen Romanen wissen wir, daß er die Tragödie des Einzelmenschen keineswegs mit kühler Gelassenheit in Kauf nimmt. Die Abschiedsszene zwischen Botho und Lene in *Irrungen Wirrungen* gehört zum Erschütterndsten, was in deutscher Sprache geschrieben worden ist. Aber sogar dort ist der erzählerische Akzent der Resignation unüberhörbar. Fontane schrieb einmal: „Die Sitte gilt und muß gelten. Aber daß sie's muß, ist mitunter hart. Und weil es so ist, ist es am besten: man bleibt davon und rührt nicht daran."[8] Es scheint, daß Fontanes eigene Einstellung der Gesellschaft gegenüber zwiespältig ist: einerseits weiß er allzu gut, daß die bestehende Gesellschaftsordnung eine konstante Verletzung menschlicher Werte bedeutet, andererseits glaubt er, daß die Menschen ohne diese Ordnung nicht auskommen können. In philosophischer Hinsicht ist eine solche Deutung des Gesellschaftlichen inkonsequent und möglicherweise fragwürdig. Sobald sich aber diese Position im Medium seiner erzählerischen Kunst niederschlägt, reift jene Mischung von Kritik und Resignation zu einer erstaunlichen Erkenntnis sowohl der Tragweite gesellschaftlicher Determination als auch der relativen, aber dennoch, ja gerade deshalb, entscheidenden Dimension individueller Freiheit. Fontanes erzählerische Stimme vermittelt die Imperative sowohl der Auflehnung als auch der Anpassung.[9]

Kommen wir auf jene Kategorie der „Halbheit" zurück. Zunächst einmal soll konstatiert werden, daß diese „Halbheit" eine grundlegende Thematik

---

[6] Zitiert wird nach der Hanser Ausgabe (HA): Theodor Fontane: *Werke, Schriften und Briefe*, hg. v. Walter Keitel und Helmuth Nürnberger, München 1962 ff. Brief an James Morris, 22. 2. 1896, HA, IV, 4, S. 539.

[7] *L.P. Novelle*, HA, S. 447.

[8] Brief an Friedrich Stephany, HA, IV, 3, S. 553.

[9] Vgl. den Engelsschen Begriff vom „Sieg des Realismus", auf den bereits hingewiesen worden ist, in: Hartmut Steinecke: *Romanpoetik in Deutschland: von Hegel bis Fontane*, Tübingen 1984, S. 225.

bildet; sie ist eine unabdingbare Eigenschaft der individuellen Existenzen, die Fontane in seiner Kunst schildert. Effi Briest sagt kurz vor ihrem Tode: „Es ist komisch, aber ich kann eigentlich von vielem in meinem Leben sagen ‚beinah'." (280) Damit drückt sie ein vages – weil überall lauerndes – Unbehagen aus, das damit zusammenhängt, daß ihre Erfahrungen nicht authentisch sind, daß sie nicht ihr unabdingbares Eigentum sind. Nicht einmal ihre Schuldgefühle sind echt; sie empfindet vielmehr Schuld, weil sie sich wegen der Affäre mit Crampas nicht schuldig fühlt. Immer wieder spürt Effi, daß ihre Erlebnisse gleichsam vorfabriziert sind, daß sie in einem Niemandsland gelebt hat, das zwischen ihrem eigenen Wollen und den gesellschaftlichen Erwartungen situiert ist.[10] Müller-Seidel weist auf die Verwandtschaft mit Schnitzlers Figuren hin und spricht von „halben Helden im leidenschaftslosen Eheroman der bloßen Liebelei".[11] Nicht daß Fontanes Figuren bloße Marionetten seien; sie wissen von Erfahrungen, die außerhalb des gesellschaftlichen Erlaubten sind. Aber das Nicht-Erlaubte drückt sich als tabuisiertes „Etwas" aus, als Erfahrung, die ihren Reiz und ihre Unauslotbarkeit dem dialektischen Verhältnis verdanken, in dem es zu dem sanktionierten Lebensbereich steht. Es handelt sich nämlich um zwei Arten von „Etwas", die miteinander verbunden sind; einerseits das „Gesellschafts-Etwas", andererseits das „Etwas" verbotener, und sehr oft sexueller, Erfahrung.[12] Anläßlich der Berlin-Reise mit ihrer Mutter besucht Effi die Nationalgalerie, wo sie Arnold Böcklins ‚Insel der Seligen' sieht. Nach ihrer Rückkehr nach Hohen-Cremmen sagt ihr Vater: „Ihr habt mir da vorhin von der Nationalgalerie gesprochen und von der „Insel der Seligen" – nun, wir haben hier, während ihr fort wart, auch so was gehabt: unser Inspektor Pink und die Gärtnersfrau."(25) Man fragt sich, was hinter Herrn von Briests harmlos anmutenden „so was" steckt. Wir erinnern uns, wie Effi ihren Freundinnen von Innstettens Werbung um die Hand ihrer Mutter ezählt: „Nein, das Leben hat er sich nicht genommen. Aber ein bißchen war es doch so was."(13) Effi interessiert sich als junges Mädchen für exotische Geschichten – „ich behalte so was" (15) Und doch weiß sie ganz genau „hier kommt so was nicht vor"(15). Das „so was", das das Böcklinsche Gemälde vom paradiesischen Leben mit Effis exotischen Phantasien und auch mit der Affäre zwischen einem Inspektor und einer Gärtnersfrau verbindet, ist die anerkannte und doch verleugnete, asoziale Macht der Sexuali-

---

[10] Vgl. Rainer Kolk: *Beschädigte Individualität: Untersuchungen zu den Romanen Theodor Fontanes*, Heidelberg 1986.
[11] Walter Müller-Seidel: *Theodor Fontane: soziale Romankunst in Deutschland*, Stuttgart 1975, S. 372.
[12] Vgl. Erika Swales: „Private mythologies and public unease: on Fontane's *Effi Briest*", in: *Modern Language Review* 75, 1980, S. 114-123.

tät. Diese Macht ist es, die Effis Ehebruch herbeiführt. Aber jener Ehebruch geht aus keiner überwältigenden Liebe hervor; er vollzieht sich vielmehr in jener Dämmerzone, die im sozialisierten Bewußtsein einer Effi die akzeptierten Normen des gesellschaftlichen Abkommens umkreist. Als Effi mit Crampas Ehebruch begeht, empfindet sie ihre Handlungen nicht als Durchbruch zur authentischen Selbstbestimmung, sondern als Betreten eines durch die Gebärde des gesellschaftlichen Verbots gesellschaftlich abgesteckten Territoriums. Sowohl das Leben innerhalb wie auch das Leben außerhalb der sozialen Normen leidet unter dem Fluch der Halbheit, des „Beinah".

Damit berühren wir eine entscheidende Thematik des realistischen Romans im neunzehnten Jahrhundert. Weil es sich um eine narrative Form handelt, die von der überall gegenwärtigen Gesellschaftlichkeit menschlicher Erfahrung überzeugt ist – auch wenn diese Erfahrung einen Verstoß gegen den allgemeinen Pakt, gegen das breite soziale Übereinkommen beinhaltet –, zeigt sie, daß das Individuum von den es umgebenden sozialen Werten so geprägt wird, daß nicht einmal sein Innenleben unversehrt bleibt. Weder der Vollzug dieser sozialen Normen noch der Verstoß gegen sie trägt die Signatur authentischer Lebenserfahrung. Um wieder einmal an die Argumentation Lionel Trillings zu erinnern: „*Little Dorrit*, Dickens's great portrayal of what he regarded as the total inauthenticity of England, has for its hero a man who says of himself ‚I have no will.' Balzac and Stendhal passionately demonstrated the social inauthenticity which baffles und defeats the will of their young protagonists".[13]

Bei Fontane äußert sich die verbreitete Inauthentizität in dem gesellschaftlich determinierten Medium des Dialogs. Was wir des öfteren in seinen meisterhaften Dialogszenen hören, ist das sozialisierte Bewußtsein des Einzelmenschen. Der Sozialisierungsprozeß ist bis in den innersten Winkel des Innenlebens eingedrungen.[14] Ein Paradebeispiel dafür ist das berühmte Gespräch zwischen Innstetten und Wüllersdorf im 27. Kapitel von *Effi Briest* (233 ff.)

Auf den ersten Blick scheint es, als seien die Argumente klar und eindeutig: Innstetten liebt nach wie vor seine Frau, er fühlt sich „in [seinem] letzten

---

[13] Lionel Trilling: *Sincerity and Authenticity*, London 1974, S. 132.
[14] Zur Frage der institutionalisierten Subjektivität vgl. Thomas Degering: *Das Verhältnis von Individuum und Gesellschaft in Fontanes „Effi Briest" und Flauberts „Madame Bovary"*, Bonn 1978; Kurt Wölfel: „‚Man ist nicht bloß ein einzelner Mensch': zum Figurenentwurf in Fontanes Gesellschaftsromanen", *ZfdPh* 82, 1963, S. 152-171.

Herzenswinkel zum Verzeihen geneigt", und doch hat die Gesellschaft gewisse Normen und Verhaltensregeln aufgestellt, denen ein jeder gehorchen muß, der Mitglied dieser Gesellschaft ist und bleiben will: „Man ist nicht bloß ein einzelner Mensch, man gehört einem Ganzen an, und auf das Ganze haben wir ständig Rücksicht zu nehmen." Das ist das „uns tyrannisierende Gesellschafts-Etwas", dessen Macht Innstetten und Wüllersdorf mit Widerwillen anerkennen. Man mag über die Schlußfolgerung urteilen, wie man will; der eigentliche Fortgang der Argumentation scheint auf den ersten Blick konsequent und eindeutig zu sein. Sobald man aber dieses Gespräch näher betrachtet, wird die Situation komplexer und vielschichtiger. Denn wir werden gewahr, daß Innstetten sich mit einer vereinfachten Deutung seiner Persönlichkeit und Situation tröstet. Er meint, zwei entgegengesetzte Imperative seien im Spiel: einerseits der private Wunsch nach Verzeihung, andererseits die öffentlichen Spielregeln, die einen Racheakt vorschreiben. Das würde heißen, daß beide Bereiche intakt und getrennt nebeneinander bestehen. Was aber in diesem Dialog zum Ausdruck kommt, ohne daß die Beteiligten sich dessen bewußt werden, ist eine andere Auffassung des Verhältnisses von Privatem und Öffentlichem, wobei beide Bereiche miteinander untrennbar verwoben sind. Innstetten sagt:

> „Ging es in Einsamkeit zu leben, so könnt ich es gehen lassen; ich trüge dann die mir aufgepackte Last, das rechte Glück wäre hin, aber es müssen so viele leben ohne dies ‚rechte Glück', und ich würde es auch müssen und – auch können. Man braucht nicht glücklich zu sein, am allerwenigsten hat man einen Anspruch darauf, und den, der einem das Glück genommen hat, den braucht man nicht notwendig aus der Welt zu schaffen. Man kann ihn, wenn man weltabgewandt weiterexistieren will, auch laufen lassen."

Auffallend an diesen Sätzen ist, daß Innstetten an die Möglichkeit einer „weltabgewandten" Existenz, an eine Existenz „in Einsamkeit" nicht glaubt – weil es sie für ihn nicht gibt. Und es gibt sie nicht, nicht nur weil Innstetten nicht bereit ist, nur als Privatmensch zu leben – sondern weil er es nicht kann. Er kann es nicht, weil er die Gesellschaft mit sich herumträgt. Das „Gesellschafts-Etwas" existiert nicht nur außerhalb von ihm; es ist vielmehr zu einem untrennbaren Teil der eigenen – auch privaten – Persönlichkeit geworden. Innstetten behauptet, daß die private Existenz scheitern muß: „[...] die Gesellschaft verachtet uns, und zuletzt tun wir es selbst und können es nicht aushalten und jagen uns die Kugel durch den Kopf". Das heißt nichts anderes, als daß die Gesellschaft im eigenen „Selbst" beheimatet ist. Später sagt Innstetten zu seinem Freund: „[...] es gibt keine Verschwiegenheit"; und es gibt sie nicht, weil Innstetten nie aufhören kann, mit der internalisierten Instanz gesellschaftlicher Werturteile zu leben, zu denken, zu fühlen. Er ist sein eigener Richter – nicht aus einer Wahl heraus, die sozialen Spielregeln zu befolgen, sondern weil er nur so urteilen kann. Gegen Ende des Gesprächs, als Wüllersdorf nachgibt, sagt er: „[...] die Dinge verlaufen nicht, wie *wir* wollen, sondern wie die *andern* wollen." Seine Worte sind traurig – aber für ihn doch beruhigend; es sind „die andern", die für das „Gesellschafts-Etwas" verantwortlich sind. Fontanes Dialogszene zeigt aber, daß diese Deutung nicht stimmt. Denn die andern sind in dem „wir" beheimatet. Das heißt, daß das „wir" keine authentische Einheit mehr bedeutet; es ist schon von dem Wollen der „anderen" beschlagnahmt worden. Innstetten hofft, daß er dadurch, daß er sich mit Crampas duelliert, endlich Klarheit und Gewißheit herbeiführen kann, daß er zu einer Unschuld und Integrität des Handelns und Wollens zurückfinden wird. Dem ist aber nicht so. In Fontanes Welt gibt es keine klaren Grenzen mehr, keine Grenzen zwischen privatem Wollen und öffentlichem Müssen, zwischen dem intakten Selbst und dem „Ganzen" der Gesellschaft. Nicht, daß es keinen Konflikt gäbe; aber der Konflikt bleibt in jener Halbheit befangen, die für Fontanes Figuren charakteristisch ist. Nach dem Duell grübelt Innstetten verzweifelt über die Frage der Verjährung. Er fragt: „Wo liegt die Grenze? [...] Die Grenze. Die Grenze. Wo ist sie? War sie da? War sie schon überschritten?" (243) Die Frage betrifft nicht nur die Verjährung, sondern auch die Definition des eigenen Selbst. Fontanes bittere Wahrhaftigkeit fordert, daß er und seine Figur uns die Antwort schuldig bleiben müssen. [15]

Fontanes meisterhafte Beherrschung des Dialogs zeugt von seinem Wissen um die gesellschaftliche Determiniertheit seiner Charaktere. Auch wenn sie völlig auf sich selbst zurückgeworfen sind, wenn sie versuchen, in der Stille mit sich selbst abzurechnen, bekommen wir eine öffentliche – das heißt eine implizit dialoghafte – Stimme zu hören. Man denke etwa an die Krise, die Botho von Rienäcker durchlebt, als er den Brief seiner Mutter bekommt, der ihn zu einer Entscheidung zwischen Lene und Käthe zwingt. Der Brief ist alles andere als brutal (da ist kein Vergleich mit dem repressiven viktorianischen Elternhaus in Samuel Butlers *The Way of all Flesh* möglich). Die Mutter schreibt: „Handle, wie Dir eigene Klugheit es eingibt."(402) Bothos zu Pferde gesprochener Monolog ist der Versuch, diese eigene Klugheit zu befragen. Er fragt sich „Wer bin ich?" Die Antwort bietet keine Definition des eigenen Selbst – sondern vielmehr eine Karikatur des Durchschnittsmitglieds seiner Klasse. Als Individuum kann er nichts, weiß er nichts. Indem er abschätzig über sich selbst spricht, verspürt er ein beruhigendes Gefühl

---

[15] Das hat zur Folge, daß die Figur des Innstetten komplexer ist als ein angepaßtes Beispiel Bismarckscher Rechtschaffenheit (vgl. Müller-Seidel, *Fontane*, S. 357-359).

der Überlegenheit – als ob es ein Ich gäbe, das mit der karikierten sozialen Identität nicht identisch sei. Die Überlegenheit erweist sich aber als scheinhaft. Er reitet weiter und kommt zu einer Fabrik, wo die Arbeiter Mittagspause machen; die Frauen haben das Essen mitgebracht. Botho ist von der Ordnung der Szene, vom Bild sozial geprägter Existenzen entzückt. Er schreibt der Szene nicht nur soziale, sondern auch natürliche Integrität und Schönheit zu. Die Schlußfolgerung dieser Huldigung des Sozialen läßt nicht lange auf sich warten. Botho sagt sich, daß sein Leben bis jetzt nicht „in der Ordnung" gewesen sei. Ordnung ist Ehe, ist tägliches Brot, ist Anpassung an die gesellschaftlichen Erwartungen. Sowohl sprachlich als auch thematisch ist Bothos Monolog, so paradox das klingen mag, ein Akt der öffentlichen Abrechnung. Vom Bewußtseinsstrom im Schnitzlerschen – geschweige denn im Joyceschen – Sinne ist nichts zu spüren. Von Anfang bis zum Ende belauschen wir ein durch und durch sozialisiertes Bewußtsein. Lene weiß das allzu gut. Darin steckt die Ausweglosigkeit der Situation: sie liebt Botho wegen all jener Eigenschaften, die die Niederlage ihrer Liebe herbeiführen werden. Um an Fontanes Wort zu erinnern: „[...] die Sitte gilt und muß gelten. Aber daß sie's muß, ist mitunter hart."[16]

Die berühmte – bzw. berüchtigte – Halbheit von Fontanes fiktiver Welt ist mit jenem erzählerischen und menschlichen Wissen um die Determiniertheit seiner Gestalten identisch, das seine Romane durchzieht. Fontane hat den Mut einzusehen, daß keine seiner Figuren über ein Bewußtsein verfügt, das von gesellschaftlichen Normen und Erwartungen unberührt bleibt. Nicht einmal die Frauenfiguren, die ein größeres Ausmaß an Natürlichkeit und Spontaneität besitzen als die Männer, sind intakt, gefeit gegen gesellschaftliche Deformierung. Es hat an Studien nicht gefehlt[17], die bestimmten Frauengestalten manifeste oder symbolische Fähigkeiten zuschreiben, über die Kompromisse und Halbheiten des gesellschaftlichen Erfahrungsbereiches hinauszugelangen. Das scheint mir aber sehr fragwürdig. Immer wieder wird zum Beispiel die Figur der jugendlichen Effi Briest erwähnt, das ausgelassene, naturverbundene Mädchen auf der Schaukel. Fontane aber weigert sich, das sentimentale Bild einer unschuldigen, unverdorbenen Mädchengestalt zu malen. Bereits die junge Effi hat angefangen, die sozialen Spielregeln zu internalisieren. Im dritten Kapitel sagt sie über ihren zu-

[16] Vgl. oben Anm. 8.
[17] Vgl. Alan Bance: *Theodor Fontane: the major works*, Cambridge 1982; Karla Bindokat: *„Effi Briest": Erzählstoff und Erzählinhalt*, Frankfurt am Main und Bern 1984; Hanni Mitttelmann: *Die Utopie des weiblichen Glücks in den Romanen Theodor Fontanes*, Bern, Frankfurt am Main, Las Vegas 1980; Peter Klaus Schuster: *Theodor Fontane: ein Leben nach christlichen Bildern*, Tübingen 1978.

künftigen Ehemann: „Jeder ist der Richtige. Natürlich muß er von Adel sein und eine Stellung haben und gut aussehen." (20) Walter Müller-Seidel hat meines Erachtens recht, wenn er Effis ungestümes Temperament folgendermaßen deutet: „[...] nicht ursprüngliche Natur, sondern eine durch die Gesellschaft beeinflußte zweite Natur."[18] Das trifft auch für die Szene zu, in der Botho das Bild der Mittagspause vor der Fabrik als „natürlich" empfindet. Es verhält sich auch ähnlich mit vielen „natürlichen" Schauplätzen; in *Irrungen Wirrungen* sind weder das Gartenambiente um Frau Nimptsch noch der beliebte Ausflugsort Hankels Ablage „ursprüngliche Natur", obwohl die Figuren selber manchmal meinen, daß sie dort von gesellschaftlichem Druck befreit seien. In beiden Fällen aber handelt es sich um Orte, die buchstäblich und metaphorisch vom „Gesellschafts-Etwas" umgeben sind. Gerade weil Fontane seinen Gestalten die Fähigkeit zu einer profunden Naturverbundenheit, die Fähigkeit zu einem radikalen, andersartigen Bewußtsein abspricht, schildert er Handlungen, Gefühle, Bewußtseinsinhalte, die kleiner und bescheidener sind, als man sie bei den großen europäischen Realisten antrifft. Infolgedessen fehlt es ihm an der Leidenschaftlichkeit eines Balzac oder Dickens; aber auch an deren Sentimentalität und unverhohlenem Melodrama. Ihm fehlt die ethische Intensität, der beinahe messianische Eifer von George Eliot oder Tolstoi; ihm fehlt auch die ironische narrative Überlegenheit von Stendhal, Jane Austen, Thackeray oder Flaubert. Das alles soll aber keineswegs als Herabsetzung von Fontanes künstlerischer Bedeutung verstanden werden; denn seine Halbheit hat mit Furchtsamkeit nichts zu tun. Sie ist vielmehr die Signatur einer – wenn ich recht sehe – unüberbotenen Abrechnung mit der menschlichen Determiniertheit, einer Determiniertheit, die bis in die privatesten Bereiche menschlicher Subjektivität verfolgt wird. Fontane sagt einmal, daß in der menschlichen Gesellschaft alles Pakt und Übereinkommen sei.[19] Als Romanschriftsteller wurde er nie müde, die sozialpsychologischen Prozesse zu durchleuchten, die das Zustandekommen von „Pakt und Übereinkommen" herbeiführen.

In seinem Wissen um die gesellschaftliche Determinierung des Einzelmenschen ist Fontane mit der Generation der naturalistischen Schriftsteller wesensverwandt. Wir wissen, daß er dem Drama des Naturalismus große Sympathie entgegenbrachte; andererseits wissen wir auch, daß er sowohl in thematischer als auch in stilistischer Hinsicht Bedenken hatte. Vor allem im Hinblick auf die naturalistische Prosa bemängelt er nicht nur die brutale

---

[18] Walter Müller-Seidel, *Fontane*, S. 369.
[19] Fontane, *Schriften zur Literatur*, hg. v. Hans-Heinrich Reuter, Berlin 1960, S. 185.

Präsentation menschlichen Elends, sondern auch die naturwissenschaftlichen Ansprüche dieser Kunst, das Ausbleiben jedes Versuchs ästhetischer Vermittlung. Fontanes Figuren mögen zwar an Halbheit leiden; sie sind aber keineswegs in jener kreatürlichen Dumpfheit befangen, der wir im Naturalismus immer wieder begegnen. Fontanes Romane spielen in anderen sozialen Klassen als die von Zola. Dazu kommt eine versöhnliche Stimmung, die damit zu tun hat, daß Fontanes Figuren fähig sind, sich mittels „Hilfskonstruktionen" mit der bestehenden Welt abzufinden. Gerade diese Gebärde des Sich-Abfindens zeugt einerseits von ihrer Determiniertheit, andererseits finden seine Figuren innerhalb des begrenzten Spielraums menschlichen Tuns und Wollens in den meisten Fällen ein menschenwürdiges Auskommen. Es gibt, um an ein Fontanesches Wort zu erinnern, „allerlei Glück". Und das kleine Glück ist nicht deshalb verwerflich, weil es klein ist. Thematisch unterscheiden sich Fontanes Romane grundsätzlich von der naturalistischen Prosa. Auch die stilistischen Unterschiede sind frappant. Fontane war stolz auf sein artistisches Können, auf jene „Finessen", die seine Texte durchziehen und die mittels formaler Andeutungen und Wiederholungen, Symbole, Leitmotive ein Beziehungsgeflecht entstehen lassen. Vom Fontane-Leser werden Sensibilität und Bereitschaft, auf literarische Implikationen einzugehen, verlangt. Das ist eines der größten Komplimente, die ein Schriftsteller seinem Leser machen kann. Um an die Schlüsselbegriffe der deutschen Romantheorie im neunzehnten Jahrhundert zu erinnern: Fontanes Romane spielen zwar in der „Prosa" des bürgerlichen Alltags, aber die künstlerische Vermittlung dieses Alltags hat mehr mit „Poesie" als mit einer nüchtern-szientistischen Erzählhaltung zu tun.[20]

Damit kommen wir zu einem äußerst komplexen Aspekt von Fontanes Romankunst. Fast alle Kritiker haben seiner Symbolik, dem hohen künstlerischen Niveau seines Schaffens Tribut gezollt. Es fragt sich aber, was diese Artistik eigentlich erreicht. Zunächst einmal müssen wir feststellen, daß diese Kunst der Andeutung durch Formgebung und Symbolik keine Transzendenz des prosaischen Stoffes vermittelt. Denn die Symbolik dient des öfteren dazu, die innere Determinierung der Charaktere zu artikulieren. Man denke an den Schloon in *Effi Briest*, an den Chinesen, um zwei berühmte Beispiele zu nennen. Das sind meines Erachtens keine Requisiten in einer Schicksalstragödie, die eine Kausalität jenseits des Soziopsychologischen heraufbeschwören. Vielmehr ist ihre symbolische Ausstrahlung mit den Prozessen des sozialisierten Bewußtseins, mit dem Ineinander von

---

[20] Vgl. Horst Albert Glaser: „Theodor Fontane, *Effi Briest* (1894) im Hinblick auf Emma Bovary und andere", in: *Romane und Erzählungen des bürgerlichen Realismus*, hg. v. Horst Denkler, Stuttgart 1980, S. 371.

„Gesellschafts-Etwas" und exotischem „so etwas" verbunden. Man denke auch an Hohen-Cremmen, jenes Alpha und Omega des *Effi Briest*-Romans, jene Heimat, von der Effi Briest ausgeht und in die sie zurück-kehrt. Hohen-Cremmen ist aber kein paradiesischer Raum, kein *locus amoenus* außerhalb der Gesellschaft. Denn dort beginnt der Prozeß der Sozialisierung. Effi erbt, wie sie sehr gut weiß, Innstetten von ihrer Mutter. Das Naturkind auf der Schaukel wartet sozusagen auf das „Effi komm". Vielleicht rauschen die Platanen „Komm her zu mir Geselle, hier find'st du deine Ruh" – aber sie sind Bestandteile eines brandenburgischen Landgutes und keine chthonischen Gewächse. Für Effi bedeutet die Rückkehr nach Hohen-Cremmen ein Zurückfinden zu Erlebnissen des unabdingbar Hei-matlichen, aber diese Erlebnisse sind gesellschaftlich beheimatet. Effis Eltern sind an dem Sozialisierungsprozeß beteiligt, der ihr Schicksal be-stimmt. Sie sind ebensowenig imstande wie sie, jenes Schicksal zu begreifen. Auch der Augenblick, in dem Herr von Briest, sämtlichen Verhaltensregeln zum Trotz, seine Tochter zu sich bittet, ist ein Echo jener ersten Aufforde-rung zum sozialen Rollenspiel – „Effi komm". Nicht einmal die Zerstörung ihrer Tochter vermag den Eltern zu einem kritischen Einblick in die sozia-len Mechanismen zu verhelfen. Manchmal hört man die Stimme eines schlechten – oder zumindest beunruhigten – Gewissens. Aber gegen Ende des Romans stellen die Eltern fest, daß Effi und Innstetten doch noch ein „Musterpaar" gegeben hätten. Das „so was" und das „Gesellschafts-Etwas" bleiben undurchleuchtet. In diesem Sinne zeugt Fontanes Konzilianz, jene charakteristische Gebärde des resignierten Sich-Abfindens, die den Figuren und auch der impliziten Erzählerstimme gemeinsam ist, weder von der Poetisierung noch von der Verklärung der gesellschaftlichen Erfahrung, sondern von einer unerbittlichen Einsicht in die Macht von „Pakt und Übereinkommen".

Wie steht es denn mit den berühmten „Finessen"? Zweifelsohne gehen sie aus jenem artistischen Können hervor, auf das Fontane sehr stolz war, und manchmal haben sie seine Kritiker zu hermeneutischen Virtuositäten ver-leitet.[21] Gerade diese Höhenflüge sind von Karl S. Guthke in einem zurecht

---

[21] Vgl. etwa G.H. Hertling: *Theodor Fontanes „Irrungen Wirrungen"; die erste Seite als Schlüssel zum Werk*, New York und Bern 1985; Gertrude Michielsen: *The preparation of the future: techniques of anticipation in the novels of Theodor Fontane and Thomas Mann*, Bern 1978; Jhy-Wey Shieh: *Liebe, Ehe, Hausstand*, Frankfurt am Main und Bern 1987; Lieselotte Voss: *Literarische Präfiguration dargestellter Wirklichkeit bei Fontane*, München 1985; Hans Jürgen Zimmermann: *„Das Ganze" und die Wirklichkeit: Theodor Fontanes perspektivischer Realismus*, Frankfurt am Main und Bern 1988.

berühmten Artikel angegriffen worden.[22] Guthke ist aber nicht nur den Kritikern gegenüber skeptisch; er äußert sich über Fontane selber eher negativ, denn er findet, daß die Symbolik in den Romanen – etwa in der Wiederholung des „Effi komm"-Motivs – vordergründig und allzu insistent ist. Dieser Meinung möchte ich entgegentreten, denn ich finde, daß Guthke Entscheidendes an der Symbolgebung im Fontaneschen Text übersieht: nämlich das Ineinander von Wissen und Unwissen, von Absichtlichkeit und Unwillkürlichkeit, das im narrativen Symbolisierungsprozeß operativ ist – vor allem dort, wo es sich um Symbole handelt, die im Bewußtsein der Charaktere beheimatet sind. Manchmal, zum Beispiel in Augenblicken, wo sie ihrer eigenen Anpassung an gesellschaftliche Normen gewahr werden, artikulieren sie sich mittels eines bewußten Akts der Selbststilisierung bzw. Symbolisierung. Das trifft auf Bothos Schlußwort in *Irrungen Wirrungen* zu. Seine Frau Käthe hat von der Eheschließung von Gideon Franke und Magdalene Nimptsch in der Zeitung gelesen. Die Namen kommen ihr komisch vor. Botho antwortet: „Gideon ist besser als Botho"(475). Einerseits ist das eine taktvolle Erwiderung; andererseits weist er implizit darauf hin, daß er Gideon beneidet, weil er Lene hat heiraten dürfen. Sein Ton ist der einer gewollten Harmlosigkeit; er willigt in das unemphatische, konziliante Geplauder am Frühstückstisch ein. Aber er ist sich seines schmerzhaften Verlusts nach wie vor bewußt; und er kann nicht umhin, seine Gefühle der Verarmung durch die Modalität des Symbols auszudrücken. Etwas Ähnliches läßt sich an Lenes Bemerkung über die Immortellen, über das Haar, das bindet, an Bothos Abschied von den Liebesbriefen, die er verbrennt – „Alles Asche. Und *doch* gebunden" (455) – feststellen; das alles sind symbolische Momente, die letztlich Bezüge und Querverweise vermitteln, die evident sind, weil sie aus dem Bewußtsein der Charaktere hervorgehen.

Andererseits sind sehr viele Akte der Symbolisierung unbewußt – wie etwa in dem ganzen Geflecht von „so was" und „Gesellschaft-Etwas", worauf ich bereits hingewiesen habe. Das „Effi komm"-Motiv hingegen ist zum Teil bewußt und zum Teil unbewußt. Aus dem Mund von Effis Freundinnen tönt es harmlos, aber Innstetten selber registriert etwas Verhängnisvolles, fast Ominöses. Als das Motiv in Briests Telegramm wiederholt wird, kann das unmöglich bedeuten, daß er sich an jenes Ereignis, das sich vor Jahren zugetragen hat, erinnert. Aber wir, die Leser, stellen die Beziehung her, und dadurch hinterfragen wir Sozialisierungprozesse in der Familie.

---

[22] Karl S. Guthke: „Fontanes ,Finessen' – ,Kunst' oder ,Künstelei'?", in: *JDSG* 26, 1982, S. 235–261.

Gerade dieses Ineinander von Manifestem und Unterschwelligem, von Ent-
hüllung und Verhüllung, von Einsicht und Unwissen ist bei der durchgehaltenen Symbolik der Fontaneschen Romankunst ausschlaggebend. Die
Symbole sind in der sozialisierten Seele der Figuren beheimatet und dienen
sowohl der Verdrängung als auch der Artikulation des Affektlebens. Viele
seiner Figuren haben resigniert, aber jene Resignation ist bei weitem kein
Zustand totaler Pavlovscher Determiniertheit. Es handelt sich vielmehr um
Entbehrungen, die tagtäglich durchlebt werden und die sich punktuell ins
Bewußtsein hineinzwängen. Das Erstaunliche ist, daß sogar nach Jahren die
Konditionierung nicht zur Gänze gelungen ist; es gibt nach wie vor Anzei-
chen des Unbehagens, ja sogar des Schmerzes. Die Symbolik verzeichnet
die Interaktion sozialisierender Instanzen im menschlichen Bewußtsein mit
den nie gänzlich sozialisierten Regungen der menschlichen Seele. Somit
deutet das Symbol immer wieder auf Impulse hin, die sich nicht explizit formulieren lassen, weil sie im sozialen Diskurs nicht restlos aufgehen. Die
durchkomponierte metaphorische Textur des Fontaneschen Textes erlaubt
uns, diese Prozesse zu belauschen und zu verstehen.[23] In diesem Sinne sind
wir den Figuren überlegen. Wir urteilen – aber wir verurteilen nicht. Wir
reagieren mit Teilnahme, aber auch mit einer ethischen Auflehnung, die den
Figuren selbst nicht gegeben ist. Wir verstehen, warum die Sitte gilt, wie sie
gilt, ja sogar unter Umständen, daß es diese Sitte geben muß. Aber wir ver-
wechseln nie Sitte mit Sittlichkeit. In dieser Unterscheidung zwischen Sitte
und Sittlichkeit, die die Figuren, wenn auch noch so vage – etwa als diffu-
ses Unbehagen – erleben, die wir aber viel reflektierter im Sinne einer kritischen Perspektive verstehen, beruht ihre und auch unsere Freiheit. Es handelt sich um eine relative Freiheit, die aber deswegen nicht wertlos ist.
Fontane ist ein durchwegs taktvoller Erzähler.[24] Meistens operiert er mit
Andeutungen, mit symbolischen Hinweisen, mit den impliziten Aussagen
formaler Bezüge. Er spielt sich nicht gern als Instanz, als Richter, auf. Und
doch wird er nie zum neutralen Vermittler der Handlung; manchmal ist er
sogar bereit, die Gegenwart des Lesers explizit anzuerkennen: „Aber das
war nicht klug und weise von Botho, wie sich gleich herausstellen sollte"
(354). – „So war Therese von Poggenpuhl." (483) – „Ja, war denn Roswitha
bei Effi? [...] Gewiß war sie's, und zwar sehr lange schon." (260) Mittels solcher Zwischenbemerkungen wird uns die Möglichkeit reflektierender, wis-
sender Distanz gegeben.[25] Der Text ist somit nicht nur „lesbar", sondern

[23] Siehe Horst Albert Glaser, Anm. 20, S. 362-377.
[24] Vgl. Michael Minden: „ ‚Effi Briest' und ‚Die historische Stunde des Takts' ",
in: *Modern Language Review* 76, 1981, S. 869-879.
[25] Vgl. Elsbeth Hamann: *Theodor Fontanes „Effi Briest" aus erzähltheoretischer
Sicht*, Bonn 1984.

auch „schreibbar"; das heißt wir stehen der Erfahrungswelt der Figuren nicht passiv gegenüber. Unser Engagement zeigt uns die determinierenden gesellschaftlichen Prozesse. Auf unserem Wissen um die Tatsache und die Mechanismen jener Determinierung beruht unser interpretatorischer Abstand. Die Symbolik erweist sich sowohl als Ausdruck der Allgegenwart des „Gesellschafts-Etwas" wie auch – als Wirkungsfeld unseres hermeneutischen Nachvollzugs – als Signatur unserer kritischen Distanz. [26]

In Anlehnung an ein von Juri Lotman geprägtes Begriffspaar hat Franz Norbert Mennemeier den Standort des literarischen Realismus im Zeichen der „Ästhetik der Opposition" einerseits und der „Ästhetik der Identität" andererseits zu bestimmen versucht.[27] Unter der oppositionellen Kategorie dürfen wir eine Thematik des Konflikts, der Revolte verstehen – und in stilistischer Hinsicht eine narrative Gebärde der expliziten Auflehnung (Dickens) oder des impliziten Abscheus (Flaubert). Andererseits impliziert eine „Ästhetik der Identität" auf thematischer Ebene die Erfahrung der Kongruenz, der Versöhnlichkeit, und, stilistisch gesprochen, ein Erzählen, das uns in die Prozesse von Pakt und Übereinkommen einweiht. Es ist klar, daß Fontane in die zweite Kategorie gehört, wobei hervorgehoben werden muß, daß jene Signatur der „Identität" keineswegs mit Kritiklosigkeit gleichbedeutend ist. Fontanes Kunst ist kein Lobgesang auf Passivität weder als Leserhaltung noch als gesellschaftliche Einstellung. Vielmehr zwingen seine Romane dazu, die Selbstverständlichkeiten des sozialen Alltags keineswegs als selbstverständlich anzusehen. Wir sehen ein, daß die „données" einer bestimmten Gesellschaft kein unabdingbares ontologisches Quantum sind. Die „données" werden vielmehr „gemacht" – mittels jener soziopsychologischen Prozesse, denen Fontanes Kunst mit feinfühlender Einsicht nachgeht.

---

[26] Vgl. Jeffrey M. Peck: *Hermes disguised: literary hermeneutics and the interpretation of literature – Kleist, Grillparzer, Fontane*, Bern 1983, S. 219-261.
[27] Franz Norbert Mennemeier: „Der Realismusbegriff in komparatistischer Sicht", in: *Kontroversen, alte und neue*, hg. v. Albrecht Schöne, Bd IX, Tübingen 1986, S. 127 f.

XV. Die Entweihung des „ganzen Hauses"

(Ludwig Tieck, Otto Ludwig, Max Kretzer)

Im dritten Kapitel dieser Studie, das sich mit dem sogenannten „Sonderweg" deutscher Geschichte auseinandersetzt, habe ich auf das eigentümliche Gebilde der (um mit Mack Walker zu reden) „deutschen Heimatstädte" hingewiesen. Ein Merkmal gerade dieser Form sozialer Organisation ist das Zunftwesen, das nicht nur als wirtschaftliche bzw. berufliche Institution, sondern auch als Metapher für die Allgemeinheit gesellschaftlichen Zusammenlebens überall in der deutschen Erzählprosa des neunzehnten Jahrhunderts zum Vorschein kommt – vor allem in Romanen oder Novellen, die sich mit dem Arbeits- und Berufsleben beschäftigen. Von den Romantikern – man denke etwa an Tiecks *Der junge Tischlermeister* und E.T.A. Hoffmanns *Meister Martin der Küfner und seine Gesellen* – über Otto Ludwigs *Zwischen Himmel und Erde* und Gottfried Kellers *Die drei gerechten Kammacher* – bis hin zu Raabes *Pfisters Mühle*, Kretzers *Meister Timpe* und Thomas Manns *Buddenbrooks* läßt sich, wie mir scheint, eine Tradition verfolgen, die von zwei Grundströmungen gekennzeichnet wird: erstens einmal von einer Thematisierung des „ganzen Hauses", wobei das Haus, als Stätte des privaten, aber auch des repräsentativen Familienlebens, von der ökonomischen Aktivität des Arbeitens durchzogen wird (Haus und Firma gehen sozusagen ständig ineinander über); zweitens von einer Erörterung der Arbeit als Kunst, als nicht entfremdeter Tätigkeit, und somit als Ort menschlicher – ja sogar ethischer – Bewährung.

Ich greife drei Beispiele aus dieser Tradition heraus: zwei (Tiecks *Der junge Tischlermeister* und Ludwigs *Zwischen Himmel und Erde*) werde ich nur knapp und skizzenartig besprechen, während Kretzers *Meister Timpe* m.E. eine ausführlichere Behandlung verdient.

Tiecks *Der junge Tischlermeister* (1836) hat seinen Ausgangspunkt und sein Ende in einer Welt, die sowohl Familie als auch Berufsleben beherbergt, und die in beiden Bereichen das Ineinander von Poesie und Prosa wahrnimmt und gutheißt. Der Text schildert eine Reise, die Leonhard, der junge Tischlermeister des Titels, unternimmt, die ihn aus bürgerlichen Verhältnissen in aristokratische bzw. künstlerische Kreise führt. Wie Goethes *Wilhelm Meisters Lehrjahre* handelt Tiecks Roman von der Gegenüberstellung von bürgerlicher Arbeit einerseits und adeliger Repräsentanz andererseits.

Leonhard verläßt seine Heimat und verbringt einige Zeit auf dem Gut seines aristokratischen Freundes Elsheim. Dort wird das Leben von künstlerischen – vor allem theatralischen – Ambitionen und Plänen dominiert. Leonhard wirkt hier nicht nur als Tischlermeister, mit dem Entwerfen und Errichten von Bühnen und Kulissen, sondern auch als Schauspieler und Regisseur mit. Es ergeben sich unzählige Diskussionen über Shakespeare, Goethe und Mozart – und mitunter auch heitere und gefährliche Liebesverhältnisse. Am Ende des Romans kehrt Leonhard versöhnt und bereichert zu seiner Frau und zu seinem Leben als angesehenem Tischlermeister zurück.

Das Leben auf dem aristokratischen Gut ist faszinierend, es erschließt Möglichkeiten des Denkens und Wirkens in Leonhard, die ihm sehr viel bedeuten – die aber letzten Endes fragwürdig und irreführend sind, weil sie eine Art abgekapselte Existenz bedeuten. Leonhard lernt, diese Welt zu schätzen – aber auch zu durchschauen. Am Anfang des Romans versucht er, sein eigenes Unbehagen im Kontext der bürgerlichen Existenz zu artikulieren:

> Du erinnerst dich, mit welcher Sehnsucht wir im vorigen Winter das Frühjahr erwarteten, mit ihm die neue Einrichtung, den Ankauf der Hölzer, den Aufbau der Schuppen, die Erweiterung meines Gewerbes, und alles ist nun besser, reicher, wohlhabender, wie ich es nur wünschen könnte, und indem ich nun jetzt so über meinen Besitzstand hinblickte, in der Ferne die Gesellen arbeiten hörte, und mir aus allen diesen Brettern gleichsam schon alle die Mobilien entgegen traten, die daraus gefertigt werden können, und mir war, als hörte ich das Geld klingen, das mir dafür gezahlt würde, um wieder Bretter einzukaufen, und so immer fort, – wurde mir so bänglich zu Sinne, daß ich aus Wehmut auf das Zwitschern der Schwalben hörte, und fast weinen mußte [...].[1]

Der junge Tischlermeister wird von romantischem Pessimismus, vom *horror vacui* überfallen, von der Angst vor der Leere eines sinnlosen Wiederholungszwanges. Aber sein Abstecher in den Bereich künstlerischer und erotischer Abenteuer belehrt ihn eines Besseren, denn er sieht ein, daß sein Leben als Tischlermeister keineswegs ein bloß prosaisches ist, weil die Arbeit selber eine unverkennbare Affinität zur Kunst aufweist: „Diese Verwandtschaft zur Kunst, ohne doch Kunst sein zu wollen, war es, was mich zu meinem Handwerke zog."[2] Es wird allmählich klar, daß ein Teil seiner Melancholie damit zu tun hat, daß gerade diese Lebensweise von neueren Produktionsweisen bedroht wird:

---

[1] Ludwig Tieck: *Der junge Tischlermeister*, in: Tieck: *Schriften 1834-1836*, Bd. 11, hg. v. Uwe Schweikert und Gabriele Schweikert, Deutscher Klassiker Verlag, Frankfurt am Main 1988, S. 13 f.
[2] Ebda, S. 58.

[...] ich verlange nicht, daß alles, ohne Ausnahmen auf die alte Weise geschehen soll, auch sind ja Fabriken und die gepriesene Verteilung der Arbeit schon eine alte Erfindung; gewisse unbedeutende Dinge, wie Nadeln, Nägel und dergleichen, können nicht schnell und wohlfeil genug geliefert werden [...]. Aber weh muß es mir tun, daß der deutsche Handwerker, der sich so schön mehr oder minder dem Künstler anschloß, der mit den Seinigen und den einheimischen und fremden Gehülfen wahrhaft patriarchalisch lebte, jetzt untergehn und die ehrwürdige Zunft neuen Mode-Einrichtungen weichen soll.[3]

Wie der Roman klar zum Ausdruck bringt, soll die Antwort auf diese sich abzeichnende Krise keineswegs eine Flucht in die Welt des schönen Scheins sein, sondern vielmehr eine Verteidigung einer lebensfähigen Form geselligen Zusammenlebens. Der Roman schließt mit einer wahrhaften Apotheose dieses integrierten Lebens:

> Sie setzten sich um den runden Tisch. Die Frau saß links neben dem Meister, und bei dieser Elsheim, der heute Franzens Stelle einnahm. Rechts beim Meister saß der älteste Gesell, der Hanoveraner; der heitere Martin war seitdem hinaufgerückt und der zweite geworden; dann folgten noch vier Gesellen. Beim letzten stand der älteste, schon hochgewachsene Lehrbursche, welcher in der künftigen Woche zum Gesellen gesprochen werden sollte, und neben diesem standen fünf kleinere, deren letzter demnach an der Tafelrunde der Nachbar des kleinen Fritz wurde, der als der Sohn des Hauses auf seinem Stuhle saß. Eine reinliche Magd gab das Geschirr und wechselte die Teller; die Meisterin legte vor, aber den Braten zerschnitt der Meister.[4]

Man wird unweigerlich an ein ähnliches Loblied auf deutsches Familien- und Gesellschaftsleben erinnert, das etwa dreißig Jahre später von Richard Wagner mit seinen *Meistersingern von Nürnberg* angestimmt wird.

Am Ende der Mahlzeit kommt das Gespräch auf Fragen der Philosophie und der Dichtung, denen Tiecks Roman vor allem in den Szenen auf Elsheims Gut zur Genüge nachgegangen ist. Diesmal werden aber solche Themen von Dorothea, einer Freundin von Elsheims Frau Albertine, beiseitegeschoben – und zwar zugunsten einer Poesie der alltäglichen, integrierten Arbeit. Sie lobt das wimmelnde Kapital, das sich überall vermehrt:

> [...] mir gefällt am meisten dies Hobeln, Lärmen und Hämmern aus der Ferne. Wie hübsch ist das Gefühl hier, daß ein jeder Schlag, den ich vernehme, etwas einbringt; daß der Gewinn wieder das Gewerbe vergrößert; daß Alles, was gesprochen und gedacht wird, in jenes Kapital hineinströmt, das die Wohlhabenheit befördert, die wieder das Glück und die Zukunft der Untergebenen begründet, damit sie dereinst in dieselbe Stelle treten können.[5]

---

[3] Ebda, S. 75 f.
[4] Ebda, S. 415.
[5] Ebda, S. 417.

Die Substanz dieses Lobgesangs auf familial-dynastische Kontinuität wird von Emmerich als etwas, was „aller Poesie entgegen strebe", beanstandet; worauf Dorothea erwidert: „so müßten denn auch einmal Dichter kommen, die uns zeigten, daß auch alles dies unter gewissen Bedingungen poetisch sein könnte."[6] In diesem Werk zählt sich Tieck offensichtlich zu jenen Dichtern, die, wie Eichendorff, imstande sind, das bunte Tun und Treiben von „Dichtern und ihren Gesellen" zu schildern, ohne aber dabei jene versöhnliche Möglichkeit aus den Augen zu verlieren, die Poesie und Prosa miteinander verquickt. Man wird zugestandenermaßen den *Jungen Tischlermeister* kaum als Paradebeispiel erzählerischen Realismus interpretieren können. Dafür ist Tiecks Text zu diskursiv, zu sehr an einer ausführlichen Schilderung des aristokratischen bzw. künstlerischen Lebensstils interessiert. Aber es gilt zweierlei hervorzuheben. Erstens: im Kontext romantischer Erzählprosa ist es bemerkenswert, daß eine breit angelegte epische Darstellung der Suche nach Poesie doch noch sein Alpha und Omega in einer Bejahung des Zunftwesens hat. Was uns heute möglicherweise nur als Verklärung und Wunschbild anmutet, hatte seine Basis in bestimmten Formen des gesellschaftlichen Lebens im Deutschland des 19. Jahrhundert. Zweitens: in einem vielzitierten Artikel hat Otto Brunner darauf hingewiesen, daß bestimmte traditionelle Formen der Begrifflichkeit auf entscheidende Weise dazu beigetragen haben, gewisse Modalitäten des ökonomischen Zusammenlebens zu artikulieren – und ein entscheidender Symbolwert beruht in der Auffassung des „ganzen Hauses".[7] Als Leonhard über die versammelte Runde an seinem Tisch blickt, werden etliche Leitbilder und Resonanzen artikuliert, die aus einer alten europäischen Tradition ökonomischer Zusammenarbeit hervorgehen. *Der junge Tischlermeister* ist nicht so weltfremd, wie wir auf den ersten Blick als moderne Leser meinen könnten.

Im Laufe des neunzehnten Jahrhunderts werden die Spannungen und Gefährdungen dieses Ethos vom „ganzen Haus" immer drastischer. Bei Otto Ludwig ist die Verklärung bürgerlicher Arbeit von Prozessen der Verdrängung untrennbar. *Zwischen Himmel und Erde* (1856) beginnt und endet mit der Schilderung eines Hauses und der damit verbundenen wirtschaftlichen und familialen Lebensweise:

> Das Gärtchen liegt zwischen dem Wohnhause und dem Schieferschuppen; wer von dem einen zum andern geht, muß daran vorbei. Vom Wohnhaus zum Schuppen gehend hat man es zur linken Seite; zur rechten sieht man dann ein

---

[6] Ebda.
[7] Otto Brunner: „Das ‚ganze Haus' und die alteuropäische Ökonomik", in: Brunner: *Neue Wege der Verfassungs- und Sozialgeschichte*, Göttingen 1968.

Stück Hofraum mit Holzremise und Stallung, vom Nachbarhause durch einen Lattenzaun getrennt. Das Wohnhaus öffnet jeden Morgen zweimal sechs grünangestrichene Fensterladen nach einer der lebhaftesten Straßen der Stadt, der Schuppen ein großes graues Tor nach einer Nebengasse [...].[8]

Das Haus selber beherbergt die Familie Nettenmair; der alte Herr Apollonius Nettenmair ist unverheiratet. Er wohnt still und zurückgezogen mit seiner Schwägerin Christiane und ihren Söhnen. Er ist immer noch im Schieferdeckergeschäft aktiv, denn er „sitzt [...] hinter seinen Geschäftsbüchern oder beaufsichtigt im Schuppen das Ab- und Aufladen des Schiefers, den er aus eigener Grube gewinnt und weit ins Land und über dessen Grenzen hinaus vertreibt".[9] Man merkt die Integrität einer ganzen Lebensweise: der Schiefer wird aus der eigenen Grube gewonnen, er wird im Schuppen neben dem Haus aufbewahrt und in der sorgfältigen Buchführung verzeichnet. Haus und Gewerbe, Praktisches und Ästhetisches, Verzierung und Funktionalität, Arbeit und Kapital bestehen im nahtlosen Nebeneinander eines unbescholtenen Lebenswandels. Und doch steckt hinter all dem eine bewegte, turbulente Vergangenheit, der sich der Erzähler sofort widmet.

Diese Vergangenheit ist im Grunde genommen eine leidenschaftliche Liebesgeschichte. Sowohl Apollonius als auch sein älterer Bruder Fritz sind in die schöne Christiane verliebt. Sie liebt Apollonius, aber Fritz wendet alle möglichen Tricks an, um beide zu trennen. Apollonius wird nach Köln geschickt, um sein Gewerbe zu lernen, und Fritz gelingt es, Christiane zu heiraten. Die Jahre vergehen: der Vater Nettenmair spielt eine immer kleinere Rolle im Schieferdeckergeschäft, denn seine Sehkraft läßt nach. Da kommt die Zeit, zu der die Sankt-Georgs-Kirche im Dorf dringend Reparaturen braucht – am Turm und am Dach. Apollonius wird nach Hause gerufen. Er muß den gewaltigen Auftrag übernehmen, denn sein Bruder ist unzuverlässig. Sowohl zu Hause als auch im Geschäft wird Apollonius geliebt und respektiert; Fritz versucht den Tod seines Bruders herbeizuführen, dadurch, daß er sein Seil mit einem Beil teilweise durchschneidet. Es kommt zu einem Handgemenge auf dem Kirchturm, und Fritz stürzt in den Tod. Mit der Zeit wird erwartet, daß Apollonius seine verwitwete Schwägerin heiratet. Er wird aber von Schuldgefühlen heimgesucht. Ihm gelingt es, während eines furchtbaren Sturms den Kirchturm vor dem Abbrennen zu retten. Durch diese Krisis in seinem Leben sieht er ein, daß er

---

[8] Otto Ludwig: *Zwischen Himmel und Erde*, in: Ludwig: *Romane und Romanstudien*, hg. v. William J. Lillyman, München 1977, S. 331.
[9] Ebda, S. 334.

nur in geschwisterlicher Liebe neben Christiane leben darf. Und somit kehrt *Zwischen Himmel und Erde* zu seinem Ausgangspunkt zurück.

· Die Geschichte von Liebe und Eifersucht – der eigentliche Kern der Handlung – wird mit einer für den modernen Leser unerquicklichen Mischung von Pathos und moralischem Übereifer erzählt. Fritz' verzweifelte Leidenschaften entladen sich des öfteren in einem Überangebot an melodramatischer Prosa:

> Fritz Nettenmair sah nicht das Flehen in des Kindes Blick: er sollte der Mutter gut sein, die Mutter sei auch gut. Er sah nicht, wie das häusliche Zerwürfnis auf dem Kinde lastete und es bleich gemacht; wie es den Zustand mit durchlitt, ohne ihn zu verstehen. Er bemerkte nur, wie gespannt es horchte [...].[10]

Mitunter fehlt es nicht an ethischen Werturteilen:

> Er hat die Frau bis jetzt geliebt, wie er alles tat, wie er selbst war, oberflächlich – und jovial. Das Gewissen hat seine Seele ausgetieft. Die Furcht vor dem Verlust hat ihn ein ander Lieben gelehrt.[11]

Es kommt immer wieder zu melodramatischen Szenen, etwa Fritz' Mißhandlung der Mutter vor dem kranken Kind Ännchen, was den Tod des Kindes herbeiführt, oder die verschiedenen Streitereien und Kämpfe auf dem Kirchturm. Ludwig hat immer wieder das Bedürfnis, im Namen der Expressivität und Ausdruckskraft die Gefühle und Handlungen gewaltig in die (sowohl metaphorische als auch buchstäbliche) Höhe zu schrauben. Und dadurch verliert er jegliche Beziehung zum eigentlichen realistischen Anliegen seiner Erzählung – d.h. zum Leben eines bestimmten, sozial und beruflich präzis definierten Erfahrungsbereiches.

Trotz dieser, wie mir scheint, gravierenden Mängel, gibt es gewisse Aspekte in Ludwigs Text, die aufschlußreich und wichtig sind. In der Schilderung der Dachdeckerarbeit gelingt ihm mitunter ein Ineinander von drei thematischen Anliegen. Erstens: Ludwig versteht es, die Arbeit des Dachdeckers mit einer intensiven Achtung vor der Solidität und Eigenart des eigentlichen Gewerbes zu schildern, die zutiefst beeindruckend ist:

> Er holt ein anderes Tau herauf und legt es als drehbaren Ring unter dem Turmknopf um die Stange. Daran befestigt er den Flaschenzug mit drei Kolben, an den Flaschenzug die Ringe seines Fahrzeugs. Ein Sitzbrett mit zwei Ausschnitten für die herabhängenden Beine, hinten eine niedrige, gekrümmte Lehne, hüben und drüben Schiefer-, Nagel- und Werkzeugkasten; zwischen den Aus-

[10] Ebda, S. 405.
[11] Ebda, S. 397.

schnitten vorn das Haueisen, ein kleiner Amboß, darauf er mit dem Deck-
hammer die Schiefer zurichtet, wie er sie eben braucht [...].[12]

Immer wieder kommt dieser Aspekt – die erzählerische Anerkennung der
Materialität des Arbeitsprozesses – zur Geltung. Zweitens: gerade diese
Arbeit ist von einem ethischen Aspekt durchzogen, denn die Ehrfurcht vor
handwerklicher Integrität beläuft sich letztlich auf eine Frage von Leben
und Tod. Da ist eine gewisse Kontinuität am Werk, eine Solidarität über
Jahrhunderte hinweg.

> Der Schieferdecker muß besonnen arbeiten. Der Mann, der heute eine Reparatur
> unternimmt, muß sich auf die Berufstreue dessen, der Jahrzehnte, vielleicht ein
> Jahrhundert vor ihm hier stand, verlassen. Die Ungewissenhaftigkeit, die heute
> einen Dachhaken liederlich befestigt, kann den Braven, der nach fünfzig Jahren
> an diesen Haken seine Leiter hängt, in den Tod stürzen. [13]

Da wird ohne falsches Pathos die Integrität des Handwerks zu einem Index
ethischer Bewährung. Drittens: wie vom Titel selbst angedeutet wird, ist der
Beruf des Dachdeckers das metaphorische Äquivalent einer Bestimmung
des Menschseins schlechthin – zwischen Himmel und Erde. Von Fritz' per-
versen Eifersuchtsgefühlen heißt es an einer Stelle:

> [...] sein Gedankenschiff hing nicht zwischen Himmel und Erde, von des Him-
> mels Licht bewahrt; es taumelte tiefer, und immer tiefer, zwischen Erd' und
> Hölle, und die Hölle zeichnete ihn immer dunkler mit ihrer Glut. [14]

Somit geht das Konkrete ins Metaphorische über; wobei die Metaphorik
nicht nur eine ethische, sondern auch eine existentielle Bestimmung des
Menschen in sich birgt.

Es gibt zwei weitere Vorzüge der Ludwigschen Prosa, die zum Zustandekommen einer beachtlichen realistischen Leistung Entscheidendes beitragen. Mit der Figur des blinden Vaters Nettenmair gelingt Ludwig eine be-
deutende Skizze eines Lebens, das durch Krankheit von der beruflichen
Tätigkeit ausgeschlossen wird. Der alte Herr Nettenmair versucht, seine
Blindheit – und somit seine gesellschaftliche und berufliche Marginalisie-

---

[12] Ebda, S. 375.
[13] Ebda, S. 491.
[14] Ebda, S. 396. Auf die Diskrepanz in Ludwigs Erzählung zwischen gesellschaft-
lich-institutioneller Analyse einerseits und Registern persönlich-ethischer Beurteilung (wie etwa hier in Bezug auf Fritz) hat Jörg Schönert hingewiesen
(Jörg Schönert: „Otto Ludwig: *Zwischen Himmel und Erde* [1856]: Die Wahrheit des Wirklichen als Problem poetischer Konstruktion", in: *Romane und
Erzählungen des bürgerlichen Realismus*, hg. v. Horst Denkler, Stuttgart 1980,
S. 153-172).

rung – dadurch abzuschwächen, daß er unentwegt auf die Frage, wie es ihm gehe, mit den Worten antwortet: „Ich leide etwas an den Augen, aber es hat nichts zu sagen."[15] In dieser Aussage kommt eine Verlegenheit zum Ausdruck, die sich auf die eigene Person und gegen das Mitleid der Mitbürger richtet.

Der letzte große Abschnitt der Erzählung beschäftigt sich mit der Situation nach Fritz' Tod. Aus vielfachen Indizien müßte man annehmen, daß ein Happy-End dadurch zustande kommen wird, daß Apollonius Christiane heiratet. Die Dorfgemeinschaft selbst erwartet diese Lösung. Und doch wissen wir aus den ersten Seiten der Erzählung, daß Apollonius diesen Schritt nicht gewagt hat. Es fragt sich warum. Da sind zwei Szenen entscheidend. Die erste ist der Augenblick der Wiederbegegnung, nachdem alle der Meinung waren, daß Apollonius in Brambach abgestürzt sei. Die Nachricht war falsch: Apollonius hatte zwar in Brambach gearbeitet, aber der Unfall ereignete sich in Tambach. Als Apollonius wider Erwarten erscheint, wird Christiane ohnmächtig vor Freude:

> [...] nun hielt er sie in den Armen. Die Gestalt, die er, schmerzlich mühsam und doch vergebens, seit Wochen von sich abzuwehren gerungen, deren bloßes Gedankenabbild all' sein Wesen in eine Bewegung brachte, die er sich als Sünde vorwarf, lag in schwellender, atmender, lastender, wonneängstigender Wirklichkeit an ihn hingegossen. Ihr Kopf lehnte rückwärts gesunken über seinen linken Arm; er mußte ihr in das Antlitz sehen, das schöner, gefährlich schöner war, als seine Träume es malen konnten.[16]

Das ist, wie mir scheint, ein erstaunlicher Passus, der mit taktvoller Intensität von der überwältigenden Macht sexueller Begierde spricht („schwellender, atmender, lastender ... Wirklichkeit") – aber auch von der Repression des sozialisierten Bewußtseins („die er sich als Sünde vorwarf", „wonneängstigender Wirklichkeit", „gefährlich schöner ... als seine Träume es malen konnten"). Zu der Zeit dieser Szene ist Christiane mit Fritz verheiratet. Daher die strenge Instanz, die das Anerkennen der Sexualität verbietet; daher Christianes Ahnungslosigkeit: „Sie ahnt nicht, [...] was ihre Liebkosungen, was ihr warmes, schwellendes Umfangen in dem Manne aufregen muß, der sie liebt".[17] Wieder einmal verweist das Wort „schwellend" auf das intensive Vorhandensein des weiblichen Körpers. Apollonius macht diesen Gefühlsregungen dadurch ein Ende, daß er Christianes Knaben holt, küßt, und zwischen sich und Christiane stellt: „Die Frau sah

---

[15] Ebda, S. 361.
[16] Ebda, S. 477.
[17] Ebda, S. 479 f.

ihn den Knaben zwischen sich und ihn stellen und verstand ihn."[18] Streng rechtlich wird diese verbotene Liebe nach Fritz' Tod zur erlaubten Liebe. Aber der Makel des Unerlaubten läßt sich nicht entfernen – nicht trotz, sondern wegen des Sich-Erinnerns an jene Szene der Umarmung: „Aber durch ihr schwellendes Umfangen, durch alle Bilder stillen, sanften Glücks hindurch fröstelt ihn der alte Schauder wieder an."[19] Ob Apollonius' Liebe zu dieser Frau sexuell („schwellend") oder auch gut-bürgerlich („still, sanft") untermalt wird, so oder so bleibt diese Verbindung für ihn illegitim. Nach Apollonius' Heldentat, durch die er die Kirche vor dem Brand rettet, erkrankt er an einem gefährlichen Fieber. Er wird vom alten Bauherrn und von Valentin, dem Gesellen, gepflegt. Er schickt nicht nach Christiane, sie wagt nicht „ungerufen zu kommen". Und doch ist sie es, die durch ihre hintangehaltene, stark verdrängte Körperlichkeit heilt:

> Keine Flasche, aus der der Kranke einnehmen sollte, die er nicht, ohne es zu wissen, aus ihrer Hand bekam; kein Pflaster, kein Überschlag, den nicht sie bereitet; kein Tuch berührte den Kranken, das sie nicht an ihrer Brust, an ihrem küssenden Mund erwärmte.[20]

Christiane ist „glücklich, etwas um ihn zu leiden, der alles um sie litt". Um mit dieser Apotheose des gewollten, verherrlichten Leidens, mit dieser Gebärde der Entsagung, schließt Ludwigs Erzählung. Wir hören auf, wie wir begonnen haben – mit einem Bild von bürgerlicher Tüchtigkeit, von familialer und beruflicher Integrität. Und doch beruht dieses Wunsch- und Traumbild auf einem Verzichten auf Wünsche und Träume. Was Ludwig mitunter gelingt, ist eine erstaunliche Durchleuchtung der Internalisierung gesellschaftlicher Normen; gerade im Zentrum des verklärten bürgerlichen Alltags sind die Spuren gewaltiger Verdrängungen überall bemerkbar.

Otto Ludwig vermag nur mit äußerster Anstrengung, den bürgerlichen Alltag des „ganzen Hauses" zu bejahen – dadurch, daß er ganze Bereiche menschlicher Erfahrung marginalisiert. Etwa dreißig Jahre später, im Jahre 1888, erscheint ein Text, in dem eine solche durch Verdrängung gewährleistete Verklärung des ganzen Ethos des Zunftwesens einer ausführlichen Konstatierung von dessen Ableben weichen muß: Max Kretzers *Meister Timpe*. Es handelt sich um einen – um den Untertitel zu zitieren – „sozialen Roman", dessen Stärken und Schwächen aus seiner stilistischen und thematischen Vordergründigkeit hervorgehen. Timpe ist Drechslermeister, der auf das ganze Ethos seines Berufs stolz ist. Er ist erfolgreich, hat acht Gesel-

---

[18] Ebda, S. 481.
[19] Ebda, S. 508.
[20] Ebda, S. 529.

len in seiner Werkstatt, wird aber von dem gewaltigen Aufkommen der Fabrikproduktion ruiniert. Die Fabrik selber entsteht direkt neben seinem Haus, denn Herr Ferdinand Friedrich Urban heiratet die Witwe, die nebenan wohnt, und verwandelt Haus und Garten in ein gewaltiges Unternehmen. Timpe wird vom eigenen Sohn Franz ‚verraten‘, der bei Urban eine kaufmännische Lehre absolviert. Franz widmet sich ausschließlich dem finanziellen und gesellschaftlichen Erfolg. Er heiratet Emma, Urbans Stieftochter; und er ist sogar bereit, seinem Vater Modelle zu stehlen, die Urban als Muster für seine Massenherstellung braucht. Timpes finanzieller und sozialer Abstieg ist brutal; trotzdem ist er nicht bereit, auf die sozialdemokratischen Ideen seines Gesellen Thomas Beyer einzugehen, obwohl seine eigene Erfahrung ihm immer wieder zeigt, daß seine einzige Hoffnung im politischen Engagement auf der Seite der arbeitenden Klasse besteht. Am Ende des Romans wird er in seinem verbarrikadierten Haus tot aufgefunden.

Auf den Anfangsseiten des Romans entdecken wir Meister Timpes Haus mit den Augen seines betrunkenen, spät zurückkehrenden Sohnes Franz:

> Der Schlüsselbund des Wächters knarrte, die schwere Tür drehte sich in ihren Angeln und schloß sich dann leise hinter Franz Timpe, der horchend stehenblieb. Im Hause war noch alles ruhig. Durch die geöffnete Hoftür fiel ein fahler Schein auf die roten Steinfliesen des Flurs, der sich schmal und lang, gleich einer Kegelbahn, durch das altertümliche Haus zog. Links befand sich die Werkstatt des Vaters, rechts die Wohnung der Eltern. Auf dieser Seite führte eine schmale, gebrechliche Stiege zum einzigen Stockwerk des Hauses empor, in dem zwei kleine, bewohnbare Stuben sich befanden. In der einen schlief Franz, in der anderen Gottfried Timpe, der Großvater.[21]

Man merkt das Ineinander von Haus und Werkstatt. Dem Vater verdankt Meister Timpe „seine Kunstfertigkeit als Drechsler" – und auch das Haus, über dessen

> mit großen Nagelköpfen gezierten Tür, [...] reliefartig das Sinnbild des Drechslers- und Kunstdrechslergewerbes prangte: ein Taster, auf dem über Kreuz Meißel und Röhre lagen; darunter eine Kugel flankiert von zwei Schachfiguren.[22]

Handwerk und Kunst gehen ineinander über. Der Garten ist klein, hat aber in der einen Ecke einen mächtigen Lindenbaum, in den von der Dachluke des Timpeschen Hauses Franz herüberklettert und dort mit zwei Brettern

---

[21] Zitiert wird nach folgender Ausgabe: Max Kretzer: *Meister Timpe*, hg. v. Götz Müller, Reclam, Stuttgart, S. 9.
[22] Ebda, S. 11.

eine Warte gebaut hat. Seinem Sohn zuliebe läßt Meister Timpe die Dachluke erweitern und eine Art Brücke bauen, die zu einem richtigen Sitzplatz mit Geländer in der Baumkrone Zugang erlaubt. In einer deutlich intertextuellen Anspielung an Otto Ludwigs Erzählung wird diese Warte folgendermaßen geschildert:

> Der Aufenthalt zwischen Himmel und Erde war eine vortreffliche Abwechslung in der Eintönigkeit der langen Abende und gab Veranlassung, sich noch wochenlang darüber zu unterhalten.[23]

Mit dem Timpeschen Haus wird eine Lebensweise verbunden, die an einer entscheidenden Stelle vom Erzähler erörtert wird:

> Regelmäßig des Donnertags gesellte sich auch noch Thomas Beyer zu der Familie. Seit vielen Jahren bereits mußte der älteste Geselle an einem Tage in der Woche sein Abendbrot bei dem Meister einnehmen. Es war das eine schöne Sitte aus jener Zeit, wo der Geselle noch Kost und Wohnung im Hause des Arbeitgebers fand und dadurch zur Familie mitgezählt wurde.[24]

Wie Götz Müller zeigt, erinnert diese Schilderung an Tiecks *Jungen Tischlermeister* [25] mit seiner extensiven Beschreibung der Mahlzeiten, an denen sowohl der Meister und die Meisterin und deren Angehörige als auch die Gesellen beteiligt sind. In Kretzers Roman werden dieses Haus und das darin beheimatete Ethos von der buchstäblichen und metaphorischen Präsenz zweier moderner Institutionen bedroht, von der benachbarten Fabrik und von der Stadtbahn, deren Entstehen im Laufe des Romans immer wieder erwähnt wird, bis endlich in der Schlußszene des Romans, in der Meister Timpe in dem verkauften und verbarrikadierten Hause tot aufgefunden wird, seine ganze Lebensweise von dem Symbol moderner Technologie geradezu eingeholt wird:

> Plötzlich ertönte ein tausendfaches Hurrarufen. [...] Ein dumpfes Ächzen und Stoßen wurde wahrnehmbar, heller Qualm wälzte sich über die Straße, und unter dem Zittern der Erde brauste die Stadtbahn heran, die ihren Siegeszug durch das Steinmeer von Berlin hielt. Die Lokomotive war bekränzt. Aus den Kupeefenstern blickten Beamte des Ministeriums, Leute von der Eisenbahnverwaltung und die geladenen Ehrengäste.[26]

Das mag wohl zugestandenermaßen in seiner unverkennbaren Allegorese vordergründig sein; aber die schiere Intensität des sozialen Protestes ist beeindruckend.

---

[23] Ebda, S. 24.
[24] Ebda, S. 66 f.
[25] Götz Müller: „Nachwort", in: ebda, S. 294-296.
[26] Ebda, S. 286.

Das Problematische an eben dieser Intensität ist, daß mitunter eine allzu forcierte Deutlichkeit über den epischen Kunstwillen den Sieg davonträgt. Manchmal kommt es vor, daß sich die Figuren mit einem Übermaß an deutlichem, souveränem Artikulationsvermögen ausdrücken. Timpe befindet sich an einem Abend in einem Kreis von Leuten, die seine Sorgen teilen. Er erklärt mit wohlerwogener Klarheit und mit einem analytischen Scharfblick seine Bedenken, obwohl er sonst, vor allem in seinen Handlungen und Gefühlen, von einer solchen politisch fundierten Sicherheit kaum Zeugnis ablegt:

> „Es wird eines Tages keine Handwerker mehr geben, nur noch Arbeiter. [...] In unserem Stande lernt heute niemand mehr etwas. Die Lehrlinge werden in den Fabriken nur zu Tagelöhnern herangebildet. Haben sie ausgelernt, sind sie eigentlich nur noch Arbeitsleute. Der eine fertigt jahraus, jahrein diesen Teil an und der andere jenen, aber keiner hat eine Ahnung vom Ganzen."[27]

Diese wohlerwogene, im Sinne der marxistischen Kapitalismuskritik präzisierte Analyse der Arbeitsteilung hört sich eigenartig an im Munde eines Drechslermeisters, der sonst ein kaisertreuer Gegner der Sozialdemokratie ist. Manchmal wird auch der erzählerische Kommentar von einer ähnlichen, allzu intensiven Diskursivität dominiert, wobei die eigentliche Romanfabel zugunsten einer ausführlichen gesellschaftkritischen Kommentierung unterbrochen wird:

> Das war das betrübteste Zeichen der Zeit: Menschen und Waren sanken im Werte. Der redliche Arbeiter wurde durch die Sorge ums Dasein gezwungen, zum Betrüger am Publikum und seinem Nächsten zu werden. Es war der große soziale Kampf des Jahrhunderts, in dem immer dasselbe Feldgeschrei ertönte: „Stirb *du*, damit ich lebe!"[28]

Eine solche Kommentierung des Erzählens kann manchmal dazu führen, daß die „Zeichen der Zeit" allzu manifest werden; es sind sozusagen keine Zeichen der Zeit mehr, sondern Kundgebungen der im Roman erzählerisch manipulierten Welt.

Ein Teil dieser Manipulation liegt in der Charakterschilderung begründet. Emma, Timpes Schwiegertochter, ist von einer strahlenden Güte und Herzenswärme, und die Szenen, in denen sie erscheint, laufen mitunter Gefahr, sentimental zu werden. Sie ist eine ungetrübt poetische Erscheinung. Es ist bezeichnend, daß sie in einer frühen Begegnung mit Franz ihr Entsetzen über den Plan, die Bäume im Garten zu fällen, ausdrückt: „ich [...] muß nun

---

[27] Ebda, S. 128.
[28] Ebda, S. 138.

erleben, daß aus reiner Spekulation alle Poesie verschwinden soll. Das ist wirklich ganz abscheulich! Weil die Bäume nicht rechnen können, sollen sie fallen!"[29] Emma verteidigt die Poesie und schwebt durch den ganzen Roman als poetische – will sagen, losgelöste – Gestalt. Ihr Gegenspieler ist der Bösewicht Franz, in den sie sich verliebt. Er ist sozusagen das negative Prinzip schlechthin. Die Art und Weise, wie er geschildert wird, führt dazu, daß gesellschaftliche Motivationen von einem melodramatischen Kunstwillen verdrängt werden. Franz verkörpert die kommenden wirtschaftlichen Tendenzen des Fabrikwesens und der Massenherstellung. Und in diesem Sinne ist er an jenen Prozessen beteiligt, die in der Zerstörung seines Geburtshauses gipfeln; aber er selbst ist nicht dafür verantwortlich.[30] Kretzers erzählerische Stimme wird aber nie müde, Franz als moralisch schuldig darzustellen, auf seinen persönlichen Schwächen zu insistieren. Bereits im zweiten Kapitel des Romans ist von seinem „Hange zu allerlei Unarten, zum Verleugnen der Wahrheitsliebe, zur Ränkesüchtelei und zur Trägheit" die Rede, von seinen „Anlagen zum Leichtsinn"[31]. Und am Schluß dieses Kapitels geht die ethische Verurteilung von Franz in eine Tirade gegen die moderne Welt über. Gesellschaftliche Diagnose wird von Pathos verdrängt:

> Und sein Sohn vertrat die neue Generation der beginnenden Gründerjahre, welche nur danach trachtete, auf leichte Art Geld zu erwerben und die Gewohnheiten des schlichten Bürgertums dem Moloch des Genusses zu opfern.[32]

Gerade die Schwäche solcher erzählerischen und thematischen Vereinfachung tritt noch deutlicher hervor, wenn wir sie mit Momenten textlicher und sozialpsychologischer Differenzierung vergleichen. Ein Register sachlichen, komplexen Verstehens durchzieht das meisterhafte Porträt des Gesellen Thomas Beyer. Er ist der geschickte Drechsler, der sich in Abendkursen weiterbildet. Vor allem will er die sozialen Veränderungen um ihn herum verstehen. Das verleiht ihm manchmal etwas Schwerfälliges, denn er neigt immer wieder dazu, sich über ein beliebiges Gesprächsthema mit den einleitenden Worten „da habe ich neulich einen Vortrag gehört"[33] zu äußern. Manchmal haben seine Meinungen etwas Angelerntes; aber wir merken, daß das eigentliche Lernen durch Prozesse des Sich-Aneignens von

---

[29] Ebda, S. 54.
[30] Zum Problem der sozialen Allegorese bei Kretzer vgl. Dieter Mayer: „Max Kretzer: *Meister Timpe* (1888): Der Roman vom Untergang des Kleinhandwerks in der Gründerzeit", in: *Romane und Erzählungen des bürgerlichen Realismus*, hg. v. Horst Denkler, Stuttgart 1980, S. 347-361.
[31] *Meister Timpe*, S. 17.
[32] Ebda, S. 21.
[33] Ebda, S. 181.

Wissen, des Anlernens, vor sich geht. Das ist ein langwieriges und mühsames Verfahren, denn es braucht Geduld und Zeit und Hingabe; am Ende des Romans erkennen wir, daß es Thomas Beyer und seinesgleichen sind, die in Zukunft dafür sorgen werden, daß die Arbeiter die Vorgänge der Industrialisierung verstehen und sie bis zu einem gewissen Grade mitbestimmen.

Alle drei in diesem Kapitel behandelten Texte gehören kaum zum bleibenden Bestand der europäischen Literatur. Trotz ihrer künstlerischen Mängel zeugen sie aber alle von dem schweren sozialpsychologischen Schock, der mit dem Ableben eines bestimmten Ethos, des Ethos vom „ganzen Haus", untrennbar verbunden ist. Wenn aus diesen drei Texten ein realistischer Befund hervorgeht, dann ist es vor allem die erzählerische Durchleuchtung dieser Mentalität als sozialgeschichtlichen Faktums, einer Mentalität, die versucht, einheitsstiftend zu wirken, in dem Sinne, daß sich Familie, Handwerk, Beruf und gesellschaftlicher Status gegenseitig bestätigen. Dieses thematische Ineinander von privaten und öffentlichen Bereichen bringt aber ästhetische Probleme mit sich, denn bei Ludwig und Kretzer haben wir wiederholt feststellen müssen, daß eine unverkennbare Diskrepanz zwischen Gesellschaftsanalyse einerseits und persönlich-ethischer Fragestellung andererseits besteht (vor allem dort, wo es um die Darstellung der beiden Schurken – Fritz und Franz – geht). Eine solche Zwiespältigkeit (und Zweistiligkeit) läßt sich überall in der Prosa des ausgehenden Jahrhunderts erkennen. Im Kontext des Naturalismus wird eine intensiv gesellschaftsbezogene, beinahe szientistisch anmutende Fragestellung angestrebt; gleichzeitig aber macht sich das Bedürfnis nach ethischer Bestätigung des Einzelmenschen als autonomes, will sagen nicht-determiniertes, Geschöpf wieder geltend. Diese Aporie in sowohl thematischer als auch stilistischer Manifestation durchzieht zum Beispiel des frühe Werk Gerhart Hauptmanns (*Bahnwärter Thiel*) sowie die Romane Maria von Ebner-Eschenbachs (*Das Gemeindekind*) und Ludwig Anzengrubers (*Der Schandfleck, Der Sternsteinhof*). Obwohl diese Texte immer noch wichtig sind, erreicht keiner von ihnen m.E. die realistische Ausstrahlung und Intensität von Kretzers *Meister Timpe* – geschweige denn eines Emile Zola.

Zwölf Jahre nach *Meister Timpe* erscheint ein Werk, das dieser zentralen Aporie des Naturalismus nicht nur gerecht wird, sondern sie kohärent gestaltet und hinterfragt: Thomas Manns *Buddenbrooks*. Mit diesem Roman artikuliert sich, wie wir sehen werden, ein Stück deutsch-bürgerlicher Geschichte als Weltliteratur.

XVI. Paradigmenwechsel familialen und gesellschaftlichen Zusammenlebens

(Thomas Mann)

Wie wir des öfteren festgestellt haben, wird die traditionelle Theorie des erzählerischen Realismus immer wieder von dem Glaubensartikel dominiert, demzufolge der Realismus mit einer ausgiebigen Rhetorik des Materiellen zu tun habe. Ich wiederhole die Argumente hier, denn sie können *ex negativo* zur Analyse von Thomas Manns erstem Roman *Buddenbrooks* (1901) Entscheidendes beitragen. Realismus, so heißt es, habe *per definitionem* mit *res* zu tun, mit äußerlichen Verhältnissen, mit der praktischen Welt gesellschaftlicher Lebenserfahrung, mit Institutionen und Gegenständen und deren Einfluß auf die Menschen, die in dieser materiellen Welt agieren. Diese erzählerisch vermittelte und verbürgte Ehrfurcht vor physischen Tatsachen, vor dem schieren ‚Sosein' der konkret wahrnehmbaren Welt, findet immer wieder in dem Roman ihren Niederschlag, denn der Romangattung ist seit eh und je die Fähigkeit zugesprochen worden, sich mit prangender Weltfülle, mit detaillierter Ausführlichkeit, mit dem schier Kontingenten und Episodenhaften der menschlichen Erfahrung zu beschäftigen. Der Roman ist somit in das Materielle verliebt und darf dessen bloßes Vorhandensein zelebrieren, ohne daß eine zusätzliche – erkenntnistheoretische oder ästhetische – Daseinsberechtigung vermittelt werden muß. Die schiere Freude an der Gebärde des Beschreibens manifestiert sich besonders in den Romanen eines Dickens oder Balzac, wobei die Redundanz zum künstlerischen Prinzip erhoben wird.

Das sind zugestandenermaßen zentrale Aspekte unserer Erfahrung – und unseres Umgangs – mit realistischen Romanen. Andererseits müssen wir uns davor hüten, diese bestimmte erzählerische Rhetorik zu verabsolutieren; denn die Gefahr besteht, daß wir nur diejenigen Romane als realistisch ansehen, die wie „schlaffe, ausufernde Ungetüme" [1] auf uns wirken – um an Henry James' berühmte und abschätzige Definition jener Romane zu erinnern, die die Gunst des Publikums immer wieder zu beanspruchen wußten. Der romanhafte Realismus muß nicht immer unstrukturiert und übermäßig-stofflich – will sagen, unartistisch – sein.

---

[1] Henry James: *The tragic Muse* (Preface), New York 1936, S. x.

Buddenbrooks ist ein Romantext, der souverän, ja fast klaustrophobisch durchkomponiert ist, und der infolgedessen eine Fülle an formalen Bezügen, Symbolen, Leitmotiven aufweist. Diese künstlerische Virtuosität hat aber keineswegs zur Folge, daß die Referentialität des Romans geschwächt wird. Denn es handelt sich grundsätzlich um einen Familienroman, um jene Ursubstanz in der internationalen Fernsehgattung der Seifenoper; und ein Teil unseres Interesses an diesem Familienroman ist und bleibt, daß wir gerade mit einer Familie vertraut werden, mit den verschiedenen Generationen, mit Verlobungen, Eheschließungen, Todesfällen usw. Der Titel des Thomas Mannschen Romans lautet nicht etwa *Die Buddenbrooks* – sondern einfach *Buddenbrooks*, was unterschwellig suggeriert, daß für uns, wie für alle Einwohner der norddeutschen Stadt, in der der Roman spielt, die Buddenbrooksche Familie bereits ein Begriff ist. Die Stadt selbst wird nie beim Namen genannt. Warum denn auch? Es handelt sich ja um eine geistige Lebensform, die sich vor unseren Augen ausbreitet. Die Familie, die Stadt werden uns zu einem Begriff, weil wir im Laufe des Romans in die Äußerlichkeiten und die Innerlichkeiten des dortigen Lebens eingeweiht werden. Die Begrifflichkeit, die Teil der realistisch geschilderten Welt ist, ist somit keine philosophische Abstraktion. Sie ist vielmehr die Mentalität, mit der und in der gelebt wird. Der Roman beginnt und endet mit einem religiösen Glaubensbekenntnis; *Buddenbrooks* ist aber kein religiöser Roman, sondern ein Roman, der weiß, wie sehr sich Normen, Wertvorstellungen, Symbole, Rituale und Glaubensartikel auf das gesellschaftliche Benehmen auswirken können.

Der insistente Symbolwert von Thomas Manns erstem Roman hat mitunter dazu geführt, daß Kritiker und Leser, sei es lobend oder tadelnd, eine gewisse – unrealistische – Schematik an dem Romantext festgestellt haben. Es ist zum Beispiel argumentiert worden, daß der Roman auf einem philosophischen Schema beruhe, nämlich dem Antagonismus zwischen Geist und Leben, der sich überall bemerkbar mache,[2] und der allein den (um den Untertitel des Romans zu zitieren) „Verfall einer Familie" hinreichend motivieren kann. Solche Kritiker haben darauf hingewiesen, daß die schiere Dichte von Symbolen, Beziehungen, Leitmotiven, von sprachlichen, gestischen, ereignishaften Echos, Anklängen, Wiederholungen letztendlich im Dienst eines bewundernswürdigen artistischen Virtuosentums fungieren, wobei aber von extraliterarischer Referentialität sehr wenig zu spüren sei.

---

[2] Vgl. etwa Erich Heller: *Der ironische Deutsche*, Frankfurt am Main 1959; Herbert Lehnert: *Thomas Mann: Fiktion, Mythos, Religion*, Stuttgart 1965.

Hermann Kurzke – und er ist bei weitem nicht der Einzige [3] – spricht von „einem Sprachkunstwerk auf der Basis bestimmter philosophischer Theoreme".[4] Mir liegt gar nicht daran zu leugnen, daß *Buddenbrooks* ein erstaunlich durchkomponierter Romantext ist. Mir scheint es aber äußerst wichtig zu registrieren, daß die artistische Modalität des Romans mit deren sozialpsychologischer Thematik aufs engste zusammenhängt. Die Buddenbrooks sind äußerst bemüht, in den immer wiederkehrenden Rhythmen ihres dynastischen Selbstbewußtseins zu leben. Sie umgeben sich somit mit Symbolen und Ritualen; die Symbolik des Romantexts hat sozusagen mit dem Lebensstil der Familie zu tun – und nicht mit artistischem Virtuosentum. Es ist die Lebensweise der Familie, die selbststilisierend ist, und nicht das künstlerische Produkt als solches. Die sukzessiven Generationen der Familie werden immer nachdenklicher, grüblerischer, reflektierender. Daß der Roman selber eine zunehmende Tendenz zu narrativer Innerlichkeit an den Tag legt, geht aus der Romanthematik hervor. *Buddenbrooks* weiß um das konkrete Mobiliar und um das mentale Mobiliar jener Patrizierfamilie, deren Schicksal im Zentrum des Interesses steht.

Buddenbrooks beginnt bezeichnenderweise mit einem Ritual: „Es war Donnerstag, der Tag, an dem ordnungsgemäß jede zweite Woche die Familie zusammenkam." (13)[5] Die kleine Tony sollte ihren Katechismus rezitieren und stockt plötzlich. Die Mutter hilft ihr, und die Rezitation geht problemlos weiter. Die erzählerische Gebärde ist breit angelegt, behäbig, fast im Chronistenstil. Immer wieder taucht das Pronomen der Allgemeinheit auf – „man": „man saß im ‚Landschaftszimmer' "; durch eine Glastür „blickte man in das Halbdunkel einer Säulenhalle hinaus".[6] Das Haus ist erst vor kurzem von den Buddenbrooks gekauft worden, und indem sich die äußerst unemphatische Exposition, etwa im Fontane-Stil, ausbreitet, besichtigen wir das Haus mit den dort versammelten Gästen. Das Haus verkörpert die verschiedenen Stränge der Lebensform, die es beherbergt. In einer Einheit bestehen nebeneinander die privaten Zimmer, die repräsentativen Räume, das Kontor, das administrative und verwaltungsmäßige Zen-

---

[3] Vgl. Helmut Koopmann: *Die Entwicklung des „intellektualen Romans" bei Thomas Mann*, Bonn 1980; Klaus-Dieter Rothenberg: *Das Problem des Realismus bei Thomas Mann*, Köln und Bonn 1969.

[4] Hermann Kurzke: *Thomas Mann: Epoche – Werk – Wirkung*, München [2]1991, S. 81.

[5] Zitiert wird nach folgender Ausgabe: Thomas Mann: *Buddenbrooks*, in: Mann: *Gesammelte Werke in 13 Bänden*, Bd. I, Frankfurt am Main 1974.

[6] Zum Gebrauch des Pronomens „man" vgl. Lilian R. Furst: „Re-reading ‚Buddenbrooks' ", in: *German Life and Letters* 44, 1991, S. 325.

trum der Firma, und auch eine Diele, durch die Transportwagen hindurch-
fahren, um zum Speicher zu gelangen, wo die Getreidesäcke aufbewahrt
werden. Wir besichtigen das Haus, wir belauschen verschiedene Gespräche.
Ein Gast, der Stadtdichter Jean-Jacques Hoffstede, trägt ein Gedicht vor,
das er zur Feier des neuen Hauses komponiert hat. Wir wissen genau, wo
wir sind und wann – denn das Datum (wie überall in dem Roman) wird
emplizit angegeben: Oktober 1835.

Diese Exposition zeigt uns nicht nur die *res* der konkret wahrnehmbaren
Welt – sondern ein „ganzes Haus", ein ganzes Ethos. Fast alles, was in diesem ersten Teil des Romans geschildert wird, kehrt wieder und trägt zu dem
gewaltigen Symbolgeflecht Entscheidendes bei.[7] Strenggenommen handelt
es sich nicht um den Barthesschen „effet de réel", denn dieser ist, wie wir
gesehen haben, eine Rhetorik der Redundanz, eine Anerkennung der konkreten Welt nicht um ihres Symbolgehalts willen, sondern lediglich als
Konstatierung der schieren Fülle der gegenständlichen Welt. Und doch
wäre es m.E. falsch zu meinen, daß gerade die symbolische Aussage eine
Absage an das Konkrete beinhaltet und bedeutet. Denn das Ritualisierte,
Symbolische an diesem ersten Teil hängt mit der gesellschaftlichen Lebensform der Buddenbrooks aufs engste zusammen. Die Symbole gehören somit zur Seinsweise der geschilderten Welt; die Figuren sind alle bemüht, in
diesem Symbol- und Mentalitätsgeflecht zu leben. Was der Roman verzeichnet, ist jene Deplazierung der Symbole, die daraus hervorgeht, daß die
sukzessiven Buddenbrooks-Generationen an einem Verfallsprozeß beteiligt
sind, der sich in einer immer problematischer werdenden Innerlichkeit ausdrückt. Und diese Innerlichkeit höhlt die Integrität der Buddenbrookschen
Mentalität aus, so daß das ritualisierte Leben der Familie immer weniger
von unreflektierten Glaubensartikeln getragen wird. Je mehr sie reflektie-
ren, desto brüchiger wird die Lebensweise – bis sie zur bloßen Kulisse wird.

Die ersten Indizien dieser inneren Reflexion machen sich im ersten Teil
bemerkbar – in der Diskussion zwischen Vater und Sohn über die sogenannte Gotthold-Affäre. Jean, der Sohn, gibt nach. Aber der innere Bereich
läßt sich auf die Dauer nicht verdrängen. Bei Jean handelt es sich um eine
Intensität religiösen Gefühls, bei Christian um neurotische Zustände des
hypochondrischen Selbstmitleids, bei Thomas um die Offenbarung einer
eigenartigen Mischung von pessimistischer Weltverneinung und hektischer
Lebensbejahung, und bei Hanno um Musik. In all ihren Formen wird diese
Innerlichkeit von konstant wiederkehrenden Gefühlen und Begriffen ge-

---

[7] Vgl. die hervorragende Analyse der Exposition bei Jochen Vogt: *Thomas Mann:*
„*Buddenbrooks*", München 1983, S. 13-28.

kennzeichnet, die aus einer Abscheu vor der harten, brutalen Welt praktischer Lebenstüchtigkeit hervorgehen, die alle von den heimlichen Freuden der Schwäche, des Versagens, von – um einen Schlüsselbegriff aus dem *Zauberberg*-Roman zu zitieren – den „bodenlosen Vorteilen der Schande" gespeist werden. Indem sich diese Innerlichkeit immer stärker artikuliert, wandelt sich die Erzählhaltung im Roman; der behäbige Chronistenstil des „man" im ersten Teil verwandelt sich in erlebte Rede, in inneren Monolog. Im vierten Kapitel des achten Teils wird Thomas Buddenbrook mit der Möglichkeit konfrontiert, ein riskantes, sehr spekulatives Geschäft zu machen – nämlich die Pöppenrader Ernte auf dem Halm zu kaufen. Was im Vordergrund steht ist eine Frage wirtschaftlicher Praxis, eine Chance, „ein Coup, einen guten Fang" zu machen. Und während Thomas verzweifelt über die zunehmende Brutalität der Geschäftswelt nachdenkt, in der er sich notgedrungen bewegen muß, drängen sich jene Gedanken, die geradezu die Signatur Buddenbrookscher Innerlichkeit abgeben, in den Vordergrund:

> War Thomas Buddenbrook ein Geschäftsmann, ein Mann der unbefangenen Tat oder ein skrupulöser Nachdenker? [...] Das Leben war hart, und das Geschäftsleben war in seinem rücksichtslosen und unsentimentalen Verlaufe ein Abbild des großen und ganzen Lebens. (469)

Seine Gedanken gehen weiter – über den „rohen, nackten und herrischen Instinkt der Selbsterhaltung", über die schlaflosen Nächte, die er verbracht hat „voll Ekel und unheilbar verletzt gegen die häßliche und schamlose Härte des Lebens". Aber Thomas zwingt sich, weiterhin den Anforderungen merkantilen Lebens zu dienen; er weigert sich, jener verräterischen Stimme zersetzender Innerlichkeit Gehör zu schenken. Die Krise wiederholt sich viel drastischer im fünften Kapitel des zehnten Teils, wo er mehr oder weniger zufällig ein Buch der Philosophie entdeckt. Er begreift nur partiell, was er liest. Aber seine Gedankengänge werden angespornt. Und die Folge ist eine seltsame Träumerei, die konfus aber sehr aufschlußreich ist. Einerseits verspürt er „die unvergleichliche Genugtuung, zu sehen, wie ein gewaltig überlegenes Gehirn sich des Lebens, dieses so starken, grausamen und höhnischen Lebens, bemächtigt, um es zu bezwingen und zu verurteilen". (654) Gerade diese Möglichkeit verdankt er dem Text, den er gerade liest – denn es handelt sich um Schopenhauers *Die Welt als Wille und Vorstellung*. Aber da macht sich plötzlich eine andere Stimme geltend, die ein Wunschbild artikuliert, in einem Knaben weiterzuleben, der „gerade gewachsen und ungetrübt, grausam und munter" sein wird, in jenen Menschen „die je und je Ich gesagt haben, sagen und sagen werden: besonders aber in denen, die es voller, kräftiger, fröhlicher sagen [...]." (657) In dem spannungsreichen Geflecht dieser beiden miteinander konkurrierenden

Stimmen drückt sich das oft verschwiegene Geheimnis von Thomas' Innenleben aus: einerseits Weltverneinung, andererseits verzweifelte Lebensbejahung.

Die Schlüsselbegriffe werden ebenso hörbar in Hannos Musik, in dem gewaltigen Ineinander von unsäglicher Wollust und überwältigender Todesverfallenheit. Das letzte Stück, das er am Klavier improvisiert, entlädt sich in einer phantastischen Orgie, die das Nichts und den Untergang zelebriert. Jene Auflösung – das Wort wird im musiktechnischen Sinne gebraucht –, jenes „sehnsüchtige und schmerzhafte Hinsinken von einer Tonart in die andere" (748), das das erste Motiv von Hannos Komposition ergibt, durchzieht sein Sterben an Typhus. Denn gerade diese Krankheit wird als „eine Form der Auflösung, das Gewand des Todes selbst" (753) beschrieben.

Somit, könnte man meinen, haben wir uns radikal von der Exposition des Romans entfernt, in der sich das Buddenbrooksche Ethos so geräumig, selbstsicher und welthaltig vor uns auftut. Denn gerade in den Krisenmomenten, in denen die Figuren auf sich selbst zurückgeworfen sind, belauschen wir eine verzweifelte und intensive Innerlichkeit, eine Subjektivität, die dem öffentlichen Bereich, dem Tüchtigen, dem Gesellschaftlichen den Rücken kehrt. Es könnte den Anschein haben, daß *Buddenbrooks* im thematischen und stilistischen Universum des realistischen Romans anfängt, um letztlich in Metaphysik zu enden. Aber gerade das scheint mir nicht der Fall zu sein. Denn es handelt sich in diesem Roman um das Ineinander von Subjektivität und öffentlichem Raum, von Innerlichkeit und Äußerlichkeit.

Die Innerlichkeit, die sich durch erlebte Rede und inneren Monolog manifestiert, obwohl sie die praktische Welt, das Buddenbrooksche Leben, radikal in Frage stellt, ist letztlich mit jenem Leben zutiefst verbunden. Die Religiosität Jeans ist von geradezu schwärmerischer Intensität; sie ist aber eine Steigerung ins Radikal-Problematische gerade jenes Glaubens, der in dem Spruch über dem Haupteingang, *Dominus providebit*, zum Ausdruck kommt, und der mit der merkantilen Welt zu tun hat – etwa im Sinne von Max Webers *Die protestantische Ethik und der Geist des Kapitalismus*. Man denke auch an das Familienmotto – „Mein Sohn, sey mit Lust bey den Geschäften am Tage, aber mache nur solche, daß wir bey Nacht ruhig schlafen können". (482) Thomas' philosophische Träumereien sind keineswegs ein beliebiger Innenraum metaphysischer Spekulation; sie sind vielmehr der Ausdruck jener Nahtstelle in der deutschen Philosophie, wo Nietzsches Lebensbejahung auf Schopenhauers Pessimismus antwortet. Ohne daß er es selbst weiß, vollzieht dieser zutiefst zerrüttete, gequälte Senator die Gedankengänge seines Zeitalters. Hannos Musik ist von einer unverkennbaren historischen Signatur geprägt, denn es handelt sich um die Chromatik Richard Wagners. Wagner selber wird des öfteren im Text erwähnt: Hannos Mutter Gerda spielt ihn gern. Ihr Musiklehrer Edmund Pfühl verwirft diese moderne Musik als Unzucht und Blasphemie, als Symptom verheerender Zeittendenzen. An diesen Tendenzen ist Hanno beteiligt; so weltabgewandt er auch immer sein mag, er ist in der Modalität seiner Kreativität mit seinem historischen Ort, mit seinem historischen Zeitalter verbunden. Wenn Edmund Pfühl bereit ist, ausnahmsweise seine Ablehnung gegen Wagner zu mildern, so geschieht das im Hinblick auf ein bestimmtes Werk – nämlich *Die Meistersinger von Nürnberg*. Dieses Musikdrama, 1868 vollendet, ist, wie wir bereits gesehen haben, von profunder historisch-kultureller Bedeutung, denn es ist ein Lobgesang auf eine bestimmte Form deutscher bürgerlicher Kultur gerade zur Zeit ihres Untergangs. Und die Jahrzehnte, die die verschiedenen Buddenbrooks-Generationen durchleben – von den dreißiger Jahren bis zu den siebziger Jahren des neunzehnten Jahrhunderts, bilden gerade jene Zeitspanne, in der sich eine geradezu ungeheure Wandlung in der Mentalitätsgeschichte der deutschen Nation vollzog. Die Buddenbrooks spüren, daß sie von den Hagenströms und ihresgleichen abgelöst werden; eine patrizierhaft-bürgerliche Kultur weicht der aggressiven, spekulativen Kultur des modernen Bourgeois – um an die Typologie Werner Sombarts zu erinnern. Damit will ich keineswegs aus dem *Buddenbrooks*-Roman eine Allegorie wirtschafts- und sozialgeschichtlichen Wandels machen. Dafür ist der äußerliche und innerliche Detailrealismus viel zu differenziert. Ich will darauf hinweisen, daß die Vorgänge, die in der Innerlichkeit der immer problematischer werdenden Buddenbrooks verzeichnet werden, doch noch von zeittypischem Charakter sind. Das Haus in der Mengstraße verkörpert das komplexe Geflecht einer patriarchalischen, familialen, vom Ethos des Zunftwesens getragenen Lebensform. Das neue Haus in der Fischergrube hingegen verkörpert die zunehmende Abstraktion und Atomisierung einer modernen Wirtschaftsform. (Wobei es interessant ist, anzumerken, daß gerade die neue erfolgreiche Familie der Hagenströms das alte Patrizierhaus in der Mengstraße kauft, denn sie brauchen eine ästhetische, nach rückwärts gewandte Legitimation. Thomas Mann verzeichnet keine vereinfachte, lineare Sozialgeschichte; er weiß vielmehr von der Gleichzeitigkeit des Ungleichzeitigen, sowohl im Innen- als auch im Außenleben.)

Für Thomas Buddenbrook werden die Rituale und Symbole seiner Existenz immer brüchiger, immer belastender. Im sechsten Kapitel des siebten Teils spricht er mit seiner Schwester über die Entsubstantialisierung sämtlicher Zeichen und Symbole seines Lebens:

Aber „Senator" und „Haus" sind Äußerlichkeiten, und ich weiß etwas, woran du noch nicht gedacht hast, ich weiß es aus Leben und Geschichte. Ich weiß, daß die äußeren, sichtbarlichen Zeichen und Symbole des Glückes und Aufstieges erst erscheinen, wenn in Wahrheit alles schon wieder abwärts geht. (431)

Thomas spricht von etwas, was er „aus Leben und Geschichte" weiß – man könnte hinzufügen, aus der Geschichte seiner eigenen Kultur, seiner eigenen Gesellschaft.

Denn gerade dieser Wandel innerhalb des symbolischen Bedeutungsgefüges ist der Prozeß, der im Zentrum des *Buddenbrooks*-Romans steht. Was Thomas, Christian und Hanno in verschiedenen Variationen als Krisen der Entsubstantialisierung durchmachen und erleben, berührt jeden Aspekt des Romans – die Dinge, womit die Figuren sich umgeben, die Handlungen, die sie vollziehen, die merkantilen und politischen Tätigkeiten, die Ferienaufenthalte in Travemünde, die Psychologie ihrer Beziehungen zueinander (man denke an Thomas' bitteren Vorwurf an Christian und an sich selbst – „Ich bin geworden, wie ich bin, weil ich nicht werden wollte wie Du". (580)) Die Krise der Entsubstantialisierung hängt auch mit der Thematisierung des Geldes zusammen: für die alte Generation – etwa für Johann Buddenbrook – läßt sich das Geld von einer konkreten Ware, von den Getreidesäcken im Speicher, nicht trennen.[8] Geld ist somit ein Symbol, das durch das Vorhandensein der Säcke gewährleistet wird. Wenn Thomas aber eine Ernte auf dem Halm kauft, kauft er etwas, das für ihn als Exporteur noch nicht existiert. Geld löst sich somit vom Substantiellen; es hat dynamischen Zeichencharakter, denn es zirkuliert jetzt in einer spekulativen Wirtschaftsform (man denke an Heinrich Lees Reflexionen über „revalenta arabica" in Kellers *Grünem Heinrich*). Die Hagenströms verkörpern für die Buddenbrooks gerade jenes Ethos, das im Wirtschaftlich-Spekulativen zu Hause ist, in dem Immer-Flüssiger-Werden des Geldes, in einer Börsenkultur, in der Geld aus Geld gemacht wird. Die Buddenbrooks spekulieren nur widerwillig in wirtschaftlicher Hinsicht. Aber die Entsubstantialisierung des symbolischen Gefüges ihrer Lebensweise führt bei ihnen zu inneren, philosophischen, musikalischen Spekulationen.

Im *Buddenbrooks*-Roman sind Innerlichkeit und Äußerlichkeit, Subjektivität und Öffentlichkeit aufs profundeste miteinander verbunden. Ich möchte zum Schluß auf zwei ausgesprochen konzentrierte Beispiele dieses Ineinanders verweisen. Das längste Kapitel in diesem ganzen Roman ist das

---

[8] Vgl. Otto Brunner: „‚Das ganze Haus' und die alteuropäische Ökonomik", in: Brunner: *Neue Wege der Verfassungs- und Sozialgeschichte*, Göttingen 1968; Jochen Vogt [Anm. 7] S. 18-28.

zweite des letzten Teiles. Darin wird „Ein Tag aus dem Leben des kleinen Johann" (Hanno) erzählt. Es handelt sich um einen Tag in der Schule, einer Institution, die eine entscheidende Rolle in dem Sozialisationsprozeß des Einzelmenschen spielt. Mit unverkennbarer Intensität schildert Thomas Mann, wie grausam dieser Prozeß ist. Wir befinden uns hier – gegen Ende des Romans – im traditionellen Themenbereich des europäischen Realismus. Man denke etwa an Dickens, an die berühmte Szene am Anfang von *Hard Times*, der F.R. Leavis eine wichtige Analyse in seiner Studie des englischen Romans *The great Tradition* gewidmet hat.⁹ Gesellschaftliche Werte finden ihren konkreten Niederschlag im Unterrichtsprozeß selbst, in den Autoritätsstrukturen der Schule usw. Und am Ende dieses so „realistisch" verbrachten Tages geht Hanno nach Hause. Um vier Uhr wird Mittag gegessen. Und dann setzt er sich ans Klavier und improvisiert eine Phantasie, in der er seine unüberwindliche Todessehnsucht ausdrückt. Das Kapitel schließt im Bereich jener Innerlichkeit, die wir öfters diskutiert haben – und in dem erzählerischen Nachvollzug der philosophischen Begrifflichkeit, die dieser Musik innewohnt. Beide Diskurse – die realistische Schilderung eines Schultags und die reflektierende Verzeichnung von Hannos komponierten Gedankengängen – bestehen im gleichen Kapitel nebeneinander. Und im darauffolgenden Kapitel, einem der kürzesten im ganzen Roman, wird Hannos Tod geschildert, geschildert auf zweifache Weise: zuerst als klinisch-medizinischer Vorgang, dann als Dialog zwischen der leidenden Seele und dem Tod. Körperlichkeit und Geistigkeit, klinischer Realismus und Metaphysik sind sozusagen symptomatisch miteinander verbunden.

Im *Buddenbrooks*-Roman ist die Reflexivität der Familienmitglieder Teil der realistischen Gebärde eines Familien- und Gesellschaftsromans.¹⁰ Bei den früheren Generationen ist diese Reflexivität verhalten und unproblematisch; sie drückt sich in einer Bereitschaft aus, innerhalb des ritualisierten, mit anderen Worten symbolischen Gefüges einer bestimmten geistigen Lebensform zu existieren. Aber im Laufe der drei Generationen verschieben sich die Wertstrukturen, die traditionellen Symbole werden brüchig. Dieser Prozeß des Wandels ist ein Prozeß des Verfalls, innerhalb dessen ein Lebensethos zugrunde geht und von einem anderen abgelöst wird. Gerade diese mentalitätsgeschichtliche Transformation wird von Thomas Mann

---

⁹ F.R. Leavis: *The great Tradition*, Harmondsworth 1962, S. 249-274.
¹⁰ Vgl. Inge Diersen: *Untersuchungen zu Thomas Mann*, Berlin 1965; Georg Lukács: *Thomas Mann*, Berlin 1957; Hans Mayer: *Thomas Mann*, Frankfurt am Main 1980; Pierre-Paul Sagave: *Réalité sociale et idéologie religieuse dans les romans de Thomas Mann*, Paris 1954. Dies alles sind Studien, die den gesellschaftsanalytischen Charakter des *Buddenbrooks*-Romans hervorheben.

meisterhaft gestaltet und hinterfragt dank eines Romanrealismus, der weiß, daß Symbole, Rituale, Ideen genausosehr zum Bestand einer jeweiligen gesellschaftlichen Lebensform gehören wie Kleider, Möbel, Straßen und all die sonstigen Requisiten der erzählerischen Redundanz des traditionellen Realismus.[11]

---

[11] Bei meiner Beschäftigung mit Buddenbrooks habe ich folgenden Studien entscheidende Impulse verdankt: *Buddenbrooks-Handbuch*, hg. v. Ken Moulden und Gero von Wilpert, Stuttgart 1988; Hugh Ridley: *Thomas Mann: „Buddenbrooks"*, Cambridge 1987; Michael Zeller: *Bürger oder Bourgeois? Eine literatursoziologische Studie zu Thomas Manns „Buddenbrooks" und Heinrich Manns „Im Schlaraffenland"*, Stuttgart 1976. Eine der besten kurzen Studien ist m.E. nach wie vor Eberhart Lämmerts „Thomas Mann: Buddenbrooks", in: *Der deutsche Roman vom Barock bis zur Gegenwart*, hg. v. Benno von Wiese, Bd. II, Düsseldorf 1963, S. 190-233.

XVII. Ausblick in die Moderne

Thomas Manns *Buddenbrooks* erschien bekanntlich an der Schwelle des zwanzigsten Jahrhunderts. In dem vorhergehenden Kapitel habe ich zu zeigen versucht, daß das sich im Laufe jenes Romans immer intensiver manifestierende Interesse an dem Innenleben, an philosophischen, musikalischen, geistigen Fragestellungen letztlich mit einem überall vorhandenen realistischen Kunstwillen untrennbar zusammenhängt. Viele Kritiker sind hingegen anderer Meinung; für sie verkörpert *Buddenbrooks* den Übergang aus dem Realismus des neunzehnten Jahrhunderts in die eher mythischen, selbstreflexiven, begrifflich anspruchsvollen Gefilde der Romankunst der „klassischen Moderne" (Proust, Joyce, Woolf, Faulkner, Gide, Musil). Thomas Mann selber könnte als Paradebeispiel für diesen Prozeß geschichtlichen und ästhetischen Wandels angesehen werden, denn von *Buddenbrooks* an bewegt er sich nie wieder in dem kreativen Bereich des breitangelegten erzählerischen Realismus. Mir scheint es aber doch bemerkenswert, wie sehr er nach wie vor von dem Bedürfnis bestimmt wird, sein Romanschaffen in den Dienst einer historisch-kulturellen Diagnose zu stellen. Seine Laufbahn als Romanschriftsteller ist alles andere als eine Pilgerschaft in philosophisch ausgebreitete Innerlichkeit. Das Erstaunliche ist vielmehr, wie sehr etwa der Verfasser von Werken wie *Tod in Venedig*, *Zauberberg* oder *Doktor Faustus* bemüht ist, mit Strömungen und Gegenströmungen seiner Zeit in kreativem Kontakt zu bleiben.

Um an die Gemeinplätze zu erinnern, mit deren Erörterung diese Studie begonnen hat: die deutschsprachige Erzählprosa des neunzehnten Jahrhunderts wird von einer Innerlichkeit getragen, die sehr oft als „antirealistisch" abgestempelt wird; und dieser Mangel sei vor allem gravierend, heißt es, in einem Zeitalter, in dem der Realismus geradezu kanonisch geworden war. Der moderne Roman hingegen findet Geschmack gerade an Innerlichkeiten, an all dem, was die deutsche Tradition so differenziert und vielschichtig vermittelt hatte. Und daher, heißt es, dürfe es nicht wundernehmen, daß der deutsche Roman im zwanzigsten Jahrhundert (etwa mit Thomas Mann, Kafka, Musil, Broch) zum festen Bestand der europäischen Literatur gehört. Das stimmt zweifelsohne – aber möglicherweise aus anderen Gründen. Denn nicht nur bei Mann, sondern auch bei Kafka, Musil und Broch ist es erstaunlich, wie sehr die kreative Resonanz des Realismus immer noch zu spüren ist. Kafkas Durchleuchtung der Bürokratie, Musil Kakanien, jenes schonungslose satirische Bild der untergehenden Donaumonarchie,

Brochs Thematisierung historischer Prozesse anhand einer Theorie wert-theoretischen und narrativen Paradigmenwechsels in den *Schlafwandlern* – das alles sind Momente aus der klassichen Moderne des europäischen Romans, die dem Geist des erzählerischen Realismus nach wie vor ver-pflichtet sind. Vielleicht könnte man die These aufstellen: die Prosaschrift-steller der deutschsprachigen Länder im neunzehnten Jahrhundert haben immer gewußt, daß Gesellschaftliches in mentalen Prozessen verwurzelt ist, und waren immer bestrebt, diese Einsicht erzählerisch zu gestalten und zu hinterfragen. Diese Tradition aus dem neunzehnten Jahrhundert durfte sich im zwanzigsten Jahrhundert als anregendes Moment weiterhin behaupten; wohingegen sich im übrigen Europa der Bruch zwischen Realismus und Moderne viel krasser ausnimmt.

Und eines soll nicht vergessen werden: sobald wir unseren Blick von der anspruchsvollen Romankunst abwenden und uns mit populären Lesestof-fen beschäftigen, stellen wir fest, daß sich der Realismus einer sehr robusten Gesundheit erfreut. Die meisten Bestseller, etwa die Taschenbücher, die in Kiosken massenhaft verkauft werden, sind Romane, die dem Realismus – zugestandenermaßen auf sehr unreflektierte Art und Weise – zu großen Tei-len verpflichtet sind. Diese Lektüre kann man, wenn man will, als wertlos abtun. Mir scheint es hingegen viel sinnvoller zu fragen, warum der Realis-mus so zäh weiterlebt. Und, was die künstlerisch anspruchsvollere Literatur angeht, schiene es mir ein ergiebiges Unternehmen, wenn wir versuchen würden, die Ideologie eines vereinfachten und vereinfachenden Realismus in etwas Reflektiertes und Reflektierendes zu verwandeln. In diesem Kon-text könnte die Tradition deutscher Erzählprosa entscheidende Anregun-gen beisteuern.

Auswahlbibliographie

Was die zentrale Argumentation angeht, überschneidet sich dieses *Epochen-buch Realismus: Romane und Erzählungen* weitgehend mit meinem Buch *Studies of German Prose Fiction in the Age of European Realism*, Lewiston 1995. Ich möchte aber betonen, daß das Epochenbuch für den deutschen Leser eigens konzipiert und geschrieben worden ist. Es handelt sich keines-wegs um eine Übersetzung eines englischen Originaltextes.

In Anbetracht der schier unübersehbaren Fülle der Sekundärliteratur zum literarischen Realismus – und zu einigen der behandelten Schriftsteller – kann die Bibiliographie nicht umhin, sehr selektiv zu sein. Ich habe ver-sucht, vor allem diejenigen Darstellungen zu berücksichtigen, die sich mit der Fragestellung überschneiden, die mich beschäftigt – oder die eine um-sichtige und hilfreiche Einführung in den jeweiligen Text oder Problemkreis bieten.

Abgesehen von einigen kleinen und unvermeidlichen Abweichungen, hält sich die Bibliographie an die Kapitelfolge des Epochenbuches.

I. *Allgemeines zur Text- und Realismustheorie*

Allott, Miriam: *Novelists on the Novel*, London 1959.

Auerbach, Erich: *Mimesis: dargestellte Wirklichkeit in der abendländischen Literatur*, Bern 1946.

Aust, Hugo: *Literatur des Realismus*, Stuttgart 1977.

Barthes, Roland: „L'effet de réel", in: *Littérature et réalité*, hg. v. Gerard Genette und Tzvetan Todorov, Paris 1982, S. 81-90.

Barthes, Roland: *S/Z*, Paris 1970.

Baudrillard, Jean: *Selected Writings*, hg. v. Mark Poster, Cambridge 1988.

Brinkmann, Richard (Hg.): *Begriffsbestimmung des literarischen Realismus*, Darmstadt 1969.

Bürger, Christa und Peter (Hg.): *Postmoderne: Alltag, Allegorie und Avant-garde*, Frankfurt am Main 1987.

Coates, Paul: *The realist Fantasy: Fiction and Reality since „Clarissa"*, Lon-don und Basingstoke 1983.

Culler, Jonathan: *Structuralist Poetics: structuralism, linguistics and the study of literature*, London 1975.

de Man, Paul: *Allegories of Reading: figural language in Rousseau, Nietzsche, Rilke, and Proust*, New Haven 1979; auf dt.: *Allegorien des Lesens*, Frankfurt am Main 1988.

Derrida, Jacques: *De la Grammatologie*, Paris 1967; auf dt.: *Grammatologie*, Frankfurt am Main 1983.

Derrida, Jacques: *L'Ecriture et la Différence*, Paris 1967.

Furst, Lilian R.: „*All is true*": *the Claims and Strategies of realist Fiction*, Durham und London 1995.

Furst, Lilian R. (Hg.): *Realism*, London und New York 1992.

Geppert, Hans Vilmar: *Der realistische Weg: Formen pragmatischen Erzählens bei Balzac, Dickens, Hardy, Keller, Raabe und anderen Autoren des 19. Jahrhunderts*, Tübingen 1994.

Girard, René: *Mensonge Romantique et vérité Romanesque*, Paris 1961.

Goldman, Lucien: *Pour une sociologie du roman*, Paris 1964.

Grimm, Reinhold und Hermand, Jost (Hg.): *Realismustheorien in Literatur, Malerei, Musik und Politik*, Stuttgart [u.a.] 1975.

Hofner, Eckhard: *Literarität und Realität: Aspekte des Realismusbegriffs in der französischen Literatur des 19. Jahrhunderts*, Heidelberg 1980.

Holzkamp, Klaus: *Sinnliche Erkenntnis: historischer Ursprung und gesellschaftliche Funktion der Wahrnehmung*, Frankfurt am Main 1973.

Jameson, Fredric: *Marxism and Form: 20. century dialectical theories of literature*, Princeton 1971.

Jameson, Fredric: *The political unconscious: narrative as a socially symbolic act*, London 1981.

Jauß, Hans Robert: *Nachahmung und Illusion: Kolloquium Gießen Juni 1963. Vorlagen und Verhandlungen*, München 1964.

Kafitz, Dieter: *Figurenkonstellation als Mittel der Wirklichkeitserfassung: dargestellt an Romanen der 2. Hälfte des 19. Jahrhunderts (Freytag, Spielhagen, Fontane, Raabe)*, Kronberg/Ts 1978.

Kleinstück, Johannes: *Die Erfindung der Realität: Studien zur Geschichte und Kritik des Realismus*, Stuttgart 1980.

Kohl, Stephan: *Realismus: Theorie und Geschichte*, München 1977.

Laemmle, Peter (Hg.): *Realismus – welcher?: sechzehn Autoren auf der Suche nach einem literarischen Begriff*, München 1976.

Levin, Harry: *The Gates of Horn: five French realists*, London und New York 1963.

Levine, George: *The realistic Imagination: English fiction from „Frankenstein" to „Lady Chatterley"*, Chicago 1981.

Lodge, David: *The Modes of Modern Writing: Metaphor, Metonymy, and the Typology of Modern Literature*, London 1977.

Mennemeier, Franz Norbert: „Der Realismusbegriff in komparatistischer Sicht", in: *Kontroversen, alte und neue: Göttingen 1985*, hg. v. Albrecht Schöne, Tübingen 1986, Bd IX, S. 127-132.

Miller, J. Hillis: *Fiction and Repetition: Seven English Novels*, Oxford 1982.

Miller, J. Hillis: *The form of Victorian fiction*, Notre Dame und London 1988.

Moretti, Franco: *The Way of the World: the Bildungsroman in European culture*, London 1987.

Preisendanz, Wolfgang (Hg.): *Wege des Realismus: Zur Poetik und Erzählkunst im 19. Jahrhundert*, München 1977.

Prendergast, Christopher: *Balzac: Fiction and Melodrama*, London 1978.

Prendergast, Christopher: *The Order of Mimesis*, Cambridge 1986.

Riffaterre, Michael: *Fictional Truth*, Baltimore und London 1990.

Stern, Joseph Peter: *On Realism*, London und Boston 1973.

Trilling, Lionel: *Sincerity and Authenticity*, London 1974.

Ulmann, Gisela: *Sprache und Wahrnehmung: Verfestigung und Aufbrechen von Anschauungen durch Wörter*, Frankfurt am Main [u. a.] 1975.

Watt, Ian: *Der bürgerliche Roman: Aufstieg einer Gattung. Defoe, Richardson, Fielding*, Frankfurt am Main 1974.

Williams, Raymond: *The Country and the City*, London 1973.

Williams, Raymond: *The English Novel: from Dickens to Lawrence*, London 1970.

II. *Deutsche Geschichte*

Blackbourn, David und Eley, Geoff: *The peculiarities of German history*, Oxford 1984.

Böhme, Helmut: *Prolegomena zu einer Sozial- und Wirtschaftsgeschichte Deutschlands im 19. und 20. Jahrhundert*, Frankfurt am Main 1972.

Dahrendorf, Ralf: *Gesellschaft und Demokratie in Deutschland*, München 1968.

Habermas, Jürgen: *Strukturwandel der Öffentlichkeit: Untersuchungen zu einer Kategorie der bürgerlichen Gesellschaft*, Neuwied 1969.

Kocka, Jürgen: *Geschichte und Aufklärung: Aufsätze*, Göttingen 1989.

Kocka, Jürgen (Hg.): *Bürgertum im 19. Jahrhundert: Deutschland im europäischen Vergleich.* 3 Bde, München 1988.

Plessner, Helmut: *Die verspätete Nation*, Stuttgart 1959.

Walker, Mack: *German home towns*, Ithaca und London 1971.

White, Hayden: *Metahistory: the historical Imagination in 19th-century Europe*, Baltimore und London 1973.

III. *Zur Theorie und Praxis des deutschsprachigen Realismus*

Bernd, Clifford Albrecht: *German Poetic Realism*, Boston 1981.

Böschenstein-Schäfer, Renate: „Zeit- und Gesellschaftsromane", in: *Deutsche Literatur: Eine Sozialgeschichte*, hg. v. Horst Albert Glaser, Hamburg 1982, Bd VII, S. 101-123.

Böhn, Andreas: *Vollendende Mimesis: Wirklichkeitsdarstellung und Selbstbezüglichkeit in Theorie und literarischer Praxis*, Berlin und New York 1992.

Brinkmann, Richard: *Wirklichkeit und Illusion: Studien über Gehalt und Grenzen des Begriffs Realismus für die erzählende Dichtung des neunzehnten Jahrhunderts*, Tübingen 1957.

Bucher, Max (et al) (Hg.): *Realismus und Gründerzeit: Manifeste und Dokumente zur deutschen Literatur*, Stuttgart 1981.

Cowen, Roy C.: *Der poetische Realismus: Kommentar zu einer Epoche*, München 1985.

Czucka, Eckehard: *Emphatische Prosa: das Problem der Wirklichkeit der Ereignisse in der Literatur des 19. Jahrhunderts. Sprachkritische Interpretationen zu Goethe, Alexander von Humboldt, Stifter und anderen*, Stuttgart 1992.

Denkler, Horst (Hg.): *Romane und Erzählungen des bürgerlichen Realismus: neue Interpretationen*, Stuttgart 1980.

Edler, Erich: *Die Anfänge des sozialen Romans und der sozialen Novelle in Deutschland*, Frankfurt am Main 1977.

Eisele, Ulf: *Realismus und Ideologie: zur Kritik der literarischen Theorie nach 1848 am Beispiel des „Deutschen Museums"*, Stuttgart 1976.

Fetzer, John F. (Hg.): *In Search of the Poetic Real: essays in honor of Clifford Albrecht Bernd on the occasion of his sixtieth birthday*, Stuttgart 1989.

Fues, Wolfram Malte: *Poesie der Prosa, Prosa als Poesie: eine Studie zur Geschichte der Gesellschaftlichkeit bürgerlicher Literatur von der deutschen Klassik bis zum Ausgang des 19. Jahrhunderts*, Heidelberg 1990.

Hahl, Werner: *Reflexion und Erzählung: ein Problem der Romantheorie von der Spätaufklärung bis zum programmatischen Realismus*, Stuttgart [u. a.] 1971.

Holub, Robert C.: *Reflections on Realism: Paradox, Norm, and Ideology in 19th-century German prose*, Detroit 1991.

Kaiser, Nancy A.: *Social integration and narrative structure: pattern of realism in Auerbach, Freytag, Fontane and Raabe*, New York [u. a.] 1986.

Killy, Walther: *Romane des 19. Jahrhunderts: Wirklichkeit und Kunstcharakter*, Göttingen 1967.

Kinder, Hermann: *Poesie als Synthese: Ausbreitung eines deutschen Realismus-Verständnisses in der Mitte des 19. Jahrhunderts*, Frankfurt am Main 1973.

Kohn-Bramstedt, Ernst: *Aristocracy and the middle-classes in Germany: social types in German literature 1830-1900*, London 1937.

Korte, Hermann: *Ordnung & Tabu: Studien zum poetischen Realismus*, Bonn 1989.

Lehrer, Mark: *Intellektuelle Aporie und literarische Originalität: wissenschaftsgeschichtliche Studien zum deutschen Realismus: Keller, Raabe und Fontane*, New York [u. a.] 1991.

Lukács, Georg: *Deutsche Realisten des 19. Jahrhunderts*, Bern 1951.

Martini, Fritz: *Deutsche Literatur im bürgerlichen Realismus: 1848-1898*, Stuttgart 1962.

McInnes, Edward: „Zwischen *Wilhelm Meister* und *Die Ritter vom Geist*: zur Auseinandersetzung zwischen Bildungsroman und Sozialroman im 19. Jahrhundert", in: DVjS 43, 1969, S. 487-514.

McInnes, Edward: *„Eine untergeordnete Meisterschaft?"* The critical reception of Dickens in Germany 1837-1870, Frankfurt am Main 1991.

Mühl, Beate: *Romantradition des frühen Realismus*, Frankfurt am Main 1983.

Müller, Klaus-Detlef (Hg.): *Bürgerlicher Realismus: Grundlagen und Interpretationen*, Königstein/Ts. 1981.

Ohl, Hubert: *Bild und Wirklichkeit: Studien zur Romankunst Raabes und Fontanes*, Heidelberg 1968.

Osterkamp, Barbara: *Arbeit und Identität: Studien zur Erzählkunst des bürgerlichen Realismus*, Würzburg 1983.

Pascal, Roy: *The German Novel*, Manchester 1956.

Plumpe, Gerhard (Hg.): *Theorie des bürgerlichen Realismus: eine Textsammlung*, Stuttgart 1985.

Preisendanz, Wolfgang: *Humor als dichterische Einbildungskraft: Studien zur Erzählkunst des poetischen Realismus*, München [2]1976.

Richter, Claus: *Leiden an der Gesellschaft: vom literarischen Liberalismus zum poetischen Realismus*, Kronberg/Ts. 1978.

Ritchie, J.M.: „The Ambivalence of ‚Realism' in German literature 1830-1880", in: *Orbis Litterarum* 15, 1961, S. 200-217.

Seiler, Bernd W.: *Die leidigen Tatsachen: von den Grenzen der Wahrscheinlichkeit in der deutschen Literatur seit dem 18. Jahrhundert*, Stuttgart 1983.

Silz, Walter: *Realism and reality: studies in the German novelle of poetic realism*, Chapel Hill 1954.

Steinecke, Harmut (Hg.): *Romanpoetik in Deutschland: von Hegel bis Fontane*, Tübingen 1984.

Steinecke, Hartmut: *Romanpoetik von Goethe bis Thomas Mann: Entwicklungen und Probleme der „demokratischen Kunstform" in Deutschland*, München 1987.

Stern, Joseph Peter: *Re-Interpretations*, London 1964.

Widhammer, Helmuth: *Realismus und klassizistische Tradition: Zur Theorie der Literatur in Deutschland 1848-1860*, Tübingen 1972.

IV. *Jungdeutschland*

Kaiser, Herbert: *Studien zum deutschen Roman nach 1848: Karl Gutzkow – Die Ritter vom Geiste; Gustav Freytag – Soll und Haben; Adalbert Stifter – Der Nachsommer*, Duisburg 1977.

Koopmann, Helmut: *Das Junge Deutschland: eine Einführung*, Darmstadt 1993.

Sammons, Jeffrey L.: *Six Essays on the Young German Novel*, Chapel Hill 1972.

Schwering, Markus: *Epochenwandel im spätromantischen Roman: Untersuchungen zu Eichendorff, Tieck und Immermann*, Köln [u. a.] 1985

V. *Gutzkow*

Funke, Rainer: *Beharrung und Umbruch 1830-1860: Karl Gutzkow auf dem Weg in die literarische Moderne*, Frankfurt am Main 1984.

Vonhoff, Gert: *Vom bürgerlichen Individuum zur sozialen Frage: Romane von Karl Gutzkow*, Frankfurt am Main 1994.

Wabnegger, Erwin: *Literaturskandal: Studien zur Reaktion des öffentlichen Systems auf Karl Gutzkows Roman „Wally die Zweiflerin" (1835-1848)*, Würzburg 1987.

VI. *Immermann*

Hasubek, Peter: Karl Immermann: *„Die Epigonen"*, in: *Romane und Erzählungen zwischen Romantik und Realismus: neue Interpretationen*, hg. v. Paul Michael Lützeler, Stuttgart 1983.

Holst, Guenther H.: *Das Bild des Menschen in den Romanen Karl Immermanns*, Meisenheim am Glan 1976.

Karrasch, G.: „Heilung durch Form. Zur Struktur von Karl Immermanns Roman *Münchhausen"*, in: *ZfdPh* 107, 1988, Sonderheft, S. 147-161.

195

Kohlhammer, Siegfried: *Resignation und Revolte: Immermanns „Münchhausen" – Satire und Zeitroman der Restaurationsepoche*, Stuttgart 1973.

Maierhofer, Waltraud: *„Wilhelm Meisters Wanderjahre" und der Roman des Nebeneinander*, Bielefeld 1990.

Mayer, Hans: „Karl Immermanns *Epigonen*", in: Mayer: Das *unglückliche Bewußtsein: zur deutschen Literaturgeschichte von Lenz bis Heine*, Frankfurt am Main 1986.

Minden, Michael: „Problems of realism in Immermann's *Die Epigonen*", in: *Oxford German Studies* 16, 1985, S. 66-80.

Morgenthaler, Walter: *Bedrängte Positivität: zu Romanen von Immermann, Keller, Fontane*, Bonn 1979.

Wiese, Benno von: *Karl Immermann: Sein Werk und sein Leben*, Bad Homburg 1969.

Windfuhr, Manfred: *Immermanns erzählendes Werk: zur Situation des Romans in der Restaurationszeit*, Gießen 1957.

VII. *Gotthelf*

Fehr, Karl: *Jeremias Gotthelf: Poet und Prophet – Erzähler und Erzieher; zu Sprache, dichterischer Kunst und Gehalt seiner Schriften*, Bern 1986.

Fritz, Hubert: *Die Erzählweise in den Romanen Charles Sealsfields und Jeremias Gotthelfs: Zur Rhetoriktradition im Biedermeier*, Bern [u. a.] 1976.

Hahl, Werner: „Jeremias Gotthelf: *Uli der Knecht* (1841): die christliche ‚Ökonomik' als Roman", in: *Romane und Erzählungen des bürgerlichen Realismus: neue Interpretationen*, hg. v. Horst Denkler, Stuttgart 1980, S. 9-25.

Hahl, Werner: *Jeremias Gotthelf – der „Dichter des Hauses"*, Stuttgart und Weimar 1994.

Holl, Hanns Peter: *Gotthelf im Zeitgeflecht: Bauernleben, industrielle Revolution und Liberalismus in seinen Romanen*, Tübingen 1985.

Jarchow, Klaus: *Bauern und Bürger: die traditionale Inszenierung einer bäuerlichen Moderne im literarischen Werk Jeremias Gotthelfs*, Frankfurt am Main [u. a.] 1989.

VIII. *Sealsfield, Gutzkow*

Schüppen, Franz: *Charles Sealsfield, Karl Postl: ein österreichischer Erzähler der Biedermeierzeit im Spannungsfeld von Alter und Neuer Welt*, Frankfurt am Main und Bern 1981.

Schnitzler, Günter: *Erfahrung und Bild: die dichterische Wirklichkeit des Charles Sealsfield (Karl Postl)*, Freiburg im Breisgau 1988.

Friesen, Gerhard: *The German panoramic Novel of the 19th Century*, Bern und Frankfurt am Main 1972.

Gerig, Hermann: *Karl Gutzkow, der Roman des Nebeneinander*, Winterthur 1954.

Hasubek, Peter: „Karl Gutzkow: *Die Ritter vom Geiste* (1850-1). Gesellschaftsdarstellung im deutschen Roman nach 1848", in: *Romane und Erzählungen des bürgerlichen Realismus: neue Interpretationen*, hg. v. Horst Denkler, Suttgart 1980, S. 26-39.

Ricken, Achim: *Panorama und Panoramaroman: Parallelen zwischen der Panorama-Malerei und der Literatur im 19. Jahrhundert, dargestellt an Eugène Sues Geheimnissen von Paris und Karl Gutzkows Rittern vom Geist*, Frankfurt am Main [u. a.] 1991.

IX. Freytag

Berman, Russell A.: *The Rise of the modern German Novel: Crisis and Charisma*, Cambridge Mass. und London 1986, S. 79-104.

Bräutigam, Bernd: „Candide im Comptoir: zur Bedeutung der Poesie in Gustav Freytags *Soll und Haben*", in: *GRM* 35, 1985, S. 395-411.

Büchler-Hauschild, Gabriele: *Erzählte Arbeit: Gustav Freytag und die soziale Prosa des Vor- und Nachmärz*, Paderborn 1987.

Carter, T.E.: „Freytag's *Soll und Haben*: a liberal national manifesto as a best-seller", in: *German Life and Letters* 21, 1967-8, S. 320-9.

Gelber, Mark: „Teaching ‚literary Anti-Semitism': Dickens' *Oliver Twist* and Freytag's *Soll und Haben*", in: *Comparative Literature Studies* 16, 1979, S. 1-11.

Köhnke, Klaus Christian: „Ein anti-semitischer Autor wider Willen. Zu Freytags Roman *Soll und Haben*", in: *Judaica*, hg. v. H.O. Horch und Horst Denkler, Bd. II, Tübingen 1989, S. 130-147.

McInnes, Edward: „Die Poesie des Geschäfts": social analysis and polemic in Fontane's *Soll und Haben*", in: *Formen realistischer Erzählkunst* (Festschr. für Charlotte Jolles) hg. v. Jörg Thunecke, Nottingham 1979, S. 99-107.

Sagarra, Eda: „Jewish Emancipation in 19th-century Germany and the sterotyping of the Jew in Gustav Freytag's *Soll und Haben*", in: *The Writer as Witness*, hg. v. Tom Dunn, Cork 1987.

Sammons, Jeffrey L.: „The Evaluation of Gustav Freytag's *Soll und Haben*", in: Sammons: *Imagination and History: selected papers on 19th-century German Literature*, New York 1988.

Schneider, Michael: *Geschichte als Gestalt: Formen der Wirklichkeit und Wirklichkeit der Formen in Gustav Freytags Roman „Soll und Haben"*, Stuttgart 1980.

Steinecke, Hartmut: „Gustav Freytag: *Soll und Haben* (1855). Weltbild und Wirkung eines deutschen Bestsellers", in: *Romane und Erzählungen des bürgerlichen Realismus: neue Interpretationen*, hg. v. Horst Denkler, Stuttgart 1980, S. 138-152.

X. *Spielhagen*

Fischbacher-Bosshardt, Andrea: *Anfänge der modernen Erzählkunst: Untersuchungen zu Friedrich Spielhagens theoretischem und literarischem Werk*, Bern 1988.

Lamers, Henrike: *Held oder Welt?: Zum Romanwerk Friedrich Spielhagens*, Bonn 1991.

Neumann, Bernd: „Friedrich Spielhagens *Sturmflut* (1877): Die ‚Gründerjahre' als die ‚Signatur des Jahrhunderts'", in: *Romane und Erzählungen des bürgerlichen Realismus: neue Interpretationen*, hg. v. Horst Denkler, Stuttgart 1980, S. 260-273.

Rebing, Günter: *Der Halbbruder des Dichters: Friedrich Spielhagens Theorie des Romans*, Frankfurt am Main 1972.

XI. *Keller*

Fife, Hildegaard: „Keller's dark fiddler in the 19th-century symbolism of Evil", in: *German Life and Letters* 16, 1962-3, S. 117-127.

Gilbert, Mary: „Zur Bildlichkeit in Kellers *Romeo und Julia*", in: *WW* 4, 1953-4, S. 354-358.

Gsell, Hanspeter: *Einsamkeit, Idylle und Utopie: Studien zum Problem von Einsamkeit und Bindung in Gottfried Kellers Romanen und Novellen*, Bern 1976.

Hauschild, Brigitte: *Geselligkeitsformen und Erzählstruktur: die Darstellung von Geselligkeit und Naturbegegnung bei Gottfried Keller und Theodor Fontane*, Frankfurt am Main 1981.

Hildt, Friedrich: *Gottfried Keller: literarische Verheißung und Kritik der bürgerlichen Gesellschaft im Romanwerk*, Bonn 1978.

Irmscher, Hans Dietrich: „Konfiguration und Spiegelung in Gottfried Kellers Erzählungen", in: *Euphorion* 65, 1971, S. 319-418.

Jeziorkowski, Klaus: *Literarität und Historismus: Beobachtungen zu ihrer Erscheinungsform im 19. Jahrhundert am Beispiel Gottfried Kellers*, Heidelberg 1979.

Kaiser, Gerhard und Kittler, Friedrich A.: *Dichtung als Sozialisationsspiel: Studien zu Goethe und Gottfried Keller*, Göttingen 1978.

Kaiser, Gerhard: *Gottfried Keller: das gedichtete Leben*, Frankfurt am Main 1981.

Laufhütte, Hartmut: *Wirklichkeit und Kunst in Gottfried Kellers Roman „Der grüne Heinrich"*, Bonn 1969.

Meier, Hans: *Gottfried Kellers „grüner Heinrich": Betrachtungen zum Roman des poetischen Realismus*, Zürich 1977.

Menninghaus, Winfried: *Artistische Schrift: Studien zur Kompositonskunst Gottfried Kellers*, Frankfurt am Main 1982.

Müller, Dominik: *Wiederlesen und weiterschreiben: Gottfried Kellers Neugestaltung des „Grünen Heinrich"; mit einer Synopse der beiden Fassungen*, Bern [u. a.] 1988.

Muschg, Adolf: *Gottfried Keller*, München 1977.

Neumann, Bernd: *Gottfried Keller: eine Einführung in sein Werk*, Königstein/Ts. 1982.

Preisendanz, Wolfgang: „Der grüne Heinrich" in: *Der deutsche Roman*, hg. v. Benno von Wiese, Bd. II, Düsseldorf 1963.

Richartz, Heinrich: *Literaturkritik als Gesellschaftskritik: Darstellungsweise und politisch-didaktische Intention in Gottfried Kellers Erzählkunst*, Bonn 1975.

Richter, Hans: *Gottfried Kellers frühe Novellen*, Berlin 1960.

Rohe, Wolfgang: *Roman aus Diskursen: Gottfried Keller, „Der grüne Heinrich" (erste Fassung 1854/55)*, München 1994.

Rothenberg, Jürgen: *Gottfried Keller: Symbolgehalt und Realitätserfassung seines Erzählens*, Heidelberg 1976.

Sautermeister, Gert: „Der grüne Heinrich" (1854-5; 1879-80): Gesellschaftsroman, Seelendrama, Romankunst", in: *Romane und Erzählungen des bürgerlichen Realismus: neue Interpretationen*, hg. v. Horst Denkler, Stuttgart 1980, S. 80-123.

Spies, Bernhard: *Behauptete Synthesis: Gottfried Kellers Roman „Der grüne Heinrich"*, Bonn 1978.

Steinecke, Hartmut (Hg.): *Zu Gottfried Keller*, Stuttgart 1984.

Steinlin, Laurenz: *Gottfried Kellers materialistische Sinnbildkunst: die Arbeit am Grünen Heinrich 1848-55 im Kontext*, Bern [u. a.] 1986.

Swales, Erika: *The Poetics of Scepticism: Gottfried Keller and „Die Leute von Seldwyla"*, Oxford und Providence, 1994.

XII. Raabe

Bullivant, Keith: „Wilhelm Raabe and the European novel", in: *Orbis Litterarum* 31 (1976), S. 263-281.

Denkler, Horst: „Wilhelm Raabes *Pfisters Mühle* (1884): Zur Aktualität eines alten Themas und vom Nutzen offener Strukturen", in: *Romane und Erzählungen des bürgerlichen Realismus: neue Interpretationen*, hg. v. Horst Denkler, Stuttgart 1980, S. 293-309.

Denkler, Horst: *Wilhelm Raabe: Legende – Leben – Literatur*, Tübingen 1989.

Fairley, Barker: *Wilhelm Raabe: an Introduction to his novels*, Oxford 1961.

Helmers, Hermann (Hg.): *Raabe in neuer Sicht*, Stuttgart [u. a.] 1968.

Heldt, Uwe: *Isolation und Identität: die Bedeutung des Idyllischen in der Epik Willhelm Raabes*, Frankfurt am Main 1980.

Kaiser, Nancy A.: „Reading Raabe's realism: *Die Akten des Vogelsangs*", in: *Germanic Review* 59, 1984, S. 2-9.

Klopfenstein, Eduard: *Erzähler und Leser bei Wilhelm Raabe: Untersuchung zu einem Formelement der Prosaerzählung*, Bern 1969.

Roebling, Irmgard: *Wilhelm Raabes doppelte Buchführung: Paradigma einer Spaltung*, Tübingen 1988.

Sammons, Jeffrey L.: *Wilhelm Raabe: the fiction of the alternative community*, Princeton 1987.

Sammons, Jeffrey L.: *Raabe, Pfisters Mühle*, London 1988.

Schmid-Stotz, Regina: *Von Finkenrode nach Altershausen: das Motiv der Heimkehr im Werk Wilhelm Raabes als Ausdruck einer sich wandelnden Lebenseinstellung, dargestellt an 5 Romanen aus 5 Lebensabschnitten*, Bern 1984.

XIII. *Storm*

Ellis, John M.: „Storm: *Der Schimmelreiter*", in: Ellis: *Narration in the German Novelle: Theory and Interpretation*, Cambridge 1974, S. 155-168.

Freund, Winfried: *Theodor Storm: Der Schimmelreiter: Glanz und Elend des Bürgers. Mit Lageplänen und Strukturskizzen*, Paderborn 1984.

Freund, Winfried: *Theodor Storm*, Stuttgart 1987.

Goldammer, Peter: *Theodor Storm: Eine Einführung in Leben und Werk*, Leipzig 1968.

Hermand, Jost: „Hauke Haien – Kritik oder Ideal des gründerzeitlichen Übermenschen?" in: *WW* 15 (1965), S. 40-50.

Jackson, David: *Theodor Storm: the life and works of a democratic humanitarian*, New York [u. a.] 1992.

Paulin, Roger: *Theodor Storm*, München 1992.

Preisendanz, Wolfgang: „Gedichtete Perspektiven in Storms Erzählkunst", in: *Schriften der Theodor-Storm-Gesellschaft* 17, 1968, S. 25-37.

Rogers, Terence John: *Techniques of Solipsism: a Study of Theodor Storm's narrative Fiction*, Cambridge 1970.

Schuster, Ingrid: *Theodor Storm: die zeitkritische Dimension seiner Novellen*, Bonn 1971.

Vinçon, Hartmut: *Theodor Storm in Selbstzeugnissen und Bilddokumenten*, Reinbek bei Hamburg 1972.

Vinçon, Hartmut: *Theodor Storm*, Stuttgart 1973.

Ward, Mark G.: *Storm: „Der Schimmelreiter"*, Glasgow 1988.

White, Alfred D.: *Storm: „Der Schimmelreiter"*, London 1988.

XIV. *Fontane*

Aust, Hugo: *Theodor Fontane: ,Verklärung': eine Untersuchung zum Ideengehalt seiner Werke*, Bonn 1974.

Bance, Alan: *Theodor Fontane: the major Works*, Cambridge 1982.

Bindokat, Karla: *„Effi Briest": Erzählstoff und Erzählinhalt*, Frankfurt am Main und Bern 1984.

Brinkmann, Richard: *Theodor Fontane: über die Verbindlichkeit des Unverbindlichen*, München, 1967.

Degering, Thomas: *Das Verhältnis von Individuum und Gesellschaft in Fontanes „Effi Briest" und Flauberts „Madame Bovary"*, Bonn 1978.

Demetz, Peter: *Formen des Realismus: Theodor Fontane. Kritische Untersuchungen*, München 1964.

Frei, Norbert: *Theodor Fontane: die Frau als Paradigma des Humanen*, Königstein/Ts. 1980.

Glaser, Horst Albert: „Theodor Fontane, *Effi Briest* (1894) im Hinblick auf Emma Bovary und andere", in: *Romane und Erzählungen des bürgerlichen Realismus: neue Interpretationen*, hg. v. Horst Denkler, Stuttgart, 1980, S. 362-377.

Grawe, Christian: *Theodor Fontane: „Effi Briest"*, Frankfurt am Main [u. a.] 1985.

Guthke, Karl S.: „Fontanes ,Finessen' – ,Kunst' oder ,Künstelei'?, in: *JDSG* 26, 1982, S. 235-261.

Hamann, Elsbeth: *Theodor Fontanes „Effi Briest" aus erzähltheoretischer Sicht: unter besonderer Berücksichtigung der Interdependenzen zwischen Autor, Erzählwerk und Leser*, Bonn 1984.

Hass, Ulrike: *Theodor Fontane: bürgerlicher Realismus am Beispiel seiner Berliner Gesellschaftsromane*, Bonn 1979.

Hertling, Gunter H.: *Theodor Fontanes „Irrungen, Wirrungen": die ,erste Seite' als Schlüssel zum Werk*, New York und Bern 1985.

Kolk, Rainer: *Beschädigte Individualität: Untersuchungen zu den Romanen Theodor Fontanes*, Heidelberg 1986.

Michielsen, Gertrude: *The preparation of the future: techniques of anticipation in the novels of Theodor Fontane und Thomas Mann*, Bern 1978.

Minden, Michael: „Effi Briest" and „Die historische Stunde des Takts", in: *Modern Language Review* 76, 1981, S. 869-879.

Mittelmann, Hanni: *Die Utopie des weiblichen Glücks in den Romanen Theodor Fontanes*, Bern und Frankfurt am Main 1980.

Mittenzwei, Ingrid: *Die Sprache als Thema: Untersuchungen zu Fontanes Gesellschaftsromanen*, Bad Homburg v.d.H. [u. a.] 1970.

Müller-Seidel, Walter: *Theodor Fontane: soziale Romankunst in Deutschland*, Stuttgart 1975.

Pfeiffer, Peter C.: „Fontanes *Effi Briest*: zur Gestaltung epistemologischer Probleme des bürgerlichen Realismus", in: *GQ* 63, 1990, S. 75-82.

Reuter, Hans-Heinrich: *Fontane*, 2 Bde., Berlin 1968.

Richter, Karl: *Resignation: eine Studie zum Werk Theodor Fontanes*, Stuttgart 1966.

Schuster, Peter-Klaus: *Theodor Fontane „Effi Briest": ein Leben nach christlichen Bildern*, Tübingen 1978.

Swales, Erika: „Private mythologies and public unease: on Fontane's *Effi Briest*", in: *Modern Language Review* 75, 1980, S. 114-123.

Voss, Lieselotte: *Literarische Präfiguration dargestellter Wirklichkeit bei Fontane: zur Zitatstruktur seines Romanwerks*, München 1985.

Wölfel, Kurt: „‚Man ist nicht bloß ein einzelner Mensch': zum Figurenentwurf in Fontanes Gesellschaftsromanen", in: *ZfdPh* 82, 1963, S. 152-171.

Zimmermann, Hans Jürgen: *„Das Ganze" und die Wirklichkeit: Theodor Fontanes perspektivischer Realismus*, Frankfurt am Main und Bern 1988.

XV. *Ludwig, Kretzer*

Lillyman, William J.: *Otto Ludwig's „Zwischen Himmel und Erde": a study of its artistic structure*, Den Haag 1967.

Schönert, Jörg: „Otto Ludwig: *Zwischen Himmel und Erde* (1856): die Wahrheit des Wirklichen als Problem poetischer Konstruktion", in: *Romane und Erzählungen des bürgerlichen Realismus: neue Interpretationen*, hg. v. Horst Denkler, Stuttgart 1980, S. 153-172.

Helmes, Günter: „Max Kretzer: *Meister Timpe*", in *DU* 40, 1988, S. 51-63.

Mayer, Dieter: „Max Kretzer: *Meister Timpe* (1888): Der Roman vom Untergang des Kleinhandwerks in der Gründerzeit", in: *Romane und Erzählungen des bürgerlichen Realismus: neue Interpretationen*, hg. v. Horst Denkler, Stuttgart 1980, S. 347-361.

XVI. *Mann*

Diersen, Inge: *Untersuchungen zu Thomas Mann: die Bedeutung der Künstlerdarstellung für die Entwicklung des Realismus in seinem erzählerischen Werk*, Berlin [5]1965.

Furst, Lilian R.: „Re-reading *Buddenbrooks*", in: *German Life and Letters* 44, 1991, S. 317-329.

Heller, Erich: *Thomas Mann, der ironische Deutsche*, Frankfurt am Main 1959.

Koopmann, Helmut: *Die Entwicklung des „intellektualen Romans" bei Thomas Mann: Untersuchungen zur Struktur von „Buddenbrooks", „Königliche Hoheit" und „Der Zauberberg"*, Bonn ³1980.

Kurzke, Hermann: *Thomas Mann: Epoche – Werk – Wirkung*, München ²1991.

Lämmert, Eberhart: „Thomas Mann: *Buddenbrooks*", in: *Der deutsche Roman vom Barock bis zur Gegenwart*, hg. v. Benno von Wiese, Bd. II, Düsseldorf 1963, S. 190-233.

Lehnert, Herbert: *Thomas Mann: Fiktion, Mythos, Religion*, Stuttgart 1965.

Lukács, Georg: *Thomas Mann*, Berlin 1957.

Mayer, Hans: *Thomas Mann*, Frankfurt am Main 1980.

Moulden, Ken, und Wilpert, Gero von (Hg.): *Buddenbrooks-Handbuch*, Stuttgart 1988.

Reed, Terence J.: *Thomas Mann: the Uses of Tradition*, Oxford 1974.

Ridley, Hugh: *Thomas Mann: „Buddenbrooks"*, Cambridge 1987.

Rothenberg, Klaus-Jürgen: *Das Problem des Realismus bei Thomas Mann: zur Behandlung von Wirklichkeit in den „Buddenbrooks"*, Köln [u. a.] 1969.

Sagave, Pierre-Paul: *Réalité sociale et idéologie religieuse dans les Romans de Thomas Mann*, Paris 1954.

Vogt, Jochen: *Thomas Mann: „Buddenbrooks"*, München 1983.

Zeller, Michael: *Bürger oder Bourgeois? Eine literatursoziologische Studie zu Thomas Manns „Buddenbrooks" und Heinrich Manns „Im Schlaraffenland"*, Stuttgart 1976.

HORST BRUNNER / RAINER
MORITZ (Hgg.)

Literaturwissenschaft-
liches Lexikon (LL)

Grundbegriffe
der Germanistik

1997, 372 Seiten, 17 x 24 cm,
kartoniert, DM 44,80/öS 327,-/
sfr. 41,50, ISBN 3 503 03745 4

Das „Literaturwissenschaftliche
Lexikon" ist als aktuelles Nach-
schlagewerk konzipiert, das
prägnant über die elementaren
Begriffe der germanistischen
Literaturwissenschaft informiert.
In Abgrenzung zu anderen Lexika
sind die Stichwörter nach ihrer
Relevanz für (angehende) Germani-
sten ausgewählt und deshalb auf
knapp 150 Einträge beschränkt.
Diese gelten vorrangig den ‚großen' Epochen-, Gattungs- und
Theoriebegriffen — von „Althoch-
deutsche Literatur" bis „Zensur".

Die Konzentration auf das Wesentliche erlaubt eine breitere Darstellung, als es der knappe lexikali-
sche Rahmen üblicherweise zuläßt.
Verweise, die über ein detailliertes
Register aufzufinden sind, ver-
knüpfen die einzelnen Beiträge
sinnvoll, und bewußt knapp
gehaltene Literaturangaben
beschließen jeden Artikel.

Das „Literaturwissenschaftliche
Lexikon" wendet sich zuerst an
Germanistikstudierende in den
ersten Semestern und will für
Orientierung in einer schwer zu
überblickenden Begriffswelt
sorgen — als übersichtliches,
verständliches und nützliches
Hilfsmittel.

WULF SEGEBRECHT

Was sollen Germanisten
lesen?

Ein Vorschlag

1994, 76 Seiten, 41 Abbildungen,
12,8 x 20 cm, kartoniert, DM 12,80/
öS 93,-/sfr. 12,-, ISBN 3 503 03061 1

EDGAR PAPP

Taschenbuch Literatur-
wissenschaft

Ein Studienbegleiter für
Germanisten

1995, 128 Seiten, 12,8 x 20 cm,
kartoniert, DM 19,80/öS 145,-/
sfr. 19,-, ISBN 3 503 03704 7

RAINER BAASNER

Methoden und Modelle
der Literaturwissenschaft

Eine Einführung

1996, 244 Seiten, DIN A 5, kartoniert, DM 39,80/öS 291,-/sfr. 37,-
ISBN 3 503 03753 5

JÜRGEN H. PETERSEN

Fiktionalität und Ästhetik

Eine Philosophie der Dichtung

1996, 315 Seiten, 15,5 x 23 cm,
kartoniert, DM 58,-/öS 423,-/
sfr. 52,50, ISBN 3 503 03741 1

JUTTA OSINSKI

Einführung in die femini-
stische Literaturwissenschaft

1997, ca. 180 Seiten, DIN A 5,
kartoniert, ca. DM 29,80,
ISBN 3 503 03710 1

UNSER AKTUELLES PHILOLOGISCHES
VERLAGSPROGRAMM IM INTERNET:
HTTP://WWW.GEIST.DE

ERICH SCHMIDT VERLAG
Berlin Bielefeld München

STORM-BRIEFWECHSEL

HERAUSGEGEBEN IN VERBINDUNG MIT DER THEODOR-STORM-GESELLSCHAFT

Zuletzt erschien:

Band 14

Theodor Storm – Heinrich Schleiden

Briefwechsel. Kritische Ausgabe

Herausgegeben
von Peter Goldammer

> 1995, 155 Seiten, 15,8 x 23 cm,
> Ganzleinen mit Schutzumschlag,
> DM 68,–/öS 496,–/sfr. 61,50,
> ISBN 3 503 03713 6

Lange Zeit galten die Briefe Theodor Storms an Heinrich Schleiden als verschollen – sie werden in diesem Band zusammen mit den vorhandenen Gegenbriefen erstmals vollständig veröffentlicht.

Storm verband mit Schleiden, dem liberalen Theologen und Leiter einer „höheren Knabenschule" seit 1880 eine enge Freundschaft.

Der Briefwechsel dokumentiert die Diskussionen über Werke Storms und über Dichtungen anderer Autoren. Die enge Beziehung zu Hamburg, wo Schleiden wohnte, und seinem großstädtischen Kulturleben wird in den Briefen deutlich; sie widerspricht der verbreiteten Vorstellung von einer eindimensionalen Provinzialität des Dichters. Die Notizen zu den Reisen nach Berlin und Weimar sowie Äußerungen über das alltägliche Leben eröffnen zudem neue Einblicke in die Biographie Storms.

Band 13

Theodor Storm – Gottfried Keller

Herausgegeben von Karl Ernst Laage

> 1992, 247 Seiten, DM 89,–/öS 650,–/
> sfr. 80,50, ISBN 3 503 03032 8

Band 12

Theodor Storm – Otto Speckter/ Hans Speckter

Herausgegeben von Walter Hettche

> 1991, 216 Seiten, DM 78,–/öS 569,–/
> sfr. 70,50, ISBN 3 503 03024 7

Band 11

Theodor Storm – Klaus Groth

Herausgegeben von Boy Hinrichs

> 1990, 275 Seiten, DM 86,–/öS 628,–/
> sfr. 78,–, ISBN 3 503 03010 7

Band 10

Theodor Storm – Hartmuth und Laura Brinkmann

Herausgegeben von August Stahl

> 1986, 239 Seiten, DM 79,–/öS 577,–/
> sfr. 71,50, ISBN 3 503 02255 4

Band 9

Theodor Storm – Wilhelm Petersen

Herausgegeben von Brian Coghlan

> 1984, 284 Seiten, DM 84,–/öS 613,–/
> sfr. 76,–, ISBN 3 503 02222 8

Band 8

Theodor Storm – Theodor Fontane

Herausgegeben von Jacob Steiner

> 1981, 219 Seiten, DM 68,–/öS 496,–/
> sfr. 61,50, ISBN 3 503 01667 8

ERICH SCHMIDT VERLAG
Berlin Bielefeld München